Não conte a ninguém

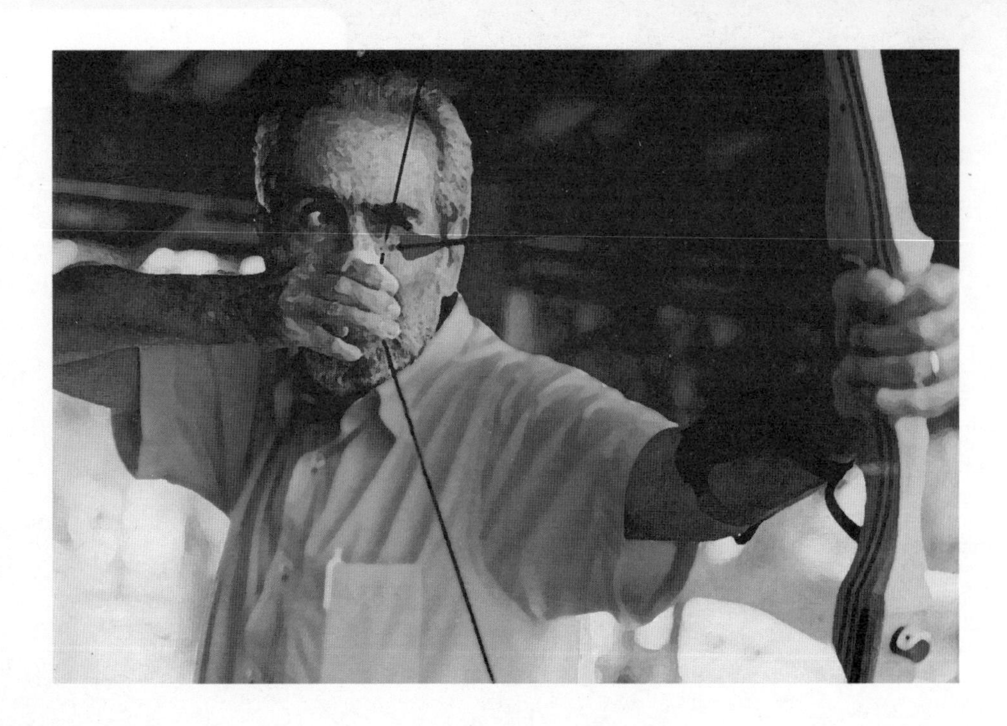

O ARQUEIRO

Geraldo Jordão Pereira (1938-2008) começou sua carreira aos 17 anos, quando foi trabalhar com seu pai, o célebre editor José Olympio, publicando obras marcantes como *O menino do dedo verde*, de Maurice Druon, e *Minha vida*, de Charles Chaplin.

Em 1976, fundou a Editora Salamandra com o propósito de formar uma nova geração de leitores e acabou criando um dos catálogos infantis mais premiados do Brasil. Em 1992, fugindo de sua linha editorial, lançou *Muitas vidas, muitos mestres*, de Brian Weiss, livro que deu origem à Editora Sextante.

Fã de histórias de suspense, Geraldo descobriu *O Código Da Vinci* antes mesmo de ele ser lançado nos Estados Unidos. A aposta em ficção, que não era o foco da Sextante, foi certeira: o título se transformou em um dos maiores fenômenos editoriais de todos os tempos.

Mas não foi só aos livros que se dedicou. Com seu desejo de ajudar o próximo, Geraldo desenvolveu diversos projetos sociais que se tornaram sua grande paixão.

Com a missão de publicar histórias empolgantes, tornar os livros cada vez mais acessíveis e despertar o amor pela leitura, a Editora Arqueiro é uma homenagem a esta figura extraordinária, capaz de enxergar mais além, mirar nas coisas verdadeiramente importantes e não perder o idealismo e a esperança diante dos desafios e contratempos da vida.

Harlan Coben

Não conte a ninguém

Título original: *Tell No One*
Copyright © 2001 por Harlan Coben
Copyright da tradução © 2009 por Editora Arqueiro Ltda.
Todos os direitos reservados.

Este livro é uma obra de ficção. Os personagens e os diálogos foram criados a partir da imaginação do autor e não são baseados em fatos reais. Qualquer semelhança com acontecimentos ou pessoas, vivas ou mortas, é mera coincidência.

tradução
Ivo Korytowski

revisão
Beth Rocha
Luis Américo Costa
Sheila Til

projeto gráfico e diagramação:
Valéria Teixeira

capa
Raul Fernandes

impressão e acabamento
Yangraf Gráfica e Editora Ltda.

CIP-BRASIL. CATALOGAÇÃO-NA-FONTE
SINDICATO NACIONAL DOS EDITORES DE LIVROS, RJ

C586n Coben, Harlan, 1962-
Não conte a ninguém / Harlan Coben [tradução de Ivo Korytowski]. São Paulo: Arqueiro, 2009.

Tradução de: Tell no one

ISBN 978-85-99296-51-6

1. Médicos – Ficção. 2. Mistério – Ficção. 3. Ficção americana. I. Korytowski, Ivo. II. Título.

09-3652
CDD 813
CDU 821.111(73)-3

Todos os direitos reservados, no Brasil, por
Editora Arqueiro Ltda.
Rua Funchal, 538 – conjuntos 52 e 54 – Vila Olímpia
04551-060 – São Paulo – SP
Tel.: (11) 3868-4492 – Fax: (11) 3862-5818
E-mail: atendimento@editoraarqueiro.com.br
www.editoraarqueiro.com.br

Em carinhosa memória de minha sobrinha
Gabi Coben (1997-2000),
nossa maravilhosa e pequena Myszka...

Pequeno perguntou:

– Mas, quando tivermos morrido e partido, você continuará me amando, o amor continua?

Grande abraçou Pequeno carinhosamente enquanto contemplavam a noite, a lua na escuridão e as estrelas brilhantes.

– Pequeno, olhe as estrelas, como brilham: algumas já morreram faz tempo. Mas elas continuam brilhando no céu noturno, para você ver, Pequeno, que o amor, como a luz das estrelas, nunca morre...

– Debi Gliori, *No Matter What*
(Aconteça o que acontecer)

PARECIA UM SUSSURRO SOMBRIO AO VENTO. Ou talvez um frio na espinha. Alguma coisa. Uma canção etérea que apenas Elizabeth e eu podíamos ouvir. Uma tensão no ar. Alguma premonição. Existem desgraças que quase esperamos na vida – o que aconteceu com meus pais, por exemplo – e existem momentos sombrios, momentos de súbita violência, que mudam tudo. Havia a minha vida antes da tragédia. Existe a minha vida agora. As duas têm dolorosamente pouco em comum.

Elizabeth mantinha-se calada durante o passeio ao local de nosso primeiro beijo, mas aquilo não era incomum. Mesmo quando menina, ela possuía esse traço de melancolia. Ficava quieta e mergulhava em uma contemplação ou em um medo profundo, eu nunca sabia qual dos dois. Talvez fosse parte do mistério, acredito, mas pela primeira vez pude sentir o abismo entre nós. Nosso relacionamento havia resistido a muitas barreiras. Eu me perguntava se ele conseguiria sobreviver à verdade. Ou melhor, às mentiras não contadas.

O ar-condicionado do carro zunia. O dia estava quente e úmido. Um clima típico de agosto. Cruzamos a Ponte Milford, na altura do Parque Delaware Water Gap, e fomos recepcionados na Pensilvânia por um amistoso cobrador de pedágio. Dezesseis quilômetros adiante, vi numa pedra um aviso que dizia: LAGO CHARMAINE – PROPRIEDADE PARTICULAR. Entrei na estrada de terra.

Os pneus quicavam no chão, levantando poeira como um estouro de cavalos árabes. Elizabeth desligou o rádio. Pelo canto do olho, percebi que estava examinando meu perfil. Dois cervos mordiscavam algumas folhas à nossa direita. Eles pararam, olharam para nós, viram que éramos inofensivos e voltaram a comer. Continuei dirigindo até que o lago surgiu à nossa frente. O sol despedia-se de nós, tingindo o céu de púrpura e laranja. As copas das árvores pareciam estar pegando fogo.

– Não acredito que vamos continuar fazendo isso – falei.

– Foi você quem começou.

– Sim, quando tinha 12 anos.

Elizabeth deu um sorriso. Não costumava sorrir, mas, quando o fazia, *nossa!*, atingia em cheio meu coração.

– É romântico – insistiu ela.

– É brega.

– Adoro romantismo.

– Você adora uma breguice.

– E você só pensa em sexo.

– Que nada! No fundo, sou um romântico – brinquei.

Ela riu e segurou minha mão.

– Vamos, seu romântico, está ficando tarde.

Lago Charmaine. Meu avô havia inventado esse nome, o que aborrecera minha avó. Ela queria que o lago tivesse o nome dela. Seu nome era Bertha. Lago Bertha. Vovô nem ligava. Ponto para ele.

Há uns 50 anos, o lago Charmaine tinha sido uma colônia de férias para meninos ricos. O proprietário falira, de modo que vovô comprou barato o lago e todo o terreno em volta. Ele recuperou a casa do diretor da colônia de férias, mas demoliu quase todas as construções em frente ao lago. Dentro da mata, onde ninguém mais ia, deixou as cabanas dos meninos caírem aos pedaços. Minha irmã Linda e eu costumávamos explorá-las, em busca de velhos tesouros escondidos em suas ruínas, brincando de esconde-esconde e fugindo do bicho-papão que, com certeza, estava nos espreitando. Elizabeth raramente se juntava a nós. Ela gostava de saber onde tudo estava. Brincar de esconder a assustava.

Quando saltamos do carro, ouvi os fantasmas. Um monte deles, rodopiando e brigando pela minha atenção. O de meu pai venceu. O silêncio era total, mas eu jurava que conseguia ouvir os gritos de alegria de papai ao mergulhar do píer, os joelhos comprimidos contra o tórax, o riso quase de um louco, a pancada na água – quase um maremoto aos olhos de seu único filho homem. Papai gostava de mergulhar perto da balsa onde mamãe tomava banho de sol. Ela reclamava, mas mal conseguia disfarçar o sorriso.

Pisquei, e as imagens sumiram. Mas me lembrei de como o riso, o grito e a pancada na água vibravam e ecoavam na quietude de nosso lago e me perguntei se reverberações e ecos como aqueles chegam a morrer totalmente, se em algum ponto da mata os gritos alegres de meu pai ainda ricocheteavam tranquilamente nas árvores. Pensamento idiota, mas fazer o quê?

Lembranças machucam. As boas, mais ainda.

– Está tudo bem, Beck? – perguntou Elizabeth.

Virei-me para ela:

– Vamos dar umazinha, né?

– Pervertido.

Ela começou a percorrer a trilha, a cabeça erguida, as costas eretas. Observei-a por um segundo, lembrando-me da primeira vez que vira aquele andar. Eu tinha 7 anos e descia a Goodhart Road em minha bicicleta – aquela com o selim alongado e o decalque do Batman. A estrada era íngreme e ampla, perfeita para um piloto de carro de corrida. Eu descia a ladeira sem segurar o guidão, com toda a segurança e coragem de que uma criança de 7 anos é capaz. O vento jogava meu cabelo para trás e fazia meus olhos se encherem de lágrimas. Vi o caminhão de mudança diante da velha casa dos Ruskins, virei e, pela primeira vez, vi minha Elizabeth, andando com a coluna perfeitamente ereta, já aos 7 anos com uma elegância incomum, com sapatos Mary Jane, uma pulseira artesanal e muitas sardas.

Encontramo-nos duas semanas depois na turma de segunda série da professora Sobel e, daquele momento em diante – por favor, não riam –, nos tornamo almas gêmeas. Os adultos achavam nosso relacionamento ao mesmo tempo bonitinho e prejudicial – nossa cumplicidade se transformando em afeição adolescente e depois, no ensino médio, num namoro não tão inocente assim. Todos, principalmente Elizabeth, achavam que nos separaríamos quando amadurecêssemos. Nós também. Ambos éramos jovens brilhantes, ótimos alunos, mantendo a razão mesmo diante de um amor irracional. Sabíamos quais eram nossas chances.

Mas eis que agora, aos 25 anos de idade, com sete meses de casamento, estávamos de volta ao local onde, aos 12 anos, compartilhamos nosso primeiro beijo.

Uma breguice, eu sei.

Abrimos caminho por entre os galhos e através da espessa umidade. O cheiro de pinho impregnava o ar. Transpusemos o capim alto. Mosquitos e outros insetos zuniam à nossa volta. Árvores projetavam longas sombras que poderiam ser interpretadas como bem se entendesse, assim como o formato das nuvens ou um teste de Rorschach.

Saímos da trilha e abrimos caminho pelo mato mais denso. Elizabeth foi na frente. Segui dois passos atrás, o que, pensando bem, era um gesto quase simbólico. Sempre acreditei que nada poderia nos separar – afinal, nossa história não tinha provado isso? –, mas agora eu conseguia sentir como nunca que a culpa a impelia para longe.

Minha culpa.

Mais adiante, Elizabeth dobrou à direita, na altura da grande rocha semifálica, e ali, do lado direito, erguia-se nossa árvore. Nossas iniciais estavam gravadas no tronco:

E. P.

\+

D. B.

Um coração as envolvia. Abaixo dele, 12 barras, cada uma marcando um aniversário daquele primeiro beijo. Eu estava prestes a soltar uma piadinha sobre como éramos bregas quando olhei para o rosto de Elizabeth – as sardas agora quase desaparecidas, a inclinação do queixo, o longo e gracioso pescoço, os olhos verdes e fixos, o cabelo escuro trançado como uma corda grossa –, e algo me impediu.

– Eu te amo – eu disse.

– Você já vai conseguir o que queria.

– Que bom!

– Eu também te amo.

– Tudo bem – respondi, fingindo estar aborrecido. – Você também vai conseguir o que queria.

Ela sorriu, mas tive a impressão de que hesitava. Abracei-a. Quando estávamos com 12 anos e finalmente tivemos coragem de declarar nosso amor, ela cheirava maravilhosamente a cabelo lavado e pirulito de morango. Eu estava radiante com a novidade de tudo aquilo, é claro, a emoção, a exploração. Agora ela cheirava a lilás e canela. O beijo brotou como uma luz quente do centro do meu coração. Quando nossas línguas se tocaram, senti meu corpo estremecer. Elizabeth se afastou ofegante.

– Você quer ter a honra? – perguntou ela.

Ela me entregou a faca e eu entalhei a 13ª barra na árvore. Treze. Em retrospecto, talvez aquilo tivesse sido um presságio.

◆◆◆

Estava escuro quando voltamos ao lago. A lua pálida rompia a escuridão como um farol solitário. Não se ouvia som algum naquela noite, nem mesmo o canto dos grilos. Elizabeth e eu nos despimos rapidamente. Olhei seu corpo ao luar e senti um nó na garganta. Ela mergulhou primeiro, quase sem provocar ondulações na superfície. Eu a segui desajeitado. Surpreendentemente, o lago estava morno. Elizabeth nadou com braçadas harmoniosas e regulares, como se a água estivesse abrindo caminho para ela. Eu a segui. Ela veio ao encontro de meus braços. Sua pele estava morna e molhada. Eu adorava a pele dela. Abraçamo-nos com força. Ela comprimiu seus seios contra o meu tórax. Eu conseguia sentir seu coração e ouvir sua respiração. Sons de vida. Beijamo-nos. Minha mão desceu pela curva deliciosa de suas costas.

Quando terminamos – quando tudo parecia perfeito novamente –, agarrei uma balsa e subi. Eu ofegava, as pernas esticadas, os pés pendendo sobre a água.

Elizabeth fechou a cara:

– Isso são horas de dormir?

– Só um cochilo.

– Você não é fácil.

Pus as mãos atrás da cabeça e me deitei. Uma nuvem passou diante da lua, transformando a noite azulada em algo pálido e cinzento. O ar estava parado. Eu conseguia ouvir Elizabeth saindo da água e pisando no píer. Meus olhos tentaram se adaptar à escuridão. Eu mal podia ver sua silhueta nua. Ela era simplesmente de tirar o fôlego. Observei-a curvar-se para a frente e sacudir a água dos cabelos. Depois ela arqueou a coluna e jogou a cabeça para trás.

Minha balsa afastou-se ainda mais da margem. Tentei analisar o que acontecera comigo, mas eu mesmo não conseguia entender. A balsa continuou se movendo. Comecei a perder Elizabeth de vista. Quando ela desapareceu na escuridão, tomei uma decisão: eu contaria para ela. Eu contaria tudo.

Fiz que sim com a cabeça e fechei os olhos. Senti o peito leve. Fiquei ouvindo a água bater suavemente na balsa.

Foi então que ouvi uma porta de carro se abrindo.

Sentei-me.

– Elizabeth?

O silêncio era total, exceto por minha própria respiração.

Procurei sua silhueta novamente. Estava difícil distinguir, mas por um momento consegui vê-la. Ou pensei tê-la visto. Já não sei mais ao certo, nem sei se isso importa. De qualquer maneira, Elizabeth estava totalmente quieta, e talvez estivesse olhando para mim.

Pode ser que eu tenha piscado – não tenho certeza –, mas, quando olhei de novo, Elizabeth desaparecera.

Meu coração disparou:

– Elizabeth!

Nenhuma resposta.

O pânico aflorou. Pulei da balsa e nadei em direção ao píer. Mas minhas braçadas faziam um barulho terrível em meus ouvidos. Eu não conseguia ouvir o que estava acontecendo – se é que algo estava acontecendo. Parei.

– Elizabeth!

Por um longo momento, não ouvi nenhum som. A nuvem continuava tapando a lua. Talvez ela tivesse entrado na cabana. Talvez tivesse ido pegar algo no carro. Abri a boca para chamá-la de novo.

Então ouvi seu grito.

Abaixei a cabeça e nadei freneticamente, dando braçadas vigorosas na água e batendo as pernas como um louco. Mas eu continuava distante do píer. Tentei olhar enquanto nadava, mas estava escuro demais, e a lua oferecia apenas filetes de luz que não iluminavam nada.

Ouvi o ruído de algo sendo arrastado.

Mais à frente, eu conseguia distinguir o píer. Devia estar a menos de seis metros. Nadei com mais vigor. Meus pulmões ardiam. Engoli água, os braços esticados, as mãos tateando cegamente no escuro. Até que encontrei a escada. Segurei-a com força, ergui-me e saí da água. Elizabeth molhara todo o píer. Olhei em direção à cabana. Escuro demais. Não dava para ver nada.

– Elizabeth!

Algo que parecia ser um taco de beisebol atingiu-me bem no peito. Meus olhos se arregalaram. Curvei-me, sufocando. Sem ar. Outro golpe. Desta vez no alto do crânio. Senti um estalo na cabeça, como se tivessem enfiado um prego em minha têmpora. Minhas pernas fraquejaram e caí de joelhos no chão. Totalmente desorientado, coloquei as mãos sobre as laterais da cabeça, tentando protegê-la. O golpe seguinte – o último – atingiu-me bem no rosto.

Tombei para trás e caí de volta no lago. Meus olhos se fecharam. Ouvi Elizabeth gritar novamente – dessa vez ela gritou meu nome –, mas o som, todos os sons desapareceram quando afundei.

1

Oito anos depois

OUTRA GAROTA ESTAVA PRESTES a partir meu coração.

Tinha olhos castanhos, cabelo ondulado e um sorriso que mostrava todos os dentes. Também usava aparelho ortodôntico, tinha 14 anos e...

– Você está grávida? – perguntei.

– Sim, Dr. Beck.

Esforcei-me para não fechar os olhos. Não era a primeira vez que via uma adolescente grávida. Nem sequer a primeira vez naquele dia. Eu trabalhava como pediatra na clínica de Washington Heights desde que terminara a residência no Centro Médico Presbiteriano de Colúmbia, cinco anos antes. Atendemos à população da previdência social (ou seja, a população pobre), prestando assistência médica familiar geral, incluindo obstetrícia, clínica geral e pediatria. Muita gente acha que estou lá por idealismo. Não é verdade. Gosto de ser pediatra. E não me agrada trabalhar com mães que passam o dia levando os filhos do judô para a natação e pais cheios de frescura e, bem, pessoas como eu.

– Quais são os planos de vocês? – perguntei.

– Eu e Terrell? Estamos muito felizes, Dr. Beck.

– Terrell tem quantos anos?

– Dezesseis.

Ela ergueu o olhar para mim, feliz e sorridente. De novo, esforcei-me para não fechar os olhos.

O que sempre me surpreende é que a maioria dessas gestações não é acidental. Esses bebês querem ter bebês. Ninguém entende isso. Eles falam sobre controle da natalidade, abstinência sexual e sexo seguro, mas a verdade é que suas amigas estão tendo bebês e atraindo todo tipo de atenção, de modo que, ei, Terrell, por que nós também não temos um?

– Ele me ama – revelou a garota de 14 anos.

– Você já contou para a sua mãe?

– Ainda não. – Ela se mostrou envergonhada como qualquer garota de sua idade. – Achei que o senhor poderia me ajudar a contar.

Fiz que sim com a cabeça:

– Claro.

Aprendi a não julgar. Ouço e demonstro empatia. Quando era residente, dava lição de moral. Do alto da minha sabedoria, mostrava aos pacientes quão autodestrutivo era seu comportamento. Mas, em uma tarde fria em Manhattan, uma garota entediada de 17 anos que estava tendo o terceiro filho do terceiro pai me olhou bem nos olhos e disse uma verdade indiscutível:

– O senhor não sabe nada da minha vida.

Aquilo me derrubou do pedestal. Agora apenas ouço. Parei de bancar o Homem Branco Benevolente e tornei-me um médico melhor. Darei a essa garota de 14 anos e ao seu bebê o melhor cuidado possível. Não vou contar a ela que Terrell vai cair fora, que ela arruinou seu futuro, que, se ela for como a maioria das pacientes daqui, entrará novamente numa furada com pelo menos dois outros homens antes de chegar aos 20 anos.

Se você pensar muito nisso, acaba enlouquecendo.

Conversamos por alguns momentos – ou, pelo menos, ela falou e eu escutei. A sala de exame, que também servia de consultório, era mais ou menos do tamanho de uma cela de prisão (não que eu saiba disso por experiência própria) e pintada de um verde institucional, como a cor de um banheiro de escola pública. Um cartaz para exames de vista – daqueles em que você tem de dizer quais são as letras – pendia atrás da porta. Adesivos desbotados de personagens da Disney cobriam uma das paredes, enquanto na outra se destacava um pôster gigante da pirâmide alimentar. Minha paciente de 14 anos estava sentada na mesa de exame com um rolo de papel higiênico novinho que dávamos a cada garota. Por algum motivo, a maneira como o papel se desenrolava me lembrou o modo como eram embrulhados os sanduíches na lanchonete Carnegie.

A calefação era sufocante, mas necessária em um lugar onde crianças e adolescentes frequentemente se despiam. Eu vestia meu costumeiro traje de pediatra: jeans, camisa moderninha, sapatos sociais e uma gravata berrante. Não usava jaleco. Acho que eles assustam os jovens.

A paciente de 14 anos – eu não conseguia deixar de pensar em sua idade – era uma boa garota. O engraçado é que todas elas são. Encaminhei-a a um obstetra de minha confiança. Depois, falei com sua mãe. Nada de novo ou de surpreendente. Como já disse, faço isso quase todos os dias. Abraçamo-nos na despedida. Por cima de seu ombro, sua mãe e eu trocamos um olhar. Cerca de 25 mães levam seus filhos para se consultar comigo a cada dia; ao fim de uma semana, posso contar nos dedos de uma mão quantas delas são casadas.

Como já disse, não julgo. Mas observo.

Depois que elas partiram, comecei a fazer anotações no prontuário da garota.

Voltei algumas páginas. Eu a vinha acompanhando desde o tempo de residência. Isso significava que ela começara comigo quando tinha 8 anos. Examinei sua curva de crescimento. Lembrei-me dela com 8 anos. Sua aparência não mudara muito. Enfim, fechei os olhos e os esfreguei.

Homer Simpson me interrompeu, gritando:

– E-mail! Você recebeu um e-mail! Iupi!

Abri os olhos e me virei para o monitor. Era o personagem do desenho *Os Simpsons.* Alguém substituíra o monótono aviso "Você recebeu uma nova mensagem" por esse áudio do Homer. Ele me agradava. Agradava muito.

Eu já ia verificar meu e-mail quando o toque do interfone me deteve. Wanda, a recepcionista, avisou:

– A sua, hummm... A sua... Shauna está ao telefone.

Entendi a confusão. Agradeci e apertei o botão que piscava.

– Alô, querida.

– Surpresa – disse ela. – Estou aqui.

Shauna desligou o celular. Levantei-me e desci o corredor enquanto ela chegava da rua. Shauna entrou altivamente na clínica. Ela era uma modelo *plus size*, uma das poucas conhecidas por um só nome: Shauna. Como Cher. Media 1,85m e pesava 86 quilos. Como você pode imaginar, ela chamava a atenção, e todos na sala de espera se voltaram em sua direção.

Shauna nem sequer se dava ao trabalho de parar na recepção, e ninguém era bobo de tentar detê-la. Ela abriu a porta e me saudou com as palavras:

– Vamos almoçar. Agora.

– Eu avisei que estaria ocupado.

– Ponha o casaco – ordenou ela. – Está frio lá fora.

– Olhe, está tudo bem. De mais a mais, o aniversário do primeiro beijo é só amanhã.

– Não adianta querer me enrolar.

Eu hesitei, e ela percebeu que tinha me convencido.

– Vamos, Beck, será divertido. Como na faculdade. Lembra quando costumávamos sair para olhar as gatinhas?

– Eu nunca ficava olhando as gatinhas.

– Tudo bem, era eu quem olhava. Vá buscar o casaco.

Enquanto andávamos para o consultório, uma das mães deu um grande sorriso e puxou-me para o lado:

– Ela é ainda mais bonita ao vivo – sussurrou.

– É – respondi.

– Vocês estão... – A mãe fez um gesto significativo.

– Não, ela está com outra pessoa – respondi.

– É mesmo? Quem?

– Minha irmã.

◆◆◆

Comemos em um restaurante chinês vagabundo com um garçom oriental que só falava espanhol. Shauna, que trajava um impecável conjunto azul com um decote profundo, fez uma cara séria:

– Rolinho de porco *moo shu.*

– Você gosta de arriscar – observei.

Conhecemo-nos no primeiro dia de faculdade. Alguém na secretaria se enrolou e pensou que seu nome fosse Shaun, de modo que acabamos sendo colegas de quarto. Pretendíamos avisar sobre o engano quando começamos a bater papo. Ela trouxe uma cerveja. Comecei a gostar dela. Algumas horas depois, decidimos deixar as coisas como estavam, porque nossos verdadeiros colegas de quarto poderiam ser um pé no saco.

Estudei no Amherst College, uma pequena faculdade de elite no oeste de Massachusetts, e, se existe um lugar mais nerd no planeta, não conheço. Elizabeth, que foi nossa oradora na formatura do colégio, escolheu ir para Yale. Poderíamos ter ido para a mesma universidade, mas discutimos a questão e decidimos que aquele seria um ótimo teste para o nosso relacionamento. De novo, estávamos agindo com maturidade. O resultado? Sentimos uma baita saudade um do outro. A separação estreitou nossa ligação e a distância deu uma nova dimensão à nossa amizade.

Breguice, eu sei.

Enquanto comia, Shauna perguntou:

– Você pode tomar conta de Mark esta noite?

Mark era meu sobrinho, tinha 5 anos. Em nosso último ano de faculdade, Shauna começara a namorar minha irmã mais velha, Linda. Elas fizeram uma cerimônia simbólica de casamento sete anos atrás. Mark é produto desse amor, com uma pequena ajuda da inseminação artificial. Linda o concebeu e Shauna o adotou. Como eram um pouco tradicionalistas, elas queriam que o menino tivesse uma figura masculina em sua vida. Sobrou para mim.

Comparado ao que vejo em meu trabalho, aquilo era um conto de fadas.

– Tudo bem – concordei. – Estava mesmo querendo ver o novo desenho da Disney.

– A garota do desenho é uma gata – comentou Shauna. – A melhor desde Pocahontas.

– É bom saber – respondi. – Mas aonde você e Linda vão?

– A mesma coisa de sempre. Deus me livre. Agora que as lésbicas estão na moda, nossa agenda social ficou abarrotada. Tenho saudade do tempo em que não saíamos do armário.

Pedi uma cerveja. Não deveria, mas uma só não faria mal.

Ela pediu uma também.

– Quer dizer que você brigou com... como era o nome dela? – perguntou Shauna.

– Brandy.

– Isso. Belo nome, aliás. Ela tinha uma irmã chamada Whiskey?

– Saímos apenas duas vezes.

– Que bom. Ela parecia uma bruxa esquelética. Além disso, arranjei uma pessoa perfeita para você.

– Não, obrigado.

– Ela tem um corpão.

– Não tente me arranjar ninguém, Shauna. Por favor.

– Por quê?

– Lembra a última vez que você me apresentou alguém?

– Cassandra?

– Isso.

– O que havia de errado com ela?

– Em primeiro lugar, ela era lésbica.

– Meu Deus, Beck, você é preconceituoso.

Seu celular tocou. Ela se reclinou e atendeu, mas seus olhos não deixaram de me fitar. Ela rosnou algo e guardou o aparelho.

– Tenho que ir – anunciou.

Gesticulei para o garçom pedindo a conta.

– Você vai lá para casa amanhã à noite – ordenou ela.

Simulei um suspiro.

– Vocês não têm planos?

– Eu não. Sua irmã vai ao baile a rigor da Fundação Brandon Scope.

– Você não vai com ela?

– Não.

– Por quê?

– Não queremos deixar Mark sem nenhuma de nós duas noites seguidas. Linda tem que ir. É ela quem está cuidando dessas coisas agora. Vou tirar uma folga. Portanto, venha amanhã à noite, está bem? Vou alugar uns desenhos para vermos com Mark.

O dia seguinte seria o aniversário de nosso primeiro beijo. Se Elizabeth estivesse viva, gravaríamos a 21ª barra naquela árvore. Embora isso possa parecer estranho, aquele dia não seria particularmente difícil para mim. Nas datas comemorativas, feriados ou aniversários de Elizabeth, fico tão a mil que costumo enfrentá-las sem problemas. Os dias "normais" é que são difíceis. Quando zapeio com o controle remoto e deparo com um episódio de *Mary Tyler Moore* ou *Cheers*. Quando passo por uma livraria e vejo um novo livro de Alice Hoffman ou Anne Tyler. Quando ouço os O'Jays ou os Four Tops ou Nina Simone. As coisas comuns.

– Prometi à mãe de Elizabeth que daria uma passada lá – disse.

– Ah, Beck... – Ela ia começar a discutir, mas se conteve. – E depois de passar lá?

– Tudo bem – respondi.

Shauna agarrou meu braço.

– Você está desaparecendo de novo, Beck.

Não respondi.

– Eu te amo, você sabe. Quer dizer, se eu tivesse a menor atração sexual por homens, eu provavelmente teria ficado com você e não com sua irmã.

– Sinto-me lisonjeado – respondi. – Realmente.

– Não me exclua. Se você me excluir, excluirá todo mundo. Fale comigo, o.k.?

– O.k. – respondi. Mas não consigo.

◆◆◆

Quase apaguei o e-mail.

Recebo tanto spams, tantos e-mails de propaganda, que me tornei craque em deletar. Leio o endereço do remetente primeiro. Se for de alguém que conheço do hospital, ótimo. Se não, apago com entusiasmo.

Sentei-me à escrivaninha e verifiquei a agenda da tarde. Repleta, como de hábito. Fiquei girando na cadeira e preparei o dedo para deletar. Um e-mail apenas. Aquele que fizera Homer gritar. Dei uma olhada, e as duas primeiras letras do assunto me chamaram a atenção.

Que diabo?

Da maneira como a janela estava formatada, eu só conseguia ver aquelas duas letras e o e-mail do remetente. O endereço era desconhecido. Um monte de números@comparama.com.

Forcei a vista e apertei a tecla de rolagem para a direita. Os caracteres foram aparecendo um a um. Cada vez que eu apertava a tecla, minha pulsação acelerava um pouco mais. Minha respiração ficou estranha. Mantive o dedo na tecla de rolagem e aguardei.

Quando acabei, quando todas as letras ficaram visíveis, li o assunto de novo e, ao fazê-lo, senti uma forte pontada no coração.

◆◆◆

– Dr. Beck?

Minha boca estava paralisada.

– Dr. Beck?

– Um minuto, Wanda.

Ela hesitou. Eu podia ouvir sua respiraçao pelo interfone. Depois, ouvi o clique dele sendo desligado. Continuei de olho na tela:

Para: dbeckmd@nyhosp.com
De: 13943928@comparama.com
Assunto: E. P. + D. B. /////////////////////

Vinte e uma barras. Já contei quatro vezes.

Uma brincadeira de mau gosto, cruel. Eu sabia. Fechei o punho como se fosse dar um soco. Perguntei-me que filho da puta tinha enviado aquela mensagem. É fácil se manter anônimo em e-mails – o melhor refúgio de um tecnocovarde. Mas o fato era que poucas pessoas sabiam da nossa árvore e do dia do primeiro beijo. A mídia não descobrira aquilo. Shauna sabia, é claro. E Linda. Elizabeth poderia ter contado aos pais ou ao tio. Mas fora essas pessoas...

Portanto, quem enviara aquilo?

Quis ler a mensagem, é claro, mas algo me conteve. A verdade é que penso em Elizabeth mais do que deixo transparecer – não acho que esteja enganando ninguém com isso –, mas nunca falo sobre ela ou sobre o que aconteceu. As pessoas acham que estou sendo macho ou valente, que estou tentando poupar os amigos ou evitando a piedade dos outros, ou alguma bobagem dessas. Nada disso. Falar sobre Elizabeth dói. Dói muito. Traz de volta seu último grito. Traz de volta todas as perguntas não respondidas. Traz de volta todos os "e se..."(poucas coisas, acredite, são mais devastadoras do que os "e se..."). Traz de volta a culpa, o sentimento, por mais irracional que seja, de que um homem mais forte – um homem melhor – poderia tê-la salvado.

Dizem que se leva muito tempo para compreender uma tragédia. Você fica entorpecido. Não consegue aceitar a triste realidade. Mas nem sempre isso é verdade. Pelo menos não no meu caso. Eu compreendi todas as implicações no momento em que acharam o corpo de Elizabeth. Compreendi que nunca mais a veria, que nunca mais a abraçaria, que nunca teríamos filhos e não envelheceríamos juntos. Compreendi que aquilo era definitivo, que não haveria uma segunda chance, que nada poderia ser permutado ou negociado.

Comecei a chorar de imediato. A soluçar incontrolavelmente. Solucei daquele jeito durante quase uma semana, sem trégua. Solucei durante o funeral. Não deixei ninguém me tocar, nem mesmo Shauna ou Linda. Eu dormia sozinho em nossa cama, enterrando a cabeça no travesseiro de Elizabeth, tentando sentir o cheiro dela. Percorria seus armários e apertava suas roupas contra o rosto. Nada disso me confortava. Era uma sensação estranha e doía. Mas era o cheiro dela, uma parte dela, de modo que não conseguia me conter.

Amigos bem-intencionados – esses são os piores – diziam os clichês usuais, por isso posso alertar você: simplesmente exprima suas profundas condolências. Não me diga que ainda sou jovem. Não me diga que vou ficar bem. Não me diga que ela está num lugar melhor. Não me diga que sua morte faz parte de algum plano divino. Não me diga que tive a sorte de viver aquele amor. Cada um desses lugares-comuns me deixava furioso. Eles só me faziam – sei que você vai me achar cruel – pensar no idiota que estava dizendo aquilo e me perguntar por que ele ou ela ainda respirava enquanto Elizabeth apodrecia.

Eu vivia ouvindo aquele besteirol de "melhor ter perdido a pessoa amada do que nunca ter vivido um grande amor". Outra besteira. Acredite, não é melhor. Não me mostre o paraíso e depois o destrua. Pode ser egoísmo meu, mas foi isso o que aconteceu. O que mais me entristecia – o que realmente doía – era o fato de Elizabeth ter sido privada de tanta coisa. Já perdi a conta de quantas vezes vi ou fiz algo e pensei em como Elizabeth adoraria aquilo. Nesses momentos a dor ressurge.

As pessoas se perguntam se sinto algum remorso. A resposta é: apenas um. Sinto remorso dos momentos que desperdicei fazendo outras coisas que não fossem tornar Elizabeth feliz.

– Dr. Beck?

– Mais um minutinho – respondi.

Segurei o mouse e posicionei o cursor sobre a mensagem. Cliquei e ela apareceu:

Para: dbeckmd@nyhosp.com

De: 13943928@comparama.com

Assunto: E. P. + D. B. ////////////////////

Mensagem: Clique no link abaixo, a hora do beijo.

Senti um aperto no peito.

A hora do beijo?

Só podia ser piada. Não entendo nada de mensagens secretas. E também não gosto de ficar esperando.

Voltei a agarrar o mouse e movi a seta sobre o link. Cliquei e ouvi o barulho do modem típico das máquinas antiquadas. Temos um sistema antigo na clínica. A página levou algum tempo para abrir. Aguardei, pensando: "A hora do beijo, como é que eles sabem disso?"

A página surgiu. Havia uma mensagem de erro.

Franzi a testa. Quem teria mandado aquilo? Tentei pela segunda vez, e a mensagem de erro voltou. Tratava-se de um link corrompido.

Quem foi que descobriu a hora do beijo?

Nunca contei a ninguém. Elizabeth e eu não falávamos muito disso, provavelmente por não ser importante. Éramos sentimentais como Poliana, e por isso guardávamos essas coisas para nós mesmos. Sei que é uma cafonice, mas, quando nos beijamos pela primeira vez, 21 anos antes, olhei a hora. Só de curtição. Recuei e consultei o relógio:

"Seis e quinze", observei.

E Elizabeth disse:

"A hora do beijo."

Olhei a mensagem outra vez. Comecei a me aborrecer. Aquilo não era nem um pouco engraçado. Não é nada legal mandar um e-mail cruel, mas...

A hora do beijo.

Bem, a hora do beijo seria às seis e quinze da próxima noite. Eu não tinha muita escolha. Teria de esperar até lá.

Fazer o quê?

Salvei o e-mail num disquete, por medida de segurança. Ativei o menu de opções de impressão e escolhi Imprimir Tudo. Não entendo muito de computadores, mas sei que às vezes é possível descobrir a origem de uma mensagem pelos códigos no rodapé. Ouvi o ruído da impressora. Olhei de novo o assunto. Contei as barras novamente. Ainda 21.

Pensei naquela árvore e no primeiro beijo e, naquele consultório apertado e sufocante, senti cheiro de pirulito de morango.

2

EM CASA, TIVE OUTRO CHOQUE do passado.

Moro do lado da Ponte George Washington, que liga Manhattan a Nova Jersey – no bairro residencial tipicamente americano de Green River, o qual, apesar do nome, não possui nenhum rio e vem perdendo cada vez mais área verde. A casa é de meu avô. Fui morar com ele e um exército de enfermeiras desconhecidas quando Nana morreu, há três anos.

Vovô sofre do mal de Alzheimer. Sua mente assemelha-se a uma velha TV em preto e branco com antenas danificadas. Ele entra e sai do ar, e alguns dias são melhores que outros. Você tem de deixar a antena em uma determinada posição e não tirá-la de lá, e, ainda assim, a imagem faz um intermitente giro vertical. Pelo menos, era esse o quadro. Mas ultimamente – mantendo a metáfora – a TV mal consegue ligar.

Jamais gostei realmente do vovô. Ele era um homem dominador, do tipo antiquado, que venceu na vida sozinho e cuja afeição era repartida em proporção direta ao sucesso das pessoas. Era um homem rude, de amor bruto e um machismo ultrapassado. Um neto sensível e pouco atlético, mesmo com boas notas, era facilmente desprezado.

O motivo pelo qual aceitei morar com ele foi saber que, se não o fizesse, minha irmã o teria acolhido. Linda era assim. Quando cantávamos na colônia de férias de Brooklake que "Ele tem o mundo inteiro em Suas mãos", ela tomava aquilo ao pé da letra. Ela se sentiria na obrigação. Mas Linda tinha um filho, uma companheira e responsabilidades. Eu não tinha nada disso; foi por isso que, por precaução, tinha ido morar com ele. Acho que gostava de morar ali. Era tranquilo.

Chloe, minha cachorra, correu em minha direção, abanando a cauda. Afaguei-a atrás de suas orelhas caídas. Ela ficou quieta por alguns instantes e depois começou a olhar para a guia.

– Espere um pouco – pedi.

Chloe não gostava dessa frase. Ela me olhou – uma façanha nada fácil para quem tem os olhos totalmente cobertos por pelos. Chloe é uma *collie*. Elizabeth e eu a compramos logo depois que nos casamos. Elizabeth adorava cachorros. Eu não. Agora adoro.

Chloe se ergueu e foi andando em direção à entrada. Ela olhou para a porta, depois para mim, depois novamente para a porta. Adivinhe o que ela queria...

Vovô estava parado diante de um programa de prêmios na TV. Ele não se virou para mim, tampouco parecia estar vendo o programa. Seu rosto estava congelado no que se tornara uma pálida e fixa máscara mortuária. As únicas vezes em que eu via a máscara se desfazer era quando lhe trocavam a fralda. Quando isso acontecia, seus lábios se afinavam e seu rosto perdia a rigidez. Seus olhos se umedeciam e, às vezes, uma lágrima escapava. Acho que ele fica mais lúcido quando mais precisaria da senilidade.

Deus tem senso de humor.

A enfermeira deixara um recado na mesa da cozinha: LIGAR PARA O XERIFE LOWELL.

Havia um número de telefone rabiscado embaixo.

Minha cabeça começou a doer. Desde o ataque, sofro de enxaqueca. Os golpes racharam meu crânio. Fiquei hospitalizado por cinco dias, embora um especialista, meu colega de turma na faculdade de medicina, ache que a enxaqueca tenha origem psicológica, e não fisiológica. Talvez tenha razão. De qualquer modo, a dor e a culpa permanecem. Eu deveria ter me esquivado. Eu deveria ter pressentido o ataque. Eu não deveria ter caído na água. Acabei encontrando forças para me salvar – mas não para salvar Elizabeth.

Águas passadas não movem moinhos, eu sei.

Li o recado novamente. Chloe começou a choramingar. Levantei o dedo em sinal de repreensão. Ela parou, mas voltou a olhar sucessivamente para mim e para a porta.

Eu não ouvia falar do xerife Lowell havia oito anos, mas ainda me lembrava dele avultando sobre meu leito no hospital, seu rosto marcado pela dúvida e pelo ceticismo.

O que ele poderia querer depois de tanto tempo?

Peguei o telefone e liguei. Uma voz atendeu no primeiro toque.

– Dr. Beck, obrigado por retornar a ligação.

Não sou um grande fã do identificador de chamadas – Big Brother demais para o meu gosto. Pigarreei e fui direto ao assunto.

– Em que posso ajudá-lo, xerife?

– Estou nas redondezas – respondeu ele. – Gostaria de passar aí e vê-lo, se possível.

– É uma visita social? – indaguei.

– Confesso que não. – Ele esperou em vão que eu dissesse alguma coisa. – Pode ser agora? – perguntou Lowell.

– Pode me dizer do que se trata?

– Prefiro esperar até...

– Prefiro que não espere.

Eu apertava o fone com mais força.

– Tudo bem, Dr. Beck, compreendo. – Ele pigarreou de uma maneira que indicava que estava tentando ganhar tempo. – Talvez você tenha visto no noticiário que dois corpos foram encontrados em Riley.

Eu não tinha visto.

– E daí?

– Eles estavam perto de sua propriedade.

– A propriedade não é minha. É do meu avô.

– Mas está sob sua custódia, certo?

– Não – respondi. – Da minha irmã.

– Talvez você possa chamá-la. Gostaria de falar com ela também.

– Os corpos *não* foram encontrados no lago Charmaine, foram?

– Não. Eles estavam no terreno vizinho, a oeste. Uma propriedade municipal, na verdade.

– Então o que você quer de nós?

Houve uma pausa.

– Olhe, estarei aí em uma hora. Veja se consegue ligar para Linda, está bem?

Ele desligou.

◆◆◆

Os anos não haviam poupado o xerife Lowell, mas pudera, ele nunca fora nenhum Mel Gibson. Era um sujeito meio asqueroso, com um aspecto tão servil que faria Nixon parecer um vencedor. Tinha a ponta do nariz extremamente redonda e inchada. Vivia pegando um lenço surrado, desdobrando-o, assoando o nariz, dobrando-o cuidadosamente de novo e enfiando-o no bolso de trás.

Linda chegou. Ela se inclinou para a frente no sofá, pronta a me defender. Era assim que costumava se sentar. Trata-se de uma daquelas pessoas que sempre dão ao outro total e exclusiva atenção. Quando ela fitava alguém com aqueles grandes olhos castanhos, não se conseguia olhar para mais ninguém. Sou suspeito para falar, mas Linda é a melhor pessoa que conheço. Meio brega, sim, mas sua existência faz com que eu tenha esperança neste mundo. E o fato de ela me amar serve de consolo de tudo o que perdi.

Sentamo-nos na sala de estar de meu avô, coisa que, sempre que posso, evito. A sala era decadente, arrepiante e conservava o cheiro de gente velha. Difícil respirar ali. O xerife Lowell levou algum tempo até se adaptar. Assoou de novo o nariz, apanhou um bloco do bolso, umedeceu o dedo com saliva, procurou a página que queria. Ofereceu-nos o mais amigável de seus sorrisos e começou:

– Vocês se incomodariam de dizer quando estiveram pela última vez no lago?

– Estive lá no mês passado – disse Linda.

Mas os olhos do xerife estavam voltados para mim:

– E você, Dr. Beck?

– Há oito anos.

Ele balançou a cabeça como se esperasse essa resposta.

– Conforme expliquei por telefone, encontramos dois corpos perto do lago Charmaine.

– Vocês já os identificaram? – perguntou Linda.

– Ainda não.

– Não é estranho?

Lowell refletiu a respeito por um momento, inclinando-se para a frente para apanhar o lenço outra vez.

– Sabemos que são ambos do sexo masculino, adultos e brancos. Estamos examinando agora os registros de pessoas desaparecidas para ver se descobrimos alguma coisa. Os corpos parecem muito antigos.

– Quanto tempo? – perguntei.

O xerife Lowell olhou novamente em meus olhos.

– Difícil saber. O Instituto Médico-Legal ainda está fazendo os exames, mas calculamos que estejam mortos há pelo menos cinco anos. Eles foram muito bem enterrados. Nunca os teríamos achado se não fosse por um deslizamento causado pela chuva e se um urso não tivesse aparecido com um braço.

Minha irmã e eu nos entreolhamos.

– Um urso? – perguntou Linda.

O xerife Lowell fez que sim com a cabeça:

– Um caçador abateu um urso e encontrou um osso perto do animal morto. O osso tinha estado na boca do urso. Descobriu-se que era um braço humano. Resolvemos investigar. Levou algum tempo. Ainda estamos escavando a área.

– Vocês acham que pode haver mais corpos?

– Nunca se sabe.

Relaxei. Linda continuou concentrada.

– Então você veio aqui pedir nossa permissão para escavar a propriedade do lago Charmaine?

– Também.

Esperamos que ele continuasse. Ele pigarreou e voltou a me fitar.

– Dr. Beck, seu tipo sanguíneo é B positivo, correto?

Abri a boca, mas Linda pôs a mão sobre meu joelho.

– O que isso tem a ver com a história? – perguntou ela.

– Encontramos outras coisas no local onde os corpos estavam enterrados.

– Que outras coisas?

– Desculpe. Isso é confidencial.

– Então trate de dar o fora – ordenei.

Lowell não pareceu surpreso com minha explosão.

– Só estou tentando conduzir...

– Eu disse para dar o fora!

O xerife Lowell não saiu do lugar.

– Sei que o assassino de sua esposa já foi levado à justiça – disse ele. – E sei como deve ser doloroso tocar novamente nesse assunto.

– Não me trate como criança – reclamei.

– Não é minha intenção.

– Há oito anos você pensou que eu a tivesse matado.

– Não é verdade. Você era o marido. Nesses casos, as chances de envolvimento de um membro da família...

– Talvez, se você não tivesse perdido tempo com essa besteira, a tivesse encontrado antes... – Joguei-me para trás, perturbado. Olhei para o outro lado. O xerife que fosse para o inferno. Linda estendeu o braço para mim, mas me afastei.

– Minha função era explorar todas as possibilidades – ele continuou na sua fala monótona. – Pedimos auxílio às autoridades federais. Até seu sogro e o irmão dele foram informados de todo o andamento do caso. Fizemos tudo o que pudemos.

Eu já não aguentava ouvir mais nenhuma palavra.

– Que diabo você quer aqui, Lowell?

Ele se levantou e puxou a calça. Acho que queria usar sua altura para me intimidar.

– Um exame de sangue – respondeu ele. – Seu.

– Por quê?

– Quando sua mulher foi raptada, você foi atacado.

– E daí?

– Foi atingido por um instrumento duro.

– Você está cansado de saber disso.

– Sim – respondeu Lowell. Ele assoou novamente o nariz, voltou a guardar o lenço e começou a andar de um lado para outro. – Quando encontramos os corpos, achamos também um taco de beisebol.

Minha dor de cabeça voltou.

– Um taco?

Lowell fez um sinal afirmativo com a cabeça.

– Enterrado junto com os corpos. Um taco de madeira.

– Não entendo. O que isso tem a ver com meu irmão? – Linda interveio.

– Encontramos sangue ressecado nele. Tipo B positivo. – Ele olhou em minha direção. – Seu tipo sanguíneo, não é mesmo?

◆◆◆

Recapitulamos tudo: o aniversário do primeiro beijo, a marcação na árvore, o nado no lago, o som da porta do carro, minha frenética e patética tentativa de chegar até a margem.

– Você se lembra de ter caído de novo no lago? – perguntou Lowell.

– Sim.

– E ouviu sua mulher gritar?

– Sim.

– Aí você perdeu os sentidos? Na água?

Confirmei com a cabeça.

– Você diria que o lago tinha qual profundidade?

– Você não verificou isso há oito anos? – indaguei.

– Colabore comigo, Dr. Beck.

– Sei lá. Era bem fundo.

– Não dava pé?

– Não.

– Tudo bem. Depois disso, você se lembra de quê?

– Do hospital – respondi.

– Nada entre o momento em que atingiu a água e o que acordou no hospital?

– Nada.

– Você não se lembra de ter saído da água? Não se lembra de ter caminhado até a cabana ou chamado uma ambulância? Você fez tudo isso, sabe? Encontramos você no chão da cabana. O telefone ainda estava fora do gancho.

– Eu sei, mas não me lembro.

Linda se manifestou:

– Você acha que esses dois homens são novas vítimas de... – ela hesitou – KillRoy?

Ela falou KillRoy rapidamente. O simples ato de pronunciar seu nome dava calafrios.

Lowell tossiu, tapando a boca com o pulso.

– Não sabemos direito. As únicas vítimas conhecidas de KillRoy foram mulheres. Ele nunca escondeu um corpo antes... pelo menos, nenhum que tenhamos descoberto. E a pele dos dois homens apodreceu, de modo que não podemos saber se foram marcados.

Marcados. Senti a cabeça girar. Fechei os olhos e tentei não ouvir mais nada.

3

CORRI PARA O CONSULTÓRIO CEDO na manhã seguinte, chegando duas horas antes do primeiro paciente agendado. Liguei o computador, encontrei o e-mail estranho e cliquei no link. A mensagem de erro surgiu novamente. Nenhuma surpresa. Fitei a mensagem, lendo-a repetidas vezes na esperança de descobrir um sentido mais profundo. Não encontrei.

Na noite anterior, eu tinha ido tirar sangue. O teste de DNA levaria semanas, mas o xerife Lowell achou que conseguiria um resultado preliminar antes disso. Pressionei-o por mais informações, mas ele permaneceu de bico calado. Ele estava escondendo alguma coisa de nós, e eu não tinha a menor ideia do que seria.

Sentado na sala de exame aguardando o primeiro paciente, relembrei a visita de Lowell. Pensei nos dois corpos. No maldito taco de madeira.

O corpo de Elizabeth tinha sido encontrado próximo à Rodovia 80 cinco dias após o rapto. O legista estimou que ela estava morta havia dois dias. Isso significava que ela passara três dias viva nas mãos de Elroy Kellerton, vulgo KillRoy. Três dias a sós com o monstro. Três nascentes e três poentes, assustada, no escuro e em imensa agonia. Faço um esforço medonho para não pensar nisso. A mente não deveria visitar certos lugares, mas a minha sempre acaba sendo levada até lá.

KillRoy foi capturado três semanas depois. Ele confessou o assassinato de 14 mulheres em uma orgia que começara com uma estudante em Ann Arbor e terminara com uma prostituta no Bronx. Todas as vítimas foram encontradas à beira de estradas, despejadas como lixo. Todas haviam sido marcadas com a letra K. Marcadas como se marca gado. Em outras palavras, Elroy Kellerton pegou um atiçador de metal, esperou até que ficasse em brasa e queimou a linda pele de minha Elizabeth.

Minha mente se embrenhou por um desses caminhos errados, sendo invadida por imagens. Apertei os olhos e tentei expulsá-las. Não adiantou. Ele continuava vivo, por sinal. Refiro-me a KillRoy. Nosso sistema penal dá a esse monstro a chance de respirar, ler, conversar, ser entrevistado pela CNN, receber visitas de assistentes sociais idealistas, sorrir. Enquanto isso, suas vítimas apodrecem. Como já disse, Deus tem certo senso de humor.

Passei água fria no rosto e me olhei no espelho. Meu aspecto estava terrível. Os pacientes começariam a chegar às nove horas. Eu estava perturbado. Meus olhos não desgrudavam do relógio de parede, esperando pela "hora do beijo" – seis e quinze da noite. Os ponteiros do relógio avançavam penosamente, como se estivessem mergulhados em uma calda espessa.

Imergi no cuidado dos pacientes. Sempre tive essa habilidade. Quando criança, conseguia estudar horas a fio. Como médico, consigo mergulhar em meu trabalho. Fiz isso após a morte de Elizabeth. Algumas pessoas acham que me escondo no trabalho, que opto por trabalhar em vez de viver. Quando ouço esse clichê, respondo com um simples: "O que você tem a ver com isso?"

Ao meio-dia, engoli às pressas um sanduíche de presunto com Coca Diet e, em seguida, atendi mais pacientes. Um menino de 8 anos consultara um fisioterapeuta para um tratamento de "alinhamento da coluna" 80 vezes no último ano. Ele não tinha problema algum na coluna. Aquilo era uma armação perpetrada por vários fisioterapeutas da região, que oferecem aos pais uma TV ou um aparelho de DVD grátis se eles levarem seus filhos. Depois, cobram o tratamento do governo. A assistência médica gratuita aos mais pobres é algo necessário, maravilhoso, mas há muita fraude também. Certa vez, um menino de 16 anos foi trazido às pressas para o hospital em uma ambulância por causa de queimaduras de sol. Por que chamar uma ambulância em vez de pegar um táxi ou o metrô? A mãe explicou que teria de pagá-los do próprio bolso ou aguardar até que fosse ressarcida. Mas a ambulância é paga pelo governo.

Às cinco da tarde, despedi-me do último paciente. O pessoal de apoio saiu às cinco e meia. Esperei a clínica ficar vazia antes de me sentar diante do computador. Ao fundo, ouvia os telefones tocando. Depois das cinco e meia, uma secretária eletrônica atende e oferece várias opções a quem está ligando, mas, por algum motivo, a secretária só estava atendendendo após o décimo toque. O som era enlouquecedor.

Conectei a internet, abri o e-mail e cliquei outra vez no link. Continuava dando erro. Pensei naquela estranha mensagem e nos cadáveres mencionados por Lowell. Tinha de haver uma ligação. Minha mente voltava toda hora àquele fato aparentemente simples. Comecei a analisar as possibilidades.

Primeira possibilidade: aqueles dois homens eram vítimas de KillRoy. É verdade que suas outras vítimas haviam sido mulheres e que foram facilmente encontradas, mas isso excluiria o assassinato de outras pessoas?

Segunda possibilidade: KillRoy persuadira aqueles homens a ajudá-lo a raptar Elizabeth. Isso explicaria muita coisa. O taco de madeira, por exemplo, se o sangue encontrado fosse realmente meu. Além disso, minha grande dúvida sobre aquele rapto ficaria esclarecida. Em tese, KillRoy, como todos os *serial killers*, trabalhava sozinho. Eu sempre me perguntei como ele conseguira arrastar Elizabeth até o carro e, ao mesmo tempo, aguardar até que eu saísse da água. Antes do aparecimento do corpo, as autoridades haviam presumido a existência de mais de um envolvido. Mas, uma vez que encontraram o corpo com a marca K, essa hipótese fora abandonada. Eles ficaram com a teoria de que KillRoy teria algemado ou, de algum modo, dominado Elizabeth e, depois, ido atrás de mim. Não era um ajuste perfeito, mas, se você empurrasse com força, as peças se encaixavam.

Agora tínhamos outra explicação. Ele tivera cúmplices. E os matara.

A terceira possibilidade era a mais simples: o sangue no taco não era meu. B positivo não é um tipo sanguíneo comum, mas também não é raro. Possivelmente esses corpos não tinham nada a ver com a morte de Elizabeth.

Essa última possibilidade não me parecia convincente.

Olhei o relógio do computador. Ele estava ligado a algum satélite que dava a hora exata.

18h04min42s.

Faltavam 10 minutos e 18 segundos para...

Para quê?

Os telefones não paravam de tocar. Desliguei suas campainhas e tamborilei com os dedos na mesa. Faltavam menos de 10 minutos. Se tivesse que acontecer uma mudança no link, provavelmente já teria ocorrido. Levei a mão até o mouse e respirei fundo.

Meu bipe soou.

Eu não estava de plantão naquela noite. Deveria ser um engano – algo que ocorria com frequência com os telefonistas noturnos da clínica – ou uma chamada pessoal. O bipe soou de novo. Duplo bipe. Isso significava uma emergência. Olhei o mostrador.

Era uma chamada do xerife Lowell. Ela trazia a mensagem "urgente".

Oito minutos.

Refleti a respeito, mas não por muito tempo. Qualquer coisa era melhor que ficar ruminando meus próprios pensamentos. Decidi telefonar para ele.

Lowell novamente sabia quem era antes de atender.

– Sinto muito incomodá-lo, doutor. – Ele agora me chamava simplesmente de "doutor", como se fosse um paciente. – Mas tenho uma pergunta rapidinha.

Levei a mão de volta ao mouse, movi o cursor sobre o link e cliquei. O navegador deu sinal de vida.

– Estou ouvindo – respondi.

O navegador estava demorando mais desta vez. Não apareceu nenhuma mensagem.

– O nome Sarah Goodhart lhe diz alguma coisa?

Quase deixei o fone cair.

– Doutor?

Afastei o fone e contemplei-o como se tivesse acabado de se materializar na minha mão. Aos poucos fui me recompondo. Quando me recuperei do choque, trouxe o fone de volta ao ouvido.

– Por que quer saber?

Algo começou a aparecer na tela do computador. Apertei os olhos. Uma daquelas câmeras aéreas. No caso, parecia ser uma câmera de rua. A internet está cheia delas agora. Às vezes, eu consultava as câmeras de tráfego, principalmente de manhã, para saber se o trânsito na Ponte Washington estava congestionado.

– É uma longa história – respondeu Lowell.

Eu precisava ganhar tempo.

– Ligo para você de novo mais tarde.

Desliguei. Sarah Goodhart. O nome significava muita coisa para mim.

Que diabo estava acontecendo aqui?

O navegador parou de carregar. No monitor, vi uma cena de rua em preto e branco. O resto da página estava vazio. Nada de bâneres ou títulos. Eu sabia que era possível configurá-lo de modo que se visse apenas uma determinada imagem. Era o que tínhamos ali.

Olhei o relógio do computador.

18h12min18s.

A câmera mostrava uma esquina razoavelmente movimentada, de uma altura de aproximadamente cinco metros. Eu não sabia qual esquina era aquela ou em que cidade ficava. Mas sem dúvida era uma cidade grande. Pedestres fluíam principalmente da direita para a esquerda, as cabeças baixas, os ombros caídos, com pastas na mão, mortos após um dia de trabalho, talvez indo tomar o trem ou o ônibus. Na extrema direita, vi o meio-fio. O tráfego de pedestres vinha em ondas, provavelmente coordenado com a mudança do sinal de trânsito.

Por que alguém me enviara aquela filmagem?

O relógio marcava 18h14min21s. Faltava menos de um minuto.

Mantive os olhos grudados na tela e aguardei a contagem regressiva, como se fosse a véspera do ano-novo. Minha pulsação começou a acelerar. Dez, nove, oito...

Outro mar de gente cruzou a tela da direita para a esquerda. Desgrudei o olho do relógio. Quatro, três, dois. Prendi a respiração e aguardei. Quando voltei a olhar o relógio, ele marcava:

18h15min02s.

Nada tinha acontecido – mas, também, o que eu estava esperando?

Aquela onda de gente passou e, novamente, por um ou dois segundos não apareceu ninguém na imagem. Reclinei-me para trás, respirando fundo. Uma brincadeira, pensei. Uma brincadeira de mau gosto, sem dúvida. Péssimo gosto. Mas mesmo assim...

Então alguém surgiu diretamente debaixo da câmera. Era como se a pessoa estivesse escondida ali o tempo todo.

Inclinei-me para a frente.

Era uma mulher. Deu para perceber, embora ela estivesse de costas para mim. Os cabelos eram curtos, mas, com certeza, tratava-se de uma mulher. Do meu ângulo, eu não conseguira ver nenhum rosto até então. Tudo continuava igual. Pelo menos no início.

A mulher parou. Observei o alto de sua cabeça, quase desejando que ela olhasse para cima. Ela deu outro passo. Estava no meio da tela agora. Outra pessoa passou por ela. A mulher ficou parada. Depois, deu meia-volta e, lentamente, elevou o queixo até olhar direto para a câmera.

Meu coração parou.

Coloquei a mão na boca e sufoquei um grito. Eu não conseguia respirar. Eu não conseguia raciocinar. Lágrimas encheram meus olhos e rolaram pelo meu rosto. Eu não as sequei.

Fitei-a. Ela me fitou.

Outra massa de pedestres atravessou a tela. Alguns esbarraram nela, mas a mulher não se moveu. Seu olhar estava fixo na câmera. Ela levantou a mão como que em minha direção. Minha cabeça girou. Era como se o fio que me ligava à realidade tivesse sido rompido.

Fiquei à deriva.

Ela manteve a mão levantada. Lentamente, consegui levantar minha mão. Meus dedos tocaram a tela quente, tentando encontrar os dela. Mais lágrimas rolaram. Acariciei suavemente o rosto da mulher e senti meu coração afundar e alçar voo ao mesmo tempo.

– Elizabeth – murmurei.

Ela permaneceu ali por mais alguns segundos. Depois, disse algo para a câmera. Não pude ouvi-la, mas consegui ler seus lábios.

– Sinto muito – balbuciou minha esposa morta.

E saiu andando.

4

VIC LETTY OLHOU PARA OS DOIS LADOS antes de entrar, mancando, na loja de caixas postais da galeria comercial. Seu olhar percorreu o salão. Ninguém o observava. Perfeito. Ele não conseguiu evitar um sorriso. Golpe infalível. Não havia como descobri-lo, e, desta vez, ele daria sua grande tacada.

O segredo, descobrira Vic, estava na preparação. Era isso o que separava os bons dos ótimos. Os bons ocultam suas pistas. Os ótimos preparam-se para qualquer eventualidade.

A primeira coisa que ele fez foi descolar uma identidade falsa com seu primo fracassado, Tony. Depois, alugou uma caixa postal com o pseudônimo UYS Enterprises. Sacaram a genialidade? Usar uma identidade falsa *e* um pseudônimo. Assim, ainda que alguém subornasse o mané atrás do balcão e ficasse sabendo quem alugara a caixa postal da UYS Enterprises, tudo o que descobriria seria o nome Roscoe Taylor, o da identidade falsa de Vic.

Não havia como descobrir o próprio Vic.

Do outro lado do salão, ele tentou espiar pela janelinha da caixa postal 417. Difícil distinguir qualquer coisa, mas havia algo ali, sem dúvida. Ótimo! Vic aceitava apenas dinheiro vivo ou ordens de pagamento. Nada de cheques, é claro. Nada que pudesse incriminá-lo. E, sempre que apanhava o dinheiro, ia disfarçado. Como naquele momento. Ele usava um boné de beisebol e um bigode postiço. Além disso, fingia mancar. Ele lera em algum lugar que as pessoas observam os mancos; assim, se uma testemunha tentasse identificar o usuário da caixa 417, o que ela diria? Elementar: o homem tinha bigode e mancava. E, se você subornasse algum funcionário, concluiria que um sujeito chamado Roscoe Taylor tinha bigode e mancava.

O Vic Letty verdadeiro não mancava nem tinha bigode.

Mas ele também tomava outras precauções. Nunca abria a caixa postal perto de outras pessoas. Jamais. Se alguém estivesse apanhando a correspondência ou por perto, ele fingia estar abrindo outra caixa, preenchendo um formulário ou coisa parecida. Quando a barra estava limpa – e somente quando a barra estava limpa –, Vic se dirigia à caixa 417.

Ele sabia que todo cuidado era pouco.

Mesmo no caminho até lá, Vic tomava precauções. Estacionava a caminhonete de trabalho – fazia reparos e instalações para a CableEye, a maior rede de TV a cabo da Costa Leste – a quatro quarteirões de distância. Ele se esgueirava por duas ruelas no caminho até lá. Usava uma jaqueta preta sobre o uniforme para que ninguém visse o nome "Vic" bordado no bolso direito da camisa.

Pensou na bolada que provavelmente o aguardava na caixa 417, a menos de três metros de onde se encontrava em pé agora. Sentiu uma inquietude nos dedos. Deu uma geral no salão novamente.

Havia duas mulheres abrindo suas caixas postais. Uma delas se virou e sorriu distraída para ele. Vic se dirigiu às caixas do outro lado do salão, apanhou o chaveiro – seu chaveiro era daqueles que ficam presos no cinto – e fingiu procurar uma chave. Manteve o rosto abaixado e afastado delas.

Seguro morreu de velho.

Dois minutos depois, as duas mulheres haviam pegado suas cartas e ido embora. Ele estava sozinho. Rapidamente, atravessou o salão e abriu sua caixa.

Bingo!

Um pacote endereçado à UYS Enterprises. Embrulhado em papel pardo. Nenhuma indicação de remetente. E suficientemente grosso para conter uma grana preta.

Sorriu e pensou: "Será que as 50 milhas estão aí?"

Estendeu as mãos trêmulas e apanhou o pacote. Bom peso. O coração disparou. Meu bom Jesus. Ele vinha aplicando aquele golpe havia quatro meses. Vinha lançando a rede e pescando bons peixes. Mas agora, graças a Deus, pegara uma baleia!

Dando outra geral no salão, Vic enfiou o pacote no bolso do casaco e saiu às pressas. Pegou um caminho diferente de volta até a caminhonete e partiu em direção à firma. Seus dedos encontraram o pacote e o acariciaram. Cinquenta milhas. Cinquenta mil dólares. O número o deixava fora de si.

Quando chegou às instalações da CableEye, já era noite. Estacionou a caminhonete e atravessou a passarela até seu próprio carro, um Honda Civic 91 todo enferrujado. Olhou com desdém para o veículo e pensou: "Logo me livrarei de você."

O estacionamento dos funcionários estava vazio. A escuridão começou a oprimi-lo. Conseguia ouvir os próprios passos. O frio penetrava o casaco. Cinquenta milhas. Ele tinha 50 milhas no bolso.

Vic arqueou os ombros e apressou o passo.

A verdade era que desta vez estava assustado. Teria de parar com o golpe. Um bom golpe, sem dúvida. Mas agora ele estava atacando gente importante. Questionara a sensatez dessa mudança, pesara os prós e os contras e decidira que os grandes homens – aqueles que realmente mudam suas vidas – arriscam a sorte.

E Vic queria ser um grande homem.

O golpe era simples, e era essa simplicidade que o tornava extraordinário. Toda residência com TV a cabo tinha uma caixa de distribuição na linha telefônica. Quando você assinava algum canal especial, como HBO ou Showtime, um técnico mexia em algumas chaves. Aquela caixa de distribuição contém seu histórico de TV a cabo. E esse histórico revela tudo sobre suas preferências.

As empresas de TV a cabo e os hotéis fazem questão de garantir aos clientes que suas faturas não revelarão o nome dos filmes que viram. Isso pode ser verdade, mas não significa que eles não saibam. Tente contestar uma cobrança um dia. Eles revelarão títulos que deixarão você exasperado.

O que Vic havia descoberto de cara – sem entrarmos em detalhes técnicos – era que as opções na TV a cabo funcionavam por códigos, transmitindo as informações do pedido, através da caixa de distribuição, aos computadores da sede da empresa de TV a cabo. Então ele subia nos postes telefônicos, abria as caixas e anotava os números. De volta ao escritório, digitava os códigos e descobria tudo.

Ficava sabendo, por exemplo, que às seis da tarde do dia 2 de fevereiro você e sua família alugaram *O rei leão* pelo pay-per-view. Ou, dando um exemplo mais revelador, que às dez e meia da noite de 7 de fevereiro você encomendou, em dose dupla, *Jeannie em êxtase* e *Programada para Transar* via Sizzle TV.

Entendeu o golpe?

De início, Vic atacava aleatoriamente. Escrevia uma carta para o proprietário da residência. A carta era curta e grossa. Ela listava quais filmes pornográficos haviam sido vistos, a que horas e em que dias. Deixava claro que cópias daquela informação seriam distribuídas a todos os membros da família, aos vizinhos, ao empregador. Depois, pedia 500 dólares para manter o bico calado. Não era lá muita grana, mas para ele era a quantia perfeita: alta o suficiente para engrossar sua conta bancária, mas baixa o bastante para que a maioria dos alvos não hesitasse em pagar.

Mesmo assim – e isso surpreendia Vic no começo –, apenas uns 10 por cento respondiam. Vic não sabia direito por quê. Talvez assistir a filmes pornográficos já não fosse tão vergonhoso como antigamente. Talvez a esposa do cara soubesse dos filmes. Talvez ela até os visse junto com ele. Mas o verdadeiro problema era que o golpe de Vic era disperso demais.

Ele precisava escolher melhor suas vítimas.

Foi aí que lhe ocorreu a ideia de se concentrar em pessoas de determinadas profissões, cuja imagem seria prejudicada se a informação fosse divulgada. Mais uma vez, os computadores da empresa de TV a cabo forneceram todos os dados de que precisava. Ele começou atacando professores. Assistentes sociais. Ginecologistas. Qualquer um cujo emprego fosse sensível a um escândalo. Os professores eram os que mais entravam em pânico, mas eram os que tinham menos dinheiro. Ele também tornou as cartas mais específicas. Passou a mencionar os nomes da esposa e do empregador. No caso dos professores, prometia enviar ao governo e aos pais dos alunos a "prova da perversão", expressão cunhada por ele mesmo. No caso dos médicos, ameaçava enviar a "prova" ao Conselho de Medicina, além dos jornais locais, vizinhos e pacientes.

O dinheiro começou a entrar mais rápido.

Até então, o golpe de Vic havia lhe rendido quase 40 mil dólares. Agora, ele fisgara seu maior peixe – tão grande que, no início, pensou em desistir. Mas não conseguira. Não podia abrir mão da maior tacada de sua vida.

Sim, ele atingira alguém importante. Bota importante nisso! Randall Scope. Jovem, boa-pinta, rico, uma esposa maravilhosa, filhos nota 10, aspirações políticas, o provável herdeiro da fortuna dos Scope. E Randall Scope não solicitara somente um filme. Ou mesmo dois.

Durante uma orgia de um mês, Randall solicitara 23 filmes pornográficos. Uau!

Vic passara duas noites rascunhando suas exigências, mas no final ateve-se ao básico: curto, frio e bem específico. Pediu a Scope 50 milhas. Exigiu que estivessem em sua caixa postal naquele exato dia. Com certeza, aquelas 50 milhas estavam no bolso do casaco do bilionário doidinhas para serem gastas.

Vic queria olhar. Não aguentava mais de vontade. Mas ele era a disciplina em pessoa. Esperaria até chegar em casa. Trancaria a porta, sentaria no chão, abriria o pacote e despejaria as verdinhas.

Iria arrebentar.

Estacionou o carro na rua e andou até o portão do prédio. A visão de sua moradia – um apartamento sobre uma garagem sórdida – o deprimiu. Mas em breve ele não estaria mais ali. Se pegasse as 50 milhas, acrescentasse as quase 40 escondidas no apartamento, mais as 10 economizadas...

A quantia fez com que desse uma parada. Cem mil dólares! Ele tinha 100 milhas em dinheiro vivo. Perfeito.

Ele partiria logo. Pegaria a grana e se mandaria para o Arizona. Tinha um amigo lá, Sammy Viola. Ele e Sammy abririam seu próprio negócio, talvez um restaurante ou uma casa noturna. Estava cansado de Nova Jersey.

Estava na hora de mudar. Começar de novo.

Vic subiu as escadas. Na verdade, ele nunca cumpria suas ameaças. Nunca enviara as cartas que prometera. Se um alvo não pagasse, ponto final. Prejudicá-lo não adiantaria nada. Era um senhor golpista. É bem verdade que se valia de ameaças, mas nunca as cumpria. Aquilo apenas deixaria a pessoa furiosa e provavelmente o exporia também.

Jamais chegaria a prejudicar alguém. De que adiantaria?

Vic chegou ao patamar da escada e parou diante da porta do apartamento. Um breu. A maldita lâmpada do corredor estava queimada de novo. Suspirou e levantou o grande chaveiro. Apertou os olhos no escuro, tentando encontrar a chave certa. Ele acabou a encontrando pelo toque. Tateou a maçaneta até que a chave encontrou a fechadura. Abriu a porta, entrou e sentiu algo estranho.

Alguma coisa mole sob seus pés.

Franziu as sobrancelhas. Plástico, pensou. Estava pisando em plástico. Como se um pintor o tivesse estendido para proteger o chão ou algo semelhante. Deu um peteleco no interruptor, e foi aí que viu o homem com o revólver.

– Oi, Vic.

Vic suspirou e deu um passo para trás. O homem diante dele parecia ter uns 40 e poucos anos. Era grandão e gorducho, com uma barriga que lutava contra os botões da camisa social e que, pelo menos em um ponto, vencera a luta. A gravata estava frouxa e o penteado era horrível – oito tufos de cabelo empapados de brilhantina e esticados de orelha a orelha. Os traços do homem eram suaves, o queixo afundando em dobras de gordura. Seus pés repousavam sobre o baú que Vic usava como mesa de café. Substitua o revólver por um controle remoto e o homem pareceria um pai exausto recém-chegado do trabalho.

Outro homem, que bloqueava a porta, era o oposto do grandão: na casa dos 20 anos, asiático, atarracado, músculos de granito, o corpo quase cúbico, cabelos parafinados, um ou dois piercings no nariz e um walkman no ouvido. O único lugar onde você imaginaria topar com os dois juntos seria em um metrô, o homem grandão de cara fechada atrás do jornal cuidadosamente dobrado, o rapaz asiático fitando-o e balançando a cabeça ao ritmo ensurdecedor da música que tocava nos fones.

Vic tentou pensar. Descobrir o que eles queriam. Raciocinar com eles. Você é um golpista e tanto, lembrou a si mesmo. Você é esperto. Você encontrará uma saída. Vic empertigou-se.

– O que vocês querem? – perguntou.

O homem grandão, com o penteado medonho, apertou o gatilho.

Vic ouviu um estouro, e então seu joelho esquerdo explodiu. Seus olhos se arregalaram. Ele gritou e desmoronou, segurando o joelho. O sangue jorrava por entre seus dedos.

– É um 22 – disse o grandão, apontando para a arma. – Um revólver de pequeno calibre. O que mais gosto nele, como você verá, é que posso dar um monte de tiros sem matá-lo.

Com os pés ainda levantados, o grandão atirou novamente. Dessa vez, atingiu o ombro de Vic, que sentiu o osso se estilhaçar. Seu braço se desprendeu como uma porta de celeiro cuja dobradiça acabara de quebrar. Ele caiu de costas e começou a ofegar. Um terrível coquetel de medo e dor o engolfou. Seus olhos permaneciam arregalados, sem piscar, e no atordoamento percebeu algo.

O plástico no chão.

Estava deitado em cima dele. Mais do que isso, sangrava sobre ele. Para isso servia o plástico. Os homens o haviam estendido para uma limpeza fácil.

– Você vai me contar o que eu quero saber – disse o grandão –, ou vou ter que atirar de novo?

Vic começou a falar. Contou tudo a eles. Revelou onde estava o resto do dinheiro. Disse onde estavam as provas. O grandão indagou se ele tinha algum cúmplice. Vic disse que não. O grandão atirou no outro joelho de Vic. Voltou a perguntar se ele tinha cúmplices. Vic repetiu que não. Então o grandão atirou em seu tornozelo direito.

Uma hora depois, Vic implorou para que o homem atirasse em sua cabeça.

Duas horas depois, o grandão atendeu ao seu pedido.

5

NÃO DESGRUDEI OS OLHOS da tela do computador.

Eu estava paralisado. Os meus sentidos, mais do que sobrecarregados. Cada parte do meu corpo estava entorpecida.

Não era possível. Eu sabia. Elizabeth não caíra de um iate e fora considerada afogada, seu corpo nunca encontrado. Ela não havia sido queimada a ponto de se tornar irreconhecível ou algo semelhante. Seu corpo fora localizado em uma vala à margem da Rodovia 80. Surrado, talvez, mas ela havia sido identificada.

Não por você...

Não por mim, mas por dois membros da família: o pai e o tio. De fato, foi Hoyt Parker, meu sogro, quem me contou que Elizabeth estava morta. Ele e o irmão Ken foram ao meu quarto no hospital pouco depois que recobrei a consciência. Hoyt e Ken eram parrudos, grisalhos e tinham feições pétreas. Um deles era policial em Nova York, o outro, agente federal, ambos veteranos de guerra. Eles tiraram os chapéus e tentaram dar a notícia com a empatia semidistante de profissionais, mas não me convenceram, e eles próprios não fizeram muita força para isso.

Portanto, quem eu acabara de ver?

No monitor, ondas de pedestres continuavam passando. Fiquei olhando, torcendo para que ela voltasse. Em vão. Que lugar seria aquele? Uma cidade movimentada, foi tudo o que consegui observar. Que eu saiba, poderia ser Nova York.

Então procure por pistas, seu idiota.

Tentei me concentrar. Roupas. O.k., vamos examinar as roupas. A maioria das pessoas trajava casaco ou jaqueta. Conclusão: tratava-se, provavelmente, de algum local ao norte ou, pelo menos, não muito quente. Ótimo. Eu poderia descartar Miami.

O que mais? Examinei as pessoas. Os penteados? Isso não adiantaria. Eu conseguia ver o canto de um prédio de tijolos. Procurei características identificáveis, algo diferente. Nada. Esquadrinhei a tela em busca de algo, qualquer coisa, fora do normal.

Sacolas de compras.

Algumas pessoas carregavam sacolas. Tentei ler o que estava escrito nelas, mas todos andavam rápido demais. Torci para que retardassem o passo. Não adiantou. Continuei olhando, concentrando-me na altura de seus joelhos. O ângulo da câmera não ajudava muito. Aproximei tanto o rosto da tela que consegui sentir seu calor.

R maiúsculo.

Essa era a primeira letra em uma das sacolas. O resto era ilegível. O nome parecia escrito com letras meio rebuscadas. O.k., e o que mais? Que outras pistas eu poderia...?

A cena da câmera sumiu.

Cacete. Apertei a tecla de recarregar. A tela de erro retornou. Voltei ao e-mail original e cliquei no link. Outro erro.

A cena sumira.

Olhei para a tela vazia, e a verdade me atingiu novamente: eu acabara de ver Elizabeth.

Poderia tentar argumentar que aquilo não era possível. Mas não foi um sonho. Eu tivera sonhos em que Elizabeth estava viva. Vários. Na maioria, eu simplesmente aceitava aquilo como uma breve visita do além, grato demais para questionar ou duvidar. Lembro-me de um sonho em particular em que estávamos juntos – não recordo o que estávamos fazendo nem mesmo onde estávamos – e aí, em meio à alegria, percebi com certeza absoluta que estava sonhando, que logo acordaria sozinho. Lembro-me do sonho: eu estendia o braço e me apoderava dela, atraindo-a para mim, numa tentativa desesperada de trazê-la de volta.

Sabia perfeitamente o que era um sonho. O que eu vira no computador não havia sido um deles.

Nem havia sido um fantasma. Não que eu acredite neles, mas, na dúvida, convém ter a mente aberta. Só que fantasmas não envelhecem, e a Elizabeth do computador envelhecera. Não muito, mas haviam-se passado oito anos. Fantasmas tampouco cortam o cabelo. Lembrei-me da longa trança caindo sobre as costas de Elizabeth ao luar. Pensei nos modernos cabelos curtos que eu acabara de ver. E pensei naqueles olhos, para dentro dos quais eu olhara desde os 7 anos de idade.

Era Elizabeth. Ela estava viva.

Senti as lágrimas voltarem, só que dessa vez tentei contê-las. Engraçado. Sempre chorei com facilidade, mas, após chorar a morte de Elizabeth, era como se eu não conseguisse mais. Não que eu tivesse exaurido meu choro ou gastado todas as minhas lágrimas. Ou que a dor tivesse me entorpecido, embora esse possa ter sido um dos fatores. Acho que instintivamente me coloquei na defensiva. Quando Elizabeth morreu, escancarei as portas e deixei o sofrimento entrar. Não me furtei a senti-lo integralmente. E doeu. Doeu tanto que algo não deixava tudo aquilo acontecer de novo.

Não sei por quanto tempo fiquei sentado ali. Meia hora talvez. Tentei acalmar a respiração e a mente. Eu queria ser racional. Tinha de ser. Eu deveria estar na casa dos pais de Elizabeth naquela hora, mas não conseguia me imaginar encarando-os.

Foi aí que me lembrei de outra coisa.

Sarah Goodhart.

O xerife Lowell perguntara se esse nome me dizia alguma coisa. Dizia.

Elizabeth e eu costumávamos fazer uma brincadeira infantil. Você pega seu nome do meio e o transforma no prenome, depois pega o nome da rua onde cresceu e o coloca como sobrenome. Por exemplo, meu nome completo é David Craig Beck e eu cresci na Darby Road. Portanto, eu seria Craig Darby. E Elizabeth seria...

Sarah Goodhart.

Que diabo estava acontecendo?

Peguei o telefone. Primeiro liguei para os pais de Elizabeth. Eles ainda moravam na mesma casa, na Goodhart Road. A mãe atendeu. Avisei que chegaria mais tarde. As pessoas aceitam isso dos médicos. É um dos benefícios da profissão.

Quando liguei para o xerife Lowell, a secretária eletrônica atendeu. Pedi que ligasse para meu bipe assim que pudesse. Não tenho celular. Sei que isso me coloca na minoria, mas o bipe já me prende o suficiente.

Reclinei-me na cadeira, mas Homer Simpson arrancou-me do transe com outro "Você recebeu um e-mail!". Projetei-me para a frente e agarrei o mouse. O endereço do remetente era estranho, mas o assunto era câmera de rua. Outro aperto no peito.

Cliquei no ícone pequeno e o e-mail surgiu:

Amanhã, duas horas depois deste horário, em www.bigfoot.com.
Uma mensagem será deixada para você.
Seu nome de usuário: Bat Street
Senha: Teenage

Embaixo disso, no rodapé da tela, mais seis palavras:

Estão observando. Não conte a ninguém.

◆◆◆

Larry Gandle, o homem do penteado medonho, observou Eric Wu cuidar tranquilamente da limpeza.

Wu, um coreano de 26 anos com um sortimento impressionante de piercings e tatuagens, era o homem mais perigoso que Gandle já conhecera. Tinha a constituição de um pequeno tanque de guerra, mas isso não significava grande coisa. Gandle conhecia um monte de gente com o mesmo físico. Com frequência, músculos espetaculares significavam músculos inúteis.

Com Eric Wu era diferente.

Os músculos rochosos eram ótimos, mas o verdadeiro segredo de sua força mortal residia nas mãos calejadas – dois blocos de cimento com dedos que pareciam garras de aço. Passava horas exercitando-as, esmurrando blocos de concreto, expondo-as ao calor e frio extremos, fazendo flexões peitorais com um só dedo. Quando aqueles dedos entravam em ação, a devastação nos ossos e tecidos da vítima era inimaginável.

Rumores sombrios cercavam homens como Wu, na maioria falsos, mas Larry Gandle o vira matar um homem enfiando os dedos nos pontos vulneráveis do rosto e abdome. Ele vira Wu agarrar um homem pelas orelhas e arrancá-las com um ligeiro puxão. Ele o vira matar quatro vezes de maneiras diferentes, sem usar nenhuma arma.

Nenhuma das mortes havia sido rápida.

Ninguém sabia ao certo a procedência de Wu, mas a versão mais aceita fazia menção a uma infância brutal na Coreia do Norte. Gandle nunca perguntara. Não convinha à mente percorrer alguns caminhos soturnos; o lado obscuro de Eric Wu – como poderia haver um lado iluminado? – era um deles.

Quando Wu terminou de embrulhar no plástico a maçaroca que havia sido Vic Letty, olhou para Gandle. Olhos sem brilho, pensou Larry Gandle. Os olhos de uma criança em um cenário de guerra.

Wu não se dera o trabalho de tirar o fone do ouvido. Seu walkman não tocava a todo volume hip hop, rap nem mesmo rock. Ele ouvia o tempo todo aqueles CDs com sons tranquilizantes e nomes como *Brisas do oceano* e *Córrego plácido.*

– Devo levá-lo para o Benny? – perguntou Wu. Sua voz tinha uma cadência lenta e estranha, como a de um personagem de desenho animado.

Larry Gandle assentiu com a cabeça. Benny dirigia um crematório. Pó retornando ao pó. Ou, naquele caso, escória retornando ao pó.

– E suma com isso.

Gandle entregou o 22 a Eric Wu. O revólver parecia insignificante e inútil na mão gigantesca de Wu. Este fez cara de reprovação, talvez desapontado porque Gandle preferira a arma a seus talentos incomuns, e meteu-a no bolso. Com um 22, raramente havia feridas mortais. Isso significava menos provas. O sangue havia sido contido pelo plástico. Nada de sujeira, nada de confusão.

– Até mais tarde – respondeu Wu. Ele ergueu o cadáver com uma só mão, como se fosse uma maleta, e carregou-o para fora.

Larry Gandle fez um gesto de despedida. Ele não ficara feliz com o sofrimento de Letty – mas também não se sentia incomodado. Era uma questão simples. Gandle tinha de saber com absoluta certeza que Letty agia sozinho e que não deixara pistas para alguém descobrir. Isso significava caprichar na tortura. Não havia outro jeito.

No final, tudo se resumia claramente a uma simples escolha: a família Scope ou Vic Letty. Os Scope eram gente de bem. Eles nunca tinham feito nada de mal a Vic. Letty, por sua vez, esforçara-se ao máximo para tentar prejudicar a família Scope. Somente um deles poderia sair ileso: a vítima inocente, bem-intencionada, ou o parasita que queria explorar a fraqueza alheia. Só havia uma escolha possível.

O celular de Gandle vibrou. Ele o apanhou e atendeu:

– Alô.

– Identificaram os corpos do lago.

– E aí?

– São eles. Meu Deus, são Bob e Mel.

Gandle cerrou os olhos.

– O que isso significa, Larry?

– Sei lá.

– E o que vamos fazer?

Larry Gandle sabia que não havia alternativa. Ele teria de falar com Griffin Scope. Aquilo desenterraria lembranças desagradáveis. Oito anos. Após oito anos. Gandle balançou a cabeça. Aquilo abalaria novamente o coração do velho.

– Deixe comigo.

6

MINHA SOGRA, KIM PARKER, É BONITA. Ela sempre se pareceu tanto com Elizabeth que seu rosto havia se tornado um prenúncio de como a filha seria quando ficasse mais velha. Mas a morte de Elizabeth lentamente a abatera. Seu rosto se tornara tenso, seus traços quase rígidos. Seus olhos pareciam bolinhas de gude espatifadas por dentro.

A casa dos Parker sofrera poucas mudanças desde os anos 1970 – o papel de parede imitando madeira, o tapete semifelpudo azul-claro com pintinhas brancas de uma parede até a outra, a lareira de pedra artificial. Mesinhas individuais dobráveis, com tampo de plástico branco e pernas de metal dourado, ficavam encostadas a uma parede. Havia pinturas de palhaços e pratos decorativos em prateleiras. A TV era a única coisa que fora modernizada. Ela evoluíra no decorrer dos anos de um robusto aparelho preto e branco de 12 polegadas para o monstruoso aparelho em cores vivas de 50 polegadas.

Minha sogra estava sentada no mesmo sofá em que Elizabeth e eu havíamos namorado tantas vezes. Sorri por um momento e pensei: "Ah, se esse sofá falasse!" Mas aquele móvel cafona com o berrante padrão floral evocava muito mais do que recordações lascivas. Elizabeth e eu havíamos nos sentado ali para abrir as cartas de aceitação na faculdade. Ali assistimos agarradinhos a *Um estranho no ninho*, *O francoatirador* e todos aqueles filmes antigos do Hitchcock. Fazíamos o dever de casa, eu sentado ereto e Elizabeth deitada com a cabeça em meu colo. Eu dizia a Elizabeth que queria ser médico – um cirurgião de primeira linha. Ela dizia que queria se formar em direito e trabalhar em favor das crianças. Elizabeth não conseguia tolerar a ideia de ver crianças sofrendo.

Lembro-me de um estágio que ela fez durante as férias de verão após nosso primeiro ano de faculdade. Ela trabalhou para a Covenant House recolhendo crianças moradoras de rua nos piores lugares de Nova York. Acompanhei-a certa vez na caminhonete da Covenant House, subindo e descendo a Rua 42 antes da era do prefeito Giuliani, esquadrinhando grupos fétidos de semi-humanos em busca de crianças que precisassem de abrigo. Elizabeth encontrou uma prostituta de 14 anos que estava tão largada que se sujara toda. Recuei enojado. Isso me constrange. Essas pessoas podiam ser seres humanos, mas – com toda a honestidade – a sujeira me causava repulsa. Eu a ajudei. Mas logo depois recuei.

Elizabeth nunca recuava. Esse era seu dom natural. Ela apanhava as crianças com as mãos. Ela as carregava. Ela limpou aquela menina, cuidou dela e conversou com ela a noite inteira. Olhava as crianças bem nos olhos. Realmente acreditava que todos eram bons e dignos. Eu invejava sua ingenuidade.

Sempre me perguntei se ela morreu desse mesmo jeito – com aquela ingenuidade intacta –, mantendo, mesmo em meio ao sofrimento, a fé na humanidade. Espero que sim, mas suspeito que KillRoy provavelmente a tenha quebrado.

Kim Parker estava sentada com as mãos no colo. Ela sempre gostou bastante de mim, embora em nossa juventude tanto os meus pais como os de Elizabeth tivessem se preocupado com nossa intimidade. Eles queriam que brincássemos também com as outras crianças. Queriam que fizéssemos mais amigos. É natural, suponho.

Hoyt Parker, o pai de Elizabeth, ainda não chegara em casa, então Kim e eu jogamos conversa fora – ou seja, falamos de tudo menos de Elizabeth. Eu mantinha os olhos focados em Kim porque sabia que o consolo da lareira estava cheio de fotos de Elizabeth com seu sorriso dilacerante.

Ela está viva...

Eu mal conseguia acreditar naquilo. A mente, aprendi nas aulas de psiquiatria da faculdade de medicina (sem falar no histórico de minha família), possui um incrível poder de distorção. Eu não acreditava que estivesse suficientemente pirado para fabricar sua imagem, mas o fato é que os loucos nunca acreditam. Pensei em minha mãe. Ela teria consciência de sua saúde mental? Ela seria capaz de uma introspecção profunda?

Provavelmente não.

Kim e eu conversamos sobre o tempo. Falamos sobre meus pacientes. Conversamos sobre seu novo emprego de meio período na Macy's. E então ela me pegou de surpresa.

– Você está namorando alguém? – perguntou.

Era a primeira vez que ela me fazia uma pergunta pessoal. Aquilo me desconcertou. Que resposta ela queria ouvir?

– Não – respondi.

Ela meneou a cabeça e parecia querer dizer mais alguma coisa. Sua mão trêmula subiu até o rosto.

– Saio com umas amigas de vez em quando – confessei.

– Tudo bem – ela observou com um movimento da cabeça. – Você deve.

Contemplei minhas mãos e surpreendi-me dizendo:

– Sinto muita falta dela.

Eu não planejara dizer aquilo. Queria ficar na minha e prosseguir com nossa conversa segura de sempre. Ergui o olhar para Kim. Ela parecia triste e grata.

– Sei o que você sente, Beck – disse ela. – Mas não deve se sentir culpado por sair com outras pessoas.

– Eu não me sinto – respondi. – Quer dizer, não é bem isso.

Ela descruzou as pernas e se inclinou em minha direção.

– Então o que é?

Eu não conseguia falar. Bem que eu queria. Para o bem dela. Ela me olhou com aqueles olhos arrasados, a necessidade de falar sobre a filha tão à tona, tão dolorida. Mas eu não conseguia falar. Balancei a cabeça.

Ouvi um barulho de chave na porta. Ambos viramos de repente, endireitando-‑nos, como amantes pegos em flagrante. Hoyt Parker empurrou a porta com o ombro e gritou o nome da esposa. Entrou na saleta com um suspiro sincero e largou a bolsa de ginástica. Sua gravata estava frouxa, a camisa, amarrotada, as mangas, arregaçadas até os cotovelos. Hoyt tinha antebraços de Popeye. Ao nos ver sentados no sofá, soltou outro suspiro, desta vez mais profundo e com certo toque de desaprovação.

– Como vai você, David? – perguntou ele.

Apertamos as mãos. Seu aperto, como sempre, era rude e firme demais. Kim pediu licença e abandonou às pressas o aposento. Hoyt e eu trocamos amabilidades, e o silêncio se instalou. Hoyt Parker nunca se sentira à vontade comigo. Pode ser que houvesse um complexo de Electra, mas eu sempre senti que ele me via como uma ameaça. Eu entendia. Sua filhinha passara todo o seu tempo comigo. Com os anos, conseguimos lutar contra o ressentimento e forjamos uma espécie de amizade. Até a morte de Elizabeth.

Ele me culpa pelo que aconteceu.

Claro que nunca disse isso, mas posso ver em seus olhos. Hoyt Parker é um homem robusto, forte. Sólido como uma rocha, um genuíno e típico americano. Ele sempre fizera Elizabeth se sentir incondicionalmente segura. Hoyt tinha esse tipo de aura protetora. Nenhum mal acometeria sua filhinha enquanto Hoyt, o Grandão, estivesse a seu lado.

Acho que nunca consegui fazer com que Elizabeth se sentisse tão segura assim.

– Como anda o trabalho? – perguntou Hoyt.

– Bem – respondi. – E o seu?

– Falta um ano para me aposentar.

Assenti com a cabeça e caímos em novo silêncio. No percurso até lá, eu decidira nada falar sobre o que havia visto no computador. Não pelo fato de que aquilo parecia loucura. Não pelo fato de que isso abriria velhas feridas e doeria profundamente nos dois. A verdade era que eu não tinha a mínima ideia do que estava acontecendo. Quanto mais o tempo passava, mais aquele episódio parecia irreal. Eu também decidira levar a sério aquele último e-mail. *Não conte a ninguém*. Não conseguia imaginar o que estava acontecendo nem por quê, mas todas as suposições que eu fazia pareciam assustadoramente frágeis.

Mesmo assim, certifiquei-me de que Kim não estaria ouvindo. Então, aproximei-me mais de Hoyt e disse em voz baixa:

– Posso fazer uma pergunta?

Ele não respondeu. Em vez disso, ofereceu aquele olhar cético que lhe era tão característico.

– Quero saber... – titubeei. – Quero saber como você a encontrou.

– Como a encontrei?

– Quer dizer, quando você entrou no necrotério. Quero saber o que viu.

Algo aconteceu em seu rosto, como minúsculas explosões demolindo sua estrutura.

– Pelo amor de Deus, por que você quer saber isso?

– Andei pensando a respeito – inventei. – Com o aniversário do primeiro beijo e tudo.

Ele se levantou de repente e esfregou as palmas das mãos nas pernas da calça.

– Aceita um drinque?

– Claro.

– Pode ser bourbon?

– Ótimo.

Ele caminhou até um velho bar com rodinhas perto da lareira e, portanto, das fotografias. Mantive os olhos baixos.

– Hoyt? – tentei.

Ele abriu uma garrafa.

– Você é médico – disse ele, apontando para mim com um copo na mão. – Você já viu pessoas mortas.

– Sim.

– Então você sabe como é.

Claro que eu sabia.

Ele trouxe a bebida. Peguei-a com uma rapidez exagerada e tomei um gole. Ele me observou e, em seguida, levou o copo à boca.

– Sei que nunca lhe perguntei sobre os detalhes – comecei. Mais do que isso, eu os evitava deliberadamente. As famílias das outras vítimas banhavam-se neles. Elas apareciam diariamente no julgamento de KillRoy, ouviam e choravam. Eu não. Acho que isso as ajudava a extravasar a dor. Preferi ficar com a minha.

– Você não quer saber os detalhes, Beck.

– Ela foi espancada?

Hoyt examinou a bebida.

– Por que você está fazendo isso?

– Preciso saber.

Ele me olhou por sobre o copo. Seus olhos se moveram ao longo do meu rosto. Senti como se estivessem espetando minha pele. Mantive o olhar firme.

– Havia ferimentos, sim.

– Onde?

– David...

– No rosto?

Seus olhos se reduziram, como se ele tivesse visto algo inesperado.

– Sim.

– No corpo também?

– Eu não olhei o corpo – ele respondeu. – Mas sei que a resposta seria sim.

– Por que você não olhou o corpo?

– Eu estava lá como pai, não como investigador. Para fins de identificação apenas.

– Foi fácil? – perguntei.

– Foi fácil o quê?

– Identificá-la. Quer dizer, você disse que o rosto estava machucado.

Seu corpo enrijeceu. Ele largou a bebida, e eu percebi que havia ido longe demais. Eu deveria ter seguido meu plano. Deveria ter ficado calado.

– Você quer realmente saber isso tudo?

Não, pensei. Mas assenti com a cabeça.

Hoyt Parker desistiu da bebida, cruzou os braços e começou a falar:

– O olho esquerdo de Elizabeth estava fechado de tão inchado. O nariz estava quebrado e achatado. Havia um corte que atravessava a testa, provavelmente feito por uma faca. A mandíbula tinha sido arrancada da articulação, com todos os tendões soltos. – Sua voz era monocórdia. – A letra K estava marcada na bochecha direita. Ainda dava para sentir o cheiro da pele queimada.

Senti meu estômago embrulhar.

Os olhos de Hoyt se fixaram duramente nos meus.

– Quer saber qual foi a pior parte, Beck?

Olhei para ele e esperei.

– Mesmo assim não levou tempo nenhum – ele disse. – Eu soube imediatamente que aquela era Elizabeth.

7

TAÇAS DE CHAMPANHE TILINTAVAM em harmonia com a sonata de Mozart. Uma harpa sublinhava o som discreto do bate-papo na festa. Griffin Scope circulava em meio a smokings pretos e vestidos cintilantes. As pessoas usavam sempre a mesma palavra para descrevê-lo: bilionário. Podiam referir-se a ele como homem de negócios ou poderoso ou mencionar que ele era alto, casado, avô, ou que tinha 70 anos. Poderiam mencionar alguma característica da sua personalidade, sua árvore genealógica ou ética no trabalho. Mas a primeira palavra – nos jornais, na TV, nas colunas sociais – começava sempre pela letra B. Bilionário. O bilionário Griffin Scope.

Griffin nascera rico. Seu avô fora um industrial nos velhos tempos. O pai aumentara a fortuna. Griffin a multiplicara várias vezes. A maioria dos impérios familiares desmorona na terceira geração. Mas não o dos Scope. Um dos motivos fora a educação dos filhos. Griffin, por exemplo, não cursou uma daquelas prestigiosas escolas preparatórias como Exeter ou Lawrenceville, como muitos de seus colegas. Seu pai fez questão de que ele frequentasse a escola pública e, mais, que o fizesse na cidade grande mais próxima, Newark. Seu pai tinha escritórios lá, por isso improvisar uma moradia não seria problema.

A zona leste de Newark naquela época não era a barra pesada de hoje. Atualmente, uma pessoa sensata não tem nem coragem de passar de carro por lá. Era uma zona de operários – mais rude do que perigosa.

Griffin adorou viver lá.

Seus melhores amigos do tempo de curso secundário continuavam seus amigos 50 anos depois. A lealdade era uma qualidade rara. Quando Griffin a encontrava, fazia questão de recompensá-la. Muitos dos convidados naquela noite eram daqueles tempos de Newark. Alguns até trabalhavam para ele, embora Griffin fizesse o possível para não ser chefe deles no dia a dia.

Aquela noite de gala celebrava a causa mais cara ao coração de Griffin Scope:

a Fundação Brandon Scope, em memória do filho assassinado. Griffin iniciara o fundo com uma doação de 100 milhões de dólares. Os amigos logo engrossaram o bolo. Griffin não era ingênuo. Sabia que muitos doavam para puxar seu saco. Mas a coisa não se resumia a isso. Durante sua breve existência, Brandon Scope tocara as pessoas. Um menino nascido com tanta sorte e talento, Brandon possuía um carisma quase sobrenatural. As pessoas eram atraídas por ele.

Seu outro filho, Randall, era um bom menino que havia sido educado para ser um bom homem. Mas Brandon... Brandon tinha algo de mágico.

A dor se fez sentir novamente. Ela estava sempre lá. Em meio aos cumprimentos e tapinhas nas costas, a dor permanecia ao seu lado, cutucando seu ombro, sussurrando em sua orelha, lembrando-lhe que seria sua parceira por toda a vida.

– Bonita festa, Griff.

Griffin agradeceu e continuou andando. As mulheres estavam primorosamente penteadas e trajavam vestidos que realçavam seus adoráveis ombros nus. Elas combinavam bem com as várias esculturas de gelo – uma das predileções de Allison, esposa de Griffin – que derretiam lentamente sobre toalhas de linho importadas. A sonata de Mozart deu lugar à peça de Chopin. Garçons de luvas brancas circulavam com bandejas de prata repletas de camarões da Malásia, filé mignon de Omaha e uma miscelânea de canapés esquisitos que pareciam sempre conter tomates secos.

Ele se aproximou de Linda Beck, a jovem que dirigia o fundo de caridade da Fundação Brandon. O pai de Linda fora um de seus velhos colegas de turma em Newark, e ela, como tantos outros, parecia fazer parte do império dos Scope. Linda começara a trabalhar para diversas empresas da família durante o curso secundário. Ela e o irmão puderam estudar graças às bolsas de estudo dos Scope.

– Você está divina – observou ele, embora no fundo achasse que tinha um ar cansado.

Linda Beck sorriu para ele:

– Obrigada, Sr. Scope.

– Quantas vezes já lhe disse para me chamar de Griff?

– Umas mil vezes – respondeu ela.

– Como anda Shauna?

– Meio indisposta, infelizmente.

– Diga que estimo sua melhora.

– Direi sim, obrigada.

– Precisamos nos reunir na semana que vem.

– Telefonarei para sua secretária.

– Ótimo.

Griffin lhe deu um beijo na bochecha, e então viu Larry Gandle na saleta. Larry estava todo descabelado e parecia que tinha acabado de acordar, mas ele sempre tinha aquela cara. Poderiam enfiá-lo num terno caríssimo feito sob medida que, uma hora depois, ele continuaria parecendo ter acabado de sair de uma briga.

Larry Gandle não deveria estar ali; os olhos dos dois homens se encontraram. Larry fez um movimento com a cabeça e se afastou. Griffin esperou um instante e, depois, seguiu o jovem amigo pelo corredor.

O pai de Larry, Edward, também fora um dos colegas de turma de Griffin nos velhos tempos de Newark. Edward Gandle morrera de ataque cardíaco súbito havia 12 anos. Uma lástima. Edward era um homem nota 10. Desde então, o filho assumira seu papel de homem de confiança dos Scope.

Os dois homens entraram na biblioteca de Griffin. No passado, aquele local havia sido uma sala maravilhosa de carvalho e mogno, com prateleiras que iam do chão ao teto repletas de livros e globos antigos. Dois anos antes, Allison, num arroubo pós-moderno, decidira que a sala precisava ser totalmente redecorada.

O antigo piso e as prateleiras de madeira foram arrancados e o aposento se tornara branco, luzidio e funcional, com tanto calor humano quanto uma estação de trabalho num escritório. Allison se orgulhara tanto da nova decoração que Griffin não teve coragem de revelar quão detestável lhe parecera.

– Algum problema esta noite? – perguntou Griffin.

– Não – respondeu Larry.

Griffin ofereceu uma cadeira a Larry, mas ele recusou e se pôs a andar de um lado para outro.

– Foi difícil? – perguntou Griffin.

– Tivemos que nos assegurar de que não haveria nenhum furo.

– Claro.

Alguém atacara seu filho Randall. Portanto, Griffin contra-atacara. Era uma lição que ele nunca esquecia. Não se fica de braços cruzados quando você ou um ente querido está sendo atacado. E não se age como o governo com suas "respostas-padrão" e toda aquela frescura. Se você é agredido, a compaixão e a piedade devem ser postas de lado. Você elimina o inimigo. Você barbariza. Os que zombavam dessa filosofia, achando-a desnecessariamente maquiavélica, geralmente acabavam causando destruição maior.

No fim, se você eliminar o mal pela raiz, menos sangue será derramado.

– Então o que há de errado? – perguntou Griffin.

Larry continuou andando de um lado para outro. Coçou a careca. Griffin não gostou daquilo. Larry não ficava nervoso facilmente.

– Eu nunca menti para você, Griff – respondeu Larry.

– Eu sei.

– Mas certos segredos profissionais precisam ser guardados.

– Segredos?

– Quem eu contrato, por exemplo. Eu nunca digo os nomes a você. Nem digo nomes a eles.

– Isso são detalhes.

– Sim.

– O que foi, Larry?

Ele parou de andar.

– Oito anos atrás, você lembra que contratamos dois homens para fazer um serviço?

O rosto de Griffin empalideceu. Ele engoliu em seco.

– E eles fizeram um serviço nota 10.

– Talvez.

– Não estou entendendo.

– Eles fizeram o serviço. Ou, pelo menos, parte dele. A ameaça foi aparentemente eliminada.

Embora a casa passasse por uma varredura semanal em busca de dispositivos de escuta, os dois homens nunca citavam nomes. Uma regra de Scope. Larry Gandle muitas vezes se perguntava se a regra havia sido imposta por cautela ou pelo fato de ajudar a despersonalizar o que eles ocasionalmente eram obrigados a fazer. Suspeitava que fosse a última hipótese.

Griffin desabou na cadeira, como se alguém o tivesse empurrado. Sua voz era suave:

– Por que isso agora?

– Sei que deve ser doloroso para você.

Griffin não respondeu.

– Paguei bem aos dois homens – continuou Larry.

– Conforme eu esperava.

– Sim. – Ele pigarreou. – Bem, após o incidente, eles deveriam permanecer na moita por algum tempo. Por precaução.

– Continue.

– Nunca mais ouvimos falar deles.

– Eles foram generosamente pagos para isso, correto?

– Sim.

– Então o que há de surpreendente nisso? De repente, eles fugiram com a fortuna que ganharam. Vai ver se mudaram para o outro lado do país ou trocaram de identidade.

– Isso – disse Larry – foi o que sempre imaginamos.

– Mas...

– Seus corpos foram encontrados na semana passada. Eles estão mortos.

– Continuo não vendo nenhum problema. Eles eram homens violentos. Devem ter tido uma morte violenta.

– Os corpos já estavam enterrados há anos.

– Quantos anos?

– Pelo menos cinco. E foram encontrados perto do lago onde... onde ocorreu o incidente.

Griffin abriu a boca, fechou-a, abriu-a novamente.

– Não estou entendendo.

– Para falar a verdade, eu também não.

Aquilo era demais para ele. Griffin vinha lutando contra as lágrimas o tempo todo naquela noite de gala em homenagem ao filho. Agora a tragédia do assassinato de Brandon ressurgia. Era preciso muita força para não ter um colapso nervoso.

Griffin ergueu o olhar para seu homem de confiança.

– Isso não pode voltar à tona.

– Eu sei, Griff.

– Temos de descobrir o que aconteceu. Tudo.

– Eu tenho vigiado os homens da vida dela. Principalmente o marido. Por precaução. Agora estou concentrando todos os recursos nisso.

– Muito bem – disse Griffin. – Custe o que custar, isso tem de ser enterrado. Eu não me importo se alguém tiver de ser enterrado junto.

– Entendo.

– E tem mais, Larry.

Gandle esperou.

– Sei o nome de um dos homens que você contrata. – Estava se referindo a Eric Wu. Griffin Scope esfregou os olhos e olhou de novo para os convidados.

– Use-o.

8

SHAUNA E LINDA ALUGAVAM UM APARTAMENTO de três quartos na esquina da Riverside Drive com a Rua 116, perto da Universidade de Colúmbia. Consegui encontrar uma vaga a uma quadra do prédio, um verdadeiro milagre – só faltava o mar Vermelho se abrir e Deus entregar as tábuas da lei!

Shauna me telefonara. Linda ainda estava no baile a rigor. Mark dormia. Entrei na ponta dos pés no quarto dele e beijei sua testa. Dava para perceber que Mark continuava vidrado nos Pokémons. Seus lençóis tinham figuras do Pikachu e ele dormia abraçado a um boneco da tartaruga Squirtle. As pessoas criticavam a mania, mas ela me lembrava minha própria obsessão infantil pelo Batman e o Capitão América. Contemplei-o por mais alguns segundos. Sei que é clichê, mas é nas pequenas coisas que está o encanto da vida.

Shauna me esperava de pé diante da porta do quarto de Mark. Quando, enfim, voltamos à sala, perguntei:

– Você se importa se eu tomar um drinque?

Ela deu de ombros.

– Sirva-se.

Despejei dois dedos de bourbon no copo.

– Você me acompanha?

Ela concordou com a cabeça e nos acomodamos no sofá.

– A que horas Linda estará de volta? – perguntei.

– Agora você me pegou – respondeu Shauna, devagar. Não gostei do tom de voz dela.

– Droga! – exclamei.

– É por pouco tempo, Beck. Eu amo Linda, você sabe muito bem.

– Droga! – repeti.

No ano anterior, Linda e Shauna haviam se separado por dois meses. A experiência não tinha sido boa, sobretudo para Mark.

– Eu não vou abandoná-la – disse Shauna, tranquilizando-me.

– Então o que há de errado?

– A velha história de sempre. Tenho um trabalho glamouroso que me faz aparecer na mídia. Vivo cercada de gente bonita e interessante. Até aqui nenhuma novidade. Todos sabemos disso. Mas Linda cisma que estou de olho nas outras.

– E é verdade.

– É, mas isso não é nenhuma novidade.

Eu não respondi.

– No fim do dia, quando volto para casa, é para ficar com Linda.

– E você não se desvia do caminho?

– Se eu me desviasse, seria irrelevante. Você sabe disso. Não sei viver presa numa gaiola. O palco é meu habitat.

– Bela mistura de metáforas – comentei. Bebi em silêncio por alguns minutos.

– Beck?

– O quê?

– Sua vez agora.

– Vez de quê?

Ela me fuzilou com o olhar e esperou.

Pensei naquele aviso de "Não conte a ninguém" no fim do e-mail. Se a mensagem fosse de fato de Elizabeth – minha mente ainda relutava em sequer considerar isso –, ela saberia que eu contaria tudo para Shauna. Para Linda, talvez não. Mas Shauna? Eu conto tudo para ela. É a regra do jogo.

– Há uma chance – revelei enfim – de que Elizabeth ainda esteja viva.

Shauna se mostrou indiferente:

– Ela fugiu com o Elvis, certo?

Mas, quando viu minha fisionomia, ela parou e disse:

– Como assim?!

Eu expliquei. Contei sobre o e-mail e a câmera na rua. E também que vira Elizabeth na tela do computador. Shauna manteve os olhos fixos em mim o tempo todo. Ela não balançou a cabeça nem me interrompeu. Quando terminei, ela cuidadosamente apanhou um cigarro do maço e o colocou na boca. Shauna tinha parado de fumar havia anos, mas ainda gostava de brincar com cigarros. Ela examinou o cilindro cancerígeno, revolvendo-o na mão como se nunca tivesse visto um antes. Senti seu cérebro a mil.

– O.k. – disse ela. – Então amanhã às 20h15 deverá chegar a próxima mensagem, certo?

Confirmei com um movimento de cabeça.

– Então temos de esperar até lá.

Ela recolocou o cigarro no maço.

– Você não acha isso meio maluco?

Shauna deu de ombros.

– Irrelevante – respondeu.

– Em que sentido?

– Há várias possibilidades que explicariam o que você acabou de dizer.

– Incluindo loucura.

– Sem dúvida, é uma grande possibilidade. Mas de que adiantam hipóteses negativas agora? Vamos supor que tudo seja verdade. Que você viu o que viu e que Elizabeth continue viva. Se estivermos enganados, logo descobriremos. Se estivermos certos...

Ela franziu as sobrancelhas, pensou a respeito, balançou a cabeça.

– Meu Deus, tomara que estejamos certos.

Sorri para ela.

– Eu te amo, você sabe.

– Sim – respondeu ela. – Todos me amam.

◆◆◆

Quando cheguei em casa, despejei no copo um último drinque. Tomei um grande gole e senti a bebida quente percorrer seu caminho. Eu bebo, sim. Mas não sou nenhum alcoólatra. Não estou negando a realidade. Sei que flerto com o alcoolismo. Sei também que isso é tão seguro quanto flertar com a filha virgem de um chefão da máfia. Mas, por enquanto, o flerte ainda não acabou em casamento. Sou esperto o suficiente para saber que esse relacionamento acabaria me destruindo.

Chloe se aproximou de mim com a expressão costumeira, que podia ser resumida nas palavras: "Comer, passear, comer, passear." Os cães são de uma coerência maravilhosa. Atirei para ela um biscoitinho e levei-a para dar uma volta no quarteirão. O ar frio fez bem aos meus pulmões, mas caminhar nunca desanuviava minha mente. Caminhar, na verdade, é uma tremenda chatice. Mas eu gostava de observar Chloe passeando. Sei que isso soa estranho, mas um cão extrai muito prazer dessa atividade tão simples. Eu sentia uma felicidade zen só de vê-la passear.

De volta em casa, fui silenciosamente para o quarto. Chloe me seguiu. Vovô estava dormindo. A enfermeira também. Tinha um ronco agudo de desenho animado. Liguei o computador e estranhei que o xerife Lowell não tivesse retornado minha chamada. Pensei em ligar para ele, embora já fosse quase meia-noite. Foi aí que me ocorreu: ele é metido a durão.

Peguei o telefone e disquei. Lowell tinha um celular. Se estivesse dormindo, teria desligado o aparelho, certo?

Ele atendeu no terceiro toque.

– Alô, Dr. Beck.

Sua voz estava tensa. Observei também que ele já não me chamava mais simplesmente de "doutor".

– Por que não retornou minha ligação? – perguntei.

– Estava ficando tarde – respondeu ele. – Resolvi deixar para amanhã cedo.

– Por que você me perguntou sobre Sarah Goodhart?

– Amanhã – ele respondeu.

– O quê?

– Está tarde, Dr. Beck. Não estou mais no meu horário de trabalho. Além disso, acho melhor conversar sobre isso pessoalmente.

– Você não poderia pelo menos...

– Você estará na clínica amanhã de manhã?

– Sim.

– Telefonarei para lá.

Ele me desejou um educado mas firme boa-noite e desligou. Fitei o telefone, intrigado com aquela situação toda.

Dormir estava fora de questão. Passei a maior parte da noite na internet, procurando por câmeras de rua em diferentes cidades, esperando encontrar a certa. Uma espécie de agulha high tech no palheiro do mundo.

A certa altura, parei de navegar e me enfiei debaixo do cobertor. A paciência faz parte da profissão médica. Constantemente peço exames de crianças que, caso sejam positivos, poderão mudar toda a sua vida – ou mesmo significar o fim dela –, e peço aos pais que aguardem o resultado. Eles não têm outra escolha. Talvez eu estivesse em uma situação semelhante. Havia muitas variáveis em jogo. No dia seguinte, quando eu entrasse no site Bigfoot com o nome de usuário Bat Street e a senha Teenage, poderia descobrir mais.

Fitei o teto por alguns momentos. Depois olhei para a direita – onde Elizabeth dormia. Eu sempre adormecia antes. Costumava me deitar daquela maneira e observá-la com seu livro, o perfil do seu rosto, totalmente concentrada no que estava lendo. Era a última coisa que eu via antes que meus olhos se fechassem e eu dormisse.

Virei para o outro lado.

◆◆◆

Às quatro da madrugada, Larry Gandle olhava sobre as mechas parafinadas de Eric Wu. Ele era incrivelmente disciplinado. Se não estivesse malhando, estaria diante da tela do computador. Sua tez adquirira uma doentia cor branco-azulada de tanto navegar na internet, mas seu físico continuava uma massa bruta.

– E então? – disse Gandle.

Wu arrancou os fones de ouvido. Depois cruzou os braços, que pareciam colunas de mármore, diante do tórax:

– Estou confuso.

– Por quê?

– O Dr. Beck não salva quase nenhum e-mail. Apenas alguns envolvendo pacientes. Nada pessoal. Mas ele recebeu dois e-mails estranhos nos últimos dois dias. – Ainda de frente para a tela, Eric Wu entregou a Gandle duas folhas de papel por sobre os ombros sólidos como bolas de boliche. Gandle olhou os e-mails e franziu a testa.

– O que eles significam?

– Sei lá.

Gandle leu a mensagem que falava sobre clicar em alguma coisa na "hora do beijo". Ele não entendia de computadores – nem fazia questão de entender. Seus olhos se voltaram para o topo da folha, e ele leu o assunto.

E. P. + D. B. e um monte de barras.

Gandle refletiu a respeito. D. B. David Beck, talvez? Quanto a E. P...

O sentido daquelas iniciais o atingiu como um piano em queda livre. Lentamente ele devolveu a folha a Wu.

– Quem mandou isso? – perguntou Gandle.

– Sei lá.

– Descubra.

– Impossível – disse Wu.

– Por quê?

– O remetente usou um serviço de reenvio anônimo. – Wu falava em um tom paciente, quase monótono. Ele usava aquele mesmo tom quer estivesse discutindo a previsão do tempo, quer estraçalhando o queixo de um inimigo. – Não vou entrar em detalhes técnicos, mas não dá para descobrir o remetente.

Gandle voltou a atenção para o outro e-mail, aquele que mencionava Bat Street e Teenage. Ele não entendeu nada daquilo.

– E este aqui? Dá para descobrir o remetente?

Wu fez que não com a cabeça.

– Também anônimo.

– Os dois e-mails foram enviados pela mesma pessoa?

– Sei tanto quanto você.

– E o conteúdo? Você entendeu o que as mensagens dizem?

Wu apertou algumas teclas, e o primeiro e-mail surgiu no monitor. Com um dedo grosso e venoso, apontou para a tela.

– Está vendo estas letras azuis? É um link. Tudo o que o Dr. Beck teve de fazer foi clicar aí para ser direcionado a algum lugar, provavelmente a um site da web.

– Qual site?

– É um link corrompido. Não dá para descobrir.

– E Beck deveria fazer isso na "hora do beijo"?

– É o que está escrito.

– "Hora do beijo" é algum termo de informática?

Wu quase riu.

– Não.

– Então você não sabe a que hora o e-mail se refere?

– Isso mesmo.

– Se a "hora do beijo" já passou ou não?

– Já passou – respondeu Wu.

– Como é que você sabe?

– O navegador está configurado para mostrar os 20 últimos sites visitados. Ele clicou no link várias vezes.

– E você não pode entrar no site também?

– Não. O link não está funcionando.

– E este outro e-mail?

Wu apertou mais algumas teclas. A tela mudou, e o outro e-mail apareceu.

– Este é mais fácil de decifrar. É bem básico, por sinal.

– Dá para explicar?

– O remetente anônimo criou uma conta para o Dr. Beck – explicou Wu. – Forneceu um nome de usuário e uma senha e mencionou de novo a "hora do beijo".

– Vamos ver se entendi – disse Gandle. – Beck vai acessar um site, digitar o nome do usuário e a senha, e haverá uma mensagem para ele?

– Em princípio, sim.

– Podemos fazer isso também?

– Entrar na página usando aquele nome de usuário e a senha?

– Sim. E ler a mensagem.

– Eu tentei. A conta ainda não existe.

– Por que não?

Eric Wu fez um gesto de desdém.

– Talvez o remetente anônimo configure a conta mais tarde. Mais perto da "hora do beijo".

– Então qual é a conclusão?

– Em termos simples – a luz do monitor dançava diante dos olhos inexpressivos de Wu –, alguém está fazendo um grande esforço para permanecer anônimo.

– Como podemos descobrir quem é?

Wu ergueu um pequeno dispositivo semelhante a uma peça de um rádio transistor:

– Mandei instalar estes aparelhinhos nos computadores do Dr. Beck, em casa e no trabalho.

– Que negócio é esse?

– Um rastreador digital de rede. O rastreador envia sinais digitais dos computadores dele para o meu. Se o Dr. Beck receber algum e-mail, acessar algum site ou digitar uma letra, vamos conseguir monitorar tudo em tempo real.

– Então o negócio é esperar e observar – concluiu Gandle.

– Exato.

Gandle pensou no que Wu acabara de dizer – no esforço que alguém estava fazendo para permanecer anônimo –, e uma terrível suspeita fez com que sentisse um frio na espinha.

9

ESTACIONEI O CARRO A DOIS QUARTEIRÕES da clínica. Preferia estacionar um pouco longe a me arriscar a não encontrar vaga.

O xerife Lowell surgiu do nada acompanhado de dois homens com cabelos à escovinha e ternos cinza. Os dois estavam encostados em um enorme Buick marrom. Fisicamente eram opostos: um era alto, magro e branco; o outro, baixo, gordo e negro. Juntos lembravam uma bola de boliche tentando derrubar o último pino. Os dois homens sorriram para mim. Lowell não sorriu.

– Dr. Beck? – disse o pino. Estava impecavelmente arrumado: brilhantina no cabelo, um lenço dobrado no bolso, o nó da gravata de uma precisão espantosa, óculos de aros grossos, do tipo usado por atores quando querem parecer charmosos.

Olhei para Lowell. Ele não disse nada.

– Sim.

– Sou o agente especial Nick Carlson, do FBI – continuou o homem. – Este é o agente especial Tom Stone.

Os dois ostentavam distintivos reluzentes. Stone, o mais baixo e rechonchudo, suspendeu a calça e cumprimentou-me com a cabeça. Em seguida, abriu a porta traseira do Buick.

– Importa-se de nos acompanhar?

– Tenho um paciente daqui a 15 minutos – respondi.

– Nós já cuidamos disso. – Carlson esticou o braço em direção à porta do carro, como se exibisse o prêmio de um programa de televisão. – Por favor.

Sentei-me no banco traseiro do carro. Carlson se acomodou ao volante. Stone se espremeu no banco da frente. Lowell não entrou. Não saímos de Manhattan, mas mesmo assim o percurso levou uns 45 minutos. Fomos parar no centro, na Broadway, perto da Duane Street. Carlson parou o carro diante de um prédio com uma placa onde se lia: 26 Federal Plaza.

O interior era típico de um prédio comercial. Homens de terno, surpreendentemente simpáticos, circulavam com xícaras de café decoradas. Havia mulheres também, mas em franca minoria. Fomos até uma sala de reuniões. Fui convidado a me sentar à mesa. Foi o que fiz. Tentei cruzar as pernas, mas não me senti bem assim.

– Alguém poderia me explicar o que está acontecendo? – pedi.

Carlson Pino de Boliche tomou a iniciativa:

– Aceita uma bebida? – perguntou. – Preparamos o pior café do mundo, se estiver interessado.

Aquilo explicava todas aquelas xícaras decoradas. Ele sorriu para mim. Retribuí o sorriso.

– É tentador, mas prefiro não arriscar.

– Prefere um refrigerante? Temos refrigerantes, Tom?

– Claro, Nick. Coca, Coca Diet, Sprite, o que o doutor desejar.

Os dois sorriram novamente.

– Não, obrigado – agradeci.

– Suco de frutas? – tentou Stone. Ele voltou a suspender a calça. Devia ser difícil ajustar a cintura da calça àquela pança sem que ela escorregasse. – Temos vários sabores.

Eu quase aceitei para que eles fossem logo ao assunto, mas fiz um gesto educado de recusa. A mesa estava vazia, com exceção de um grande envelope amarelado. Eu não sabia o que fazer com as mãos, então coloquei-as sobre a mesa. Stone se arrastou até um dos cantos da sala e ficou de pé ali. Carlson, ainda tomando a iniciativa, sentou-se à cabeceira da mesa e girou a cadeira para ficar de frente para mim.

– O que você poderia nos dizer sobre Sarah Goodhart? – perguntou Carlson.

Eu não sabia o que responder. Tentei analisar a situação, mas estava totalmente confuso.

– Doutor?

Olhei para ele.

– Por que você quer saber?

Carlson e Stone trocaram um rápido olhar.

– Esse nome veio à tona em uma das investigações em andamento – respondeu Carlson.

– Qual investigação? – perguntei.

– Preferimos não revelar.

– Eu não entendo. Qual é a minha ligação com isso?

Carlson deixou escapar um suspiro. Ele olhou para o colega rechonchudo e, de repente, os sorrisos desapareceram.

– Estou fazendo alguma pergunta complicada, Tom?

– Não, Nick. Acho que não.

– Também acho que não. – Carlson voltou a me encarar. – Talvez você discorde da forma como a pergunta foi feita, doutor. É isso?

– É o que eles sempre fazem naqueles seriados policiais da TV, Nick – interveio Stone. – Eles discordam da forma como a pergunta é feita.

– Isso mesmo, Tom, isso mesmo. Aí os caras dizem: "Vou reformular a pergunta", certo? Ou algo parecido.

– Algo parecido, pode crer.

Carlson lançou-me um olhar ameaçador.

– Então vou reformular a pergunta: o nome Sarah Goodhart lhe diz alguma coisa?

Eu não estava gostando nem um pouco daquela história. Não gostava da atitude deles, do fato de terem assumido o papel de Lowell nem da maneira como eu vinha sendo interrogado. Eles deviam saber o que aquele nome significava. Não era tão difícil. Tudo o que você tinha de fazer era observar o nome e o endereço de Elizabeth. Decidi ir devagar.

– O nome do meio de minha mulher era Sarah – eu disse.

– O nome do meio de minha mulher é Gertrude – disse Carlson.

– Nome horroroso, Nick!

– Qual o nome do meio da sua mulher, Tom?

– McDowd. É um nome de família.

– Adoro quando o nome do meio é um nome de família. Uma homenagem aos antepassados.

– Também adoro.

Os dois homens voltaram a me fitar.

– Qual é o seu nome do meio, doutor?

– Craig – respondi.

– Craig – repetiu Carlson. – O.k. Então, se eu lhe perguntasse se o nome, digamos – ele agitou os braços de forma teatral –, Craig Dipwad significava algo para você, você responderia com a cara mais inocente do mundo: "Olha, meu nome do meio é Craig"?

Carlson me lançou um olhar irado.

– Acho que não – respondi.

– Acha que não. Vamos tentar novamente: Você já ouviu o nome Sarah Goodhart? Sim ou não?

– Você quer saber em toda a minha vida?

Stone explodiu:

– Minha Nossa Senhora!

O rosto de Carlson corou:

– Você está nos enrolando com detalhes semânticos.

Ele tinha razão. Eu estava fazendo papel de bobo. Estava fazendo um voo cego, e aquela última linha do e-mail – *Não conte a ninguém* – lampejava em minha cabeça como um letreiro de neon. A confusão tomou conta de mim. Eles deviam saber sobre Sarah Goodhart. Era tudo um teste para ver se eu estava disposto a colaborar ou não. Era bem possível. Mas cooperar com quê?

– Minha mulher foi criada na Goodhart Road – respondi. Os dois recuaram um pouco. Eles se mantiveram calados, induzindo-me a continuar falando. – Por isso eu disse que o nome do meio de minha mulher era Sarah. O sobrenome Goodhart fez com que eu pensasse nela.

– Porque ela foi criada na Goodhart Road? – perguntou Carlson.

– Sim.

– A palavra Goodhart foi uma espécie de catalisador?

– Sim – repeti.

– Isso faz sentido para mim – Carlson olhou para o colega. – Faz sentido para você, Tom?

– Claro – respondeu Stone, dando tapinhas na barriga. – Ele não foi evasivo. A palavra Goodhart foi um catalisador.

– Certo. Fez com que ele pensasse na mulher.

Os dois me fitaram novamente. Desta vez, forcei-me a ficar calado.

– Sua mulher alguma vez usou o nome Sarah Goodhart? – perguntou Carlson.

– Usou como?

– Alguma vez ela disse "Oi, sou Sarah Goodhart" ou obteve uma carteira de identidade ou se inscreveu em algum fórum na internet com este nome...

– Não – respondi.

– Tem certeza?

– Sim.

– Você está dizendo a verdade?

– Sim.

– Será que não está precisando de outro catalisador?

Endireitei-me na cadeira e resolvi mostrar certa determinação.

– Não estou gostando de sua atitude, agente Carlson.

O policial retomou o sorriso de propaganda de pasta de dentes, que desta vez parecia uma variante cruel da forma anterior. Ele levantou a mão e disse:

– Desculpe, cara, foi mal. – Olhou ao redor como se estivesse pensando no que dizer em seguida. Esperei. – Alguma vez você bateu na sua mulher, doutor?

A pergunta me atingiu como uma chicotada.

– O quê?

– Coisa feia bater numa mulher.

– O quê? Está maluco?

– Quanto você ganhou de seguro de vida quando sua mulher morreu?

Fiquei atônito. Olhei para o seu rosto e depois para o de Stone. Totalmente insondáveis. Eu não conseguia acreditar no que estava ouvindo.

– Que diabo está acontecendo aqui?

– Por favor, limite-se a responder à pergunta. A não ser, é claro, que você esteja escondendo algo de nós.

– Não há nenhum segredo – disse eu. – O seguro foi de 200 mil dólares.

Stone deu um assobio:

– Duzentos mil dólares por uma esposa morta. Ei, Nick, onde é que eu consigo um seguro desses?

– É um bom seguro de vida para uma mulher de 25 anos!

– O primo dela tinha arrumado um emprego na seguradora State Farm – expliquei, com as palavras tropeçando umas nas outras. O estranho era que, mesmo sabendo que eu não tinha feito nada de errado, comecei a me sentir culpado. Era uma sensação esquisita. O suor começou a fluir de minhas axilas. – Ela quis ajudar. Por isso, fez esse seguro alto.

– Muito boazinha – observou Carlson.

– Boazinha mesmo – acrescentou Stone.

– A família é muito importante, não acha?

Fiquei calado. Carlson voltou a se sentar no canto da mesa. O sorriso desaparecera de novo.

– Olhe para mim, doutor.

Obedeci. Seus olhos se fixaram nos meus. Consegui manter o contato visual a duras penas.

– Desta vez responda à minha pergunta – disse ele lentamente. – E não se faça de chocado ou ofendido. Alguma vez você bateu em sua mulher?

– Nunca – respondi.

– Nenhuma vez?

– Nenhuma vez.

– Nem a empurrou?

– Nunca.

– Ou teve um acesso de raiva? Cara, isso acontece com todo mundo! Um tapa rápido. Não há nenhum crime nisso. É natural nas questões passionais, entende o que quero dizer?

– Eu nunca bati na minha mulher – afirmei. – Nunca a empurrei, nem dei um tapa nela, nem tive nenhum acesso de raiva. Jamais.

Carlson olhou para Stone.

– Assunto encerrado, Tom?

– Claro, Nick. Se ele diz que nunca bateu nela, assunto encerrado.

Carlson coçou o queixo:

– A não ser...

– A não ser o quê, Nick?

– Bem, a não ser que eu possa fornecer ao Dr. Beck outro daqueles catalisadores.

Os olhares se voltaram novamente para mim. Minha respiração ecoava em meus ouvidos, arquejante e irregular. Eu me senti zonzo. Após alguns momentos, Carlson pegou o grande envelope amarelado. Com os dedos longos e esguios, soltou lentamente o elástico e o abriu. Ergueu-o e deixou o conteúdo cair na mesa.

– Que tal este catalisador aqui, doutor?

Tratava-se de fotografias. Carlson empurrou-as em minha direção. Olhei para baixo e senti crescer o vazio em meu coração.

– Dr. Beck?

Olhei para as fotos. Estendi a mão vacilante até elas e toquei-as levemente.

Elizabeth.

Eram fotografias de Elizabeth. A primeira, um close do rosto. Ela estava de lado, a mão direita afastando os cabelos da orelha. O olho estava roxo e inchado. Havia um corte profundo e outros ferimentos no pescoço, sob a orelha.

Parecia que ela estivera chorando.

Outra foto havia sido tirada da cintura para cima. Elizabeth estava de pé usando apenas um sutiã e apontava para um grande hematoma no tórax. Seus olhos ainda tinham aquela borda avermelhada. A iluminação era estranhamente forte, como se o próprio flash houvesse se concentrado no ferimento e trazido mais para perto da lente.

Havia mais três fotografias – de diferentes ângulos e de diferentes partes do corpo. Todas realçavam mais cortes e ferimentos.

– Dr. Beck?

Meus olhos se ergueram. Quase me surpreendi ao vê-los na sala. Suas expressões eram neutras, pacientes. Encarei Carlson, depois Stone, depois Carlson novamente.

– Vocês acham que fui eu que fiz isso?

Carlson fez um gesto de desdém:

– É você quem vai nos dizer.

– Claro que não fui eu.

– Você sabe como foi que sua esposa ficou ferida assim?

– Num acidente de carro.

Eles se entreolharam como se eu fosse uma criança dizendo à professora que meu cachorro tinha comido meu dever de casa.

– Ela teve uma batida feia – expliquei.

– Quando?

– Não sei exatamente. Três, quatro meses antes... – as palavras ficaram presas na garganta por um segundo – antes de morrer.

– Ela foi para o hospital?

– Não, acho que não.

– Você *acha* que não?

– Eu não estava lá.

– Onde você estava?

– Eu estava num congresso de pediatria em Chicago. Ela só me falou do acidente depois que voltei.

– Quanto tempo depois ela falou para você?

– Depois do acidente?

– Sim, doutor, depois do acidente.

– Eu não sei. Uns dois, três dias.

– Vocês já estavam casados?

– Havia apenas alguns meses.

– Por que ela não lhe contou logo?

– Ela contou. Quer dizer, assim que cheguei em casa. Acho que ela não queria que eu me preocupasse.

– Entendi – disse Carlson. Ele olhou para Stone. Eles nem se deram o trabalho de disfarçar o ceticismo. – Foi você quem tirou as fotos, doutor?

– Não – respondi. Assim que disse aquilo, me arrependi. Eles trocaram outra olhadela, farejando sangue. Carlson inclinou a cabeça e se aproximou de mim.

– Você já havia visto essas fotos antes?

Não respondi. Eles esperaram. Refleti sobre a pergunta. A resposta era não, mas... onde eles haviam arrumado as fotos? Por que eu nunca as tinha visto? Quem as havia tirado? Olhei para seus rostos, mas eles não revelaram nada.

É surpreendente, mas, quando você pensa um pouco, constata que as lições mais importantes da vida a gente aprende na TV. A maior parte do que sabemos sobre interrogatórios, direitos civis, autoincriminação, listas de testemunhas e do sistema penal em geral vem dos seriados da TV. Se eu lhe entregasse uma arma neste instante e lhe pedisse que atirasse, você faria o que viu na TV. Se eu avisasse que você estava sendo seguido, você saberia do que estou falando porque se cansou de ver isso nos filmes.

Ergui o olhar para eles e fiz a clássica pergunta:

– Vocês me consideram um suspeito?

– Suspeito de quê?

– De qualquer coisa – respondi. – Vocês suspeitam que cometi algum crime?

– Esta é uma pergunta meio vaga, doutor.

Aquela foi uma resposta bem vaga também. Eu não estava gostando do jeito como a coisa estava se desenrolando. Decidi usar outra frase que aprendi na televisão:

– Gostaria de telefonar para o meu advogado.

10

COMO NÃO TENHO ADVOGADO CRIMINALISTA – quem é que tem? –, liguei para Shauna de um telefone público no corredor e expliquei a situação. Ela não perdeu tempo.

– Conheço a pessoa certa – disse Shauna. – Espere que vou mandá-la aí.

Fiquei aguardando na sala de interrogatório. Carlson e Stone ficaram na sala comigo. Eles passaram o tempo murmurando um com o outro. Meia hora se passou. O silêncio era enervante. Sei que eles queriam que eu perdesse o controle. Mas eu tinha de me controlar. Afinal, eu era inocente. Precisava ter cuidado para não dizer nada que pudesse me prejudicar.

– Minha mulher foi encontrada com a letra K marcada no rosto – disse a eles.

Ambos me fitaram.

– Desculpe – disse Carlson, virando-se em minha direção. – Você falou conosco?

– Minha mulher foi encontrada com a letra K marcada no rosto – repeti. – Após o ataque, fui parar no hospital em coma. Não é possível que vocês achem... – Deixei o resto no ar.

– Que achemos o quê? – perguntou Carlson.

Como eles não adivinharam, me adiantei:

– Que eu tive algo a ver com a morte dela. – Nesse momento a porta se abriu de repente e uma mulher, que eu reconheci da TV, irrompeu sala adentro. Carlson pulou para trás ao vê-la. Ouvi Stone murmurar "cacete".

Hester Crimstein nem se deu o trabalho de se apresentar.

– Meu cliente não solicitou a presença de seu advogado? – perguntou ela.

Graças a Shauna. Eu nunca havia visto minha advogada, mas a reconheci de suas participações como "perita em direito" em programas de entrevistas e de seu próprio programa, *Crimstein contra o crime*, na TV a cabo. Na televisão, Hester Crimstein era rápida e incisiva e muitas vezes deixava os convidados arrasados. Pessoalmente, tinha a mais estranha aura de poder, o tipo de pessoa que olha para todos como se fosse um tigre faminto e eles fossem gazelas.

– Isso mesmo – respondeu Carlson.

– No entanto, vocês continuaram o interrogatório.

– Foi ele que começou a falar conosco.

– Boa desculpa. – Hester Crimstein abriu a pasta, apanhou uma caneta e um bloco de papel e atirou-os sobre a mesa. – Escrevam seus nomes.

– Como?

– Seus nomes. Vocês sabem escrevê-los direitinho, não é?

Tratava-se de uma pergunta retórica, mas Crimstein esperou uma resposta.

– Sim – respondeu Carlson.

– Claro – acrescentou Stone.

– Ótimo. Então escrevam. Quando eu mencionar no meu programa como vocês dois desrespeitaram os direitos constitucionais de meu cliente, farei questão de não errar os nomes. Letra de fôrma, por favor.

Ela finalmente olhou para mim.

– Vamos nessa.

– Um momento – pediu Carlson. – Gostaríamos de fazer algumas perguntas ao seu cliente.

– Não.

– Não? É isso o que você tem a nos dizer?

– Exatamente. Vocês não vão falar com ele. Ele não vai falar com vocês. Nunca mais. Entenderam?

– Sim – disse Carlson.

Ela dirigiu seu olhar para Stone.

– Sim – disse Stone.

– Ótimo. Vocês têm algum mandado de prisão contra o Dr. Beck?

– Não.

Ela se voltou em minha direção.

– Então o que você está esperando? Vamos embora.

◆◆◆

Hester Crimstein não disse nenhuma palavra até que estivéssemos seguramente acomodados em sua limusine.

– Onde quer que eu o deixe? – perguntou.

Dei ao motorista o endereço da clínica.

– Conte-me sobre o interrogatório – pediu Crimstein. – Não omita nada.

Narrei a conversa com Carlson e Stone com todos os detalhes possíveis.

Hester Crimstein quase não olhava para mim. Ela pegou uma agenda mais grossa do que meu pulso e começou a folheá-la.

– Quer dizer que não foi você que tirou aquelas fotos da sua mulher? – perguntou ela depois que terminei minha narrativa.

– Não.

– E você contou isso para aqueles dois palermas?

Fiz que sim com a cabeça.

Ela fez um gesto de contrariedade.

– Esses médicos. São sempre os piores clientes. – Jogou para trás uma mecha de cabelo. – Você não devia ter dito isso, mas tudo bem. Quer dizer que você nunca viu aquelas fotos antes?

– Nunca.

– Mas quando eles perguntaram isso você finalmente se calou.

– Sim.

– Melhor assim – disse ela, balançando a cabeça. – Essa história de que ela adquiriu os ferimentos num acidente de carro é verdade?

– Como?

Crimstein fechou a agenda.

– Veja bem... Beck, não é? Shauna diz que todo mundo chama você de Beck. Você se importa se eu chamar também?

– Não.

– Ótimo. Olhe, Beck, você é médico, certo?

– Sim.

– Você sabe tratar as pessoas com psicologia.

– Faço o possível.

– Pois eu não. Nem um pouquinho. Essa história de paparicar não é comigo. Portanto, vamos pular todo esse "me desculpe" e "sinto muito" e toda essa palhaçada, certo? Apenas responda às minhas perguntas. A história do acidente de carro que você contou para eles é verdade?

– É.

– Porque os tiras vão checar todos os fatos. Você sabe disso, não sabe?

– Sei.

– Quanto a isso, então, tudo bem. – Crimstein fez uma pausa. – Talvez sua mulher tenha pedido a um amigo para tirar as fotos – prosseguiu ela, sem muita convicção. – Por causa do seguro ou coisa assim. Para a eventualidade de querer mover uma ação. Isso pode fazer sentido, se a polícia perguntar.

Para mim não fazia nenhum sentido, mas preferi não dizer nada.

– Portanto, a pergunta número um: onde estavam essas fotos, Beck?

– Não sei.

– Dois e três: Como foi que os tiras as conseguiram? Por que elas estão aparecendo agora?

Fiz um gesto indicando que não sabia.

– E, mais importante, por que eles estão querendo pressionar você? Sua mulher está morta há oito anos. É um pouco tarde para acusá-lo de violência doméstica. – Ela relaxou e refletiu a respeito durante alguns minutos. Depois, olhou para cima e fez um gesto de indiferença. – Não importa. Darei uns telefonemas e descobrirei o que há por trás disso. Enquanto isso, não dê bobeira. Bico calado, entendeu?

– Sim.

Ela relaxou e refletiu mais um pouco.

– Não estou gostando dessa história – disse ela. – Não estou gostando nem um pouco.

11

EM 12 DE MAIO DE 1970, JEREMIAH RENWAY e três colegas radicais provocaram uma explosão no departamento de química da Eastern State University. A organização revolucionária comunista Weather Underground havia espalhado a notícia de que cientistas militares estavam usando os laboratórios da universidade para desenvolver uma forma mais poderosa de napalm para ser usada na Guerra do Vietnã. Os quatro estudantes – que, num acesso de pura originalidade, denominaram-se Paladinos da Liberdade – decidiram realizar um protesto dramático embora espalhafatoso.

Naquela época, Jeremiah Renway não sabia se a informação era verdadeira. Agora, mais de 30 anos depois, duvidava que fosse. Tarde demais. A explosão não destruiu nenhum dos laboratórios. Dois guardas da universidade, porém, encontraram o pacote suspeito. Quando um deles ergueu o pacote, ele explodiu, matando os dois homens.

Ambos deixaram esposa e filhos.

Um dos "paladinos da liberdade", colega de Jeremiah, foi preso dois dias depois. Ele continua na prisão. O segundo morreu de câncer no intestino em 1989. A terceira, Evelyn Cosmeer, foi presa em 1996 e condenada a sete anos.

Jeremiah desapareceu na floresta na noite da explosão e nunca mais saiu de lá. Ele raramente via seres humanos, ouvia rádio ou assistia à televisão. Usou um telefone uma única vez – mesmo assim, numa emergência. Sua única ligação com o mundo exterior era através dos jornais, embora a versão da mídia do que acontecera ali oito anos antes estivesse toda errada.

Nascido e criado nas montanhas do noroeste da Geórgia, o pai de Jeremiah ensinou ao filho todo tipo de técnicas de sobrevivência, embora sua principal lição fosse esta: você pode confiar na natureza, mas não nos homens. Jeremiah havia esquecido a lição por algum tempo. Agora ele a vivia.

Temendo que a polícia vasculhasse as imediações da sua cidade natal, Jeremiah se enfiou nas florestas da Pensilvânia. Ele rodou durante algum tempo, levantando acampamento a cada uma ou duas noites, até que topou com o relativo conforto e segurança do lago Charmaine. O lago era cercado por velhas cabanas de colônia de férias que podiam servir de abrigo quando o clima se tornasse hostil. Visitantes raramente chegavam até ali – os poucos que apareciam vinham apenas no verão e, mesmo assim, somente nos fins de semana. Ele podia caçar veados e viver em relativa paz. Durante as poucas épocas do ano em que havia gente no lago, ele se escondia ou se afastava em direção ao oeste.

Ou apenas observava.

Para as crianças que costumavam ir até lá, Jeremiah Renway representava o bicho-papão.

Jeremiah estava lá na ocasião e observou os policiais circularem com suas jaquetas escuras. Jaquetas do FBI. A visão daquelas três letras maiúsculas amarelas ainda perfurava seu coração como uma estalactite.

Ninguém havia se dado o trabalho de isolar a área, provavelmente por ser tão remota. Renway não se surpreendera quando eles encontraram os corpos. Sim, os dois homens haviam sido enterrados bem fundo, mas ele sabia como ninguém que os segredos não gostam de ficar soterrados. Sua ex-parceira de crime, Evelyn Cosmeer, que se transformara numa perfeita mãe suburbana em Ohio antes de ser capturada, sabia disso. A ironia não escapou a Jeremiah.

Ele permaneceu escondido no matagal. Conhecia bem as técnicas de camuflagem. Ningém o veria.

Recordou a noite, oito anos antes, em que os dois homens morreram – os súbitos estampidos de revólver, o som das pás revolvendo a terra, os resmungos dos sepultadores. Chegara a cogitar a possibilidade de revelar às autoridades tudo o que acontecera – tudinho.

Anonimamente, é claro.

Mas no final preferiu não se arriscar. Jeremiah sabia que nenhum ser humano nasceu para viver preso, embora alguns consigam aguentar a cadeia. Ele não conseguiria. Tinha um primo chamado Perry que cumpria pena de oito anos numa penitenciária federal. Perry ficava trancafiado numa cela minúscula 23 horas por dia. Uma manhã, Perry tentou se matar batendo a cabeça num muro de cimento.

Jeremiah acabaria fazendo o mesmo.

Por isso, manteve-se calado e não fez nada durante oito anos. Mas pensou muito sobre aquela noite. Pensou na jovem mulher nua. Pensou no homem que a espreitava. Pensou na luta perto do carro. Pensou no repugnante som molhado de madeira contra a carne viva. Pensou no homem abandonado à morte.

E pensou nas mentiras. As mentiras o atormentavam mais do que tudo.

12

QUANDO RETORNEI À CLÍNICA, a sala de espera estava repleta de gente fungando impacientemente. Uma televisão exibia um vídeo da *Pequena sereia*, que no final era automaticamente rebobinado e reexibido, as cores já desbotadas por causa do uso excessivo. Depois de todas aquelas horas no FBI, até que o desenho caía bem. Fiquei remoendo as palavras de Carlson – ele era o chefe –, tentando descobrir o que estaria buscando, mas aquilo só tornava o quadro ainda mais obscuro e surreal, além de me dar uma baita dor de cabeça.

– Oi, doutor.

Tyrese Barton apareceu. Ele vestia uma calça de moletom folgada e uma jaqueta de time de universidade que parecia grande demais, tudo de uma grife aparentemente famosíssima, mas de que eu nunca ouvira falar.

– Oi, Tyrese – respondi.

Tyrese tentou me ensinar um complicado aperto de mão, que mais parecia um passo de dança. Ele e Latisha tinham um filho de 6 anos que chamavam de TJ. TJ era hemofílico. Além disso, era cego. Eu o conheci quando seus pais o trouxeram às pressas, ainda bebê, e Tyrese estava prestes a ser preso. Ele afirmou que fui eu que salvei a vida de seu filho naquele dia. Um exagero.

Mas talvez eu tenha salvado Tyrese.

Ele achava que aquilo nos tornava amigos – como se ele fosse o leão da fábula de Esopo, e eu, o camundongo que havia arrancado o espinho de sua pata, mas estava enganado.

Tyrese e Latisha nunca se casaram, apesar de ele ser um dos poucos pais que eu via por ali. Ele terminou o cumprimento e me entregou duas notas de 100 dólares, como se eu fosse um maître do Le Cirque.

Ele me encarou.

– Você cuida bem do meu filho.

– Faço o possível.

– Você é o melhor de todos, doutor. – Ele me entregou o cartão de visita, que não tinha nome, nem endereço, nem cargo. Apenas um telefone celular.

– Se precisar de qualquer coisa, é só ligar.

– Pode deixar – respondi.

Ainda me fitando, acrescentou:

– *Qualquer* coisa, doutor.

– Certo.

Eu embolsava o dinheiro. Repetíamos essa mesma rotina havia seis anos. No trabalho da clínica, encontrava muitos traficantes de drogas. Não conheci nenhum, além de Tyrese, que tivesse sobrevivido seis anos.

Claro que eu não ficava com o dinheiro. Doava tudo para as obras de caridade em que Linda trabalhava. Legalmente questionável, eu sabia, mas, na minha opinião, melhor o dinheiro ir para a caridade do que para um traficante. Eu não tinha nenhuma ideia de quanto dinheiro Tyrese possuía. Mas ele estava sempre de carrão novo – preferia os BMWs com janelas coloridas –, e as roupas de seu filho valiam mais do que qualquer objeto em meu armário. Porém a mãe do menino tinha direito à assistência do governo, por isso as consultas eram gratuitas.

É de enlouquecer, eu sei.

O toque do celular de Tyrese era um hip hop.

– Guarde bem este cartão, doutor. Você pode precisar.

– Pode deixar.

Tudo isso me aborrece, às vezes. Quem não se aborrece? Mas, com toda essa confusão, existem crianças de verdade aqui. Elas nos comovem. Não estou querendo dizer que todas as crianças sejam maravilhosas. Não são. Às vezes trato de algumas que *sei* que não serão grande coisa quando crescerem. Mas as crianças são, no mínimo, indefesas. Elas são fracas e desprotegidas. Pode acreditar: conheci algumas que alterariam sua definição de ser humano.

Por esse motivo me concentro nas crianças.

◆◆◆

Eu deveria trabalhar até o meio-dia, mas, para compensar a ida ao FBI, atendi os pacientes até as três. É claro que pensei no interrogatório o dia inteiro. Aquelas fotografias de Elizabeth machucada pipocavam na minha mente como uma alucinante luz estroboscópica.

Quem saberia algo sobre aquelas fotos?

A resposta, quando parei para refletir, era um tanto óbvia. Inclinei-me para a frente e peguei o telefone. Havia anos eu não ligava para aquele número, mas ainda o sabia de cor.

– Estúdio fotográfico Schayes – atendeu uma mulher.

– Oi, Rebecca.

– Seu sumido! Como vai, Beck?

– Bem. E você?

– Nada mal. Cheia de trabalho.

– Você trabalha demais.

– Agora não. Casei no ano passado.

– Eu sei. Infelizmente não pude ir.

– Que pena.

– Sim. Mas aceite meus parabéns mesmo assim.

– O que você manda?

– Preciso fazer uma pergunta – respondi.

– Pode fazer.

– Sobre o acidente de carro.

Ouvi um ligeiro eco. Depois silêncio.

– Você se lembra do acidente de carro? Aquele antes de Elizabeth morrer?

Rebecca Schayes, a melhor amiga de minha esposa, não respondeu. Pigarreei.

– Quem estava dirigindo?

– O quê? – Ela disse isso num sussurro. – Hum, espere um instante. – Depois, voltando a falar comigo: – Olha, Beck, apareceu um problema aqui. Posso te ligar de novo daqui a pouco?

– Rebecca...

Mas ela havia desligado.

◆◆◆

Eis a verdade sobre as tragédias: elas fazem bem à alma.

O fato é que sou uma pessoa melhor por causa das mortes. Se tudo tem seu lado positivo, este, sem dúvida, é bem frágil. Mas existe. Isso não significa que valha a pena, que a troca seja justa ou algo semelhante, mas sei que sou um homem melhor do que era antes. Tenho uma noção mais apurada do que é importante. Compreendo melhor a dor das pessoas.

Houve uma época – parece ridículo agora – em que eu me preocupava com os clubes aos quais deveria me afiliar, qual carro deveria comprar, quais diplomas universitários pendurar na parede – toda essa coisa de status. Eu queria ser cirurgião porque isso deixava as pessoas babando. Queria impressionar os supostos amigos. Queria ser um grande homem.

Como eu disse, ridículo.

Alguns poderiam argumentar que o fato de me sentir um homem melhor é uma consequência da maturidade. Até certo ponto, isso é verdade. E grande parte da mudança resulta do fato de que agora estou sozinho. Elizabeth e eu éramos um casal, uma única entidade. Ela era uma pessoa tão boa que eu podia me dar ao luxo de não ser tão bom assim, como se sua bondade fosse um nivelador cósmico, equiparando nós dois.

Mesmo assim, a morte é uma grande mestra. E dolorosa demais.

Gostaria de poder contar que, através da tragédia, descobri algum princípio absoluto, desconhecido e impactante que pudesse transmitir. Não foi o que aconteceu. Os clichês são todos válidos – o que realmente conta são as pessoas, a vida é preciosa, o materialismo é valorizado demais, as pequenas coisas são as que importam, viva o momento –, e posso repeti-los exaustivamente. Você poderá ouvir, mas não vai conseguir internalizar o que eu disser. A tragédia é pessoal. Ela fica gravada na alma. A gente deixa de ser feliz. Mas se transforma numa pessoa melhor.

O que torna tudo isso mais irônico é que, muitas vezes, desejei que Elizabeth me visse como sou agora. Por mais que desejasse, não acredito que os mortos estejam nos observando ou em qualquer dessas fantasias com que nos consolamos. Acho que os mortos foram embora para sempre. Mas não posso deixar de pensar que talvez agora eu seja digno de Elizabeth.

Um homem mais religioso poderia se perguntar se não foi por isso que ela voltou.

Rebecca Schayes era uma importante fotógrafa freelancer. Seu trabalho aparecia em todas as revistas de luxo, embora ela tivesse estranhamente se especializado em homens. Era comum atletas profissionais contratados para aparecer nas capas das revistas fazerem questão de que ela tirasse suas fotos. Rebecca gostava de brincar dizendo que tinha uma queda por corpos masculinos graças a "toda uma vida intensa de estudo".

Encontrei-a no estúdio da Rua 32 Oeste, perto da estação Penn do metrô. O prédio era um depósito horroroso que fedia por conta dos cavalos e charretes do Central Park abrigados no térreo. Preferi subir as escadas a pegar o elevador de carga.

Rebecca vinha descendo rapidamente pelo corredor. Atrás dela, um ajudante esquelético vestido de preto, de braços fracos e sobrancelhas desenhadas a lápis, arrastava duas maletas de alumínio. Rebecca tinha uma cabeleira invejável, as madeixas ruivas e encaracoladas esvoaçando soltas. Seus olhos verdes eram bastante separados, e, se ela mudara nos últimos oito anos, eu não percebi.

Ela mal parou quando me viu.

– Você chegou na hora errada, Beck.

– Que bom – respondi.

– Tenho uma sessão fotográfica. Podemos deixar a conversa para depois?

– Não.

Ela parou, sussurrou algo para o ajudante mal-humorado e depois me disse:

– Está bem, venha comigo.

Seu estúdio tinha o teto alto e as paredes pintadas de branco. Havia um monte de refletores de guarda-chuva, telas pretas e fios de extensão por toda parte. Rebecca pegou um rolo de filme e fingiu estar ocupada com ele.

– Conte-me sobre o acidente de carro – pedi.

– Não estou entendendo, Beck. – Ela abriu um dos rolos, largou-o sobre a mesa, tampou-o novamente e voltou a abri-lo. – A gente mal se falou nos últimos oito anos e, de repente, você fica obcecado por um antigo desastre de carro.

Cruzei os braços e esperei.

– Por que, Beck, depois de todo esse tempo? Por que você quer saber?

– Adivinhe.

Ela manteve os olhos afastados dos meus. Os cabelos rebeldes caíram sobre metade de seu rosto, mas ela nem se deu o trabalho de jogá-los para trás.

– Sinto falta dela – ela disse. – E sinto sua falta, talvez.

Eu não respondi.

– Eu telefonei – continuou ela.

– Eu sei.

– Tentei manter contato. Eu queria estar presente.

– Sinto muito – lamentei. E era verdade. Rebecca havia sido a melhor amiga de Elizabeth. Elas dividiam um apartamento perto do Washington Square Park antes de nos casarmos. Eu deveria ter retornado seus telefonemas, ou tê-la convidado para sair ou feito algum tipo de esforço. Mas não fiz.

A dor consegue ser excessivamente egoísta.

– Elizabeth me contou que vocês duas sofreram um pequeno acidente de carro – prossegui. – Segundo ela, a culpa foi dela. Ela se distraiu. É verdade?

– Que diferença isso pode fazer agora?

– Isso faz diferença.

– Como?

– Você está com medo de quê, Rebecca?

Dessa vez ela ficou em silêncio.

– Aconteceu um acidente ou não?

Seus ombros despencaram, como se os tendões tivessem sido cortados. Ela respirou fundo e manteve o rosto abaixado.

– Eu não sei.

– Que história é essa de eu não sei?

– Ela também me disse que foi um acidente de carro.

– Mas vocês não estavam juntas?

– Não. Você estava viajando, Beck. Cheguei em casa uma noite e encontrei Elizabeth. Ela estava machucada. Perguntei o que havia acontecido. Ela contou que sofrera um acidente de carro e que, caso alguém perguntasse, era para eu dizer que foi no meu carro.

– Caso alguém perguntasse?

Rebecca finalmente olhou para cima.

– Acho que ela se referia a você, Beck.

Tentei aceitar aquilo com naturalidade.

– Então o que aconteceu realmente?

– Ela não disse.

– Você a levou ao médico?

– Ela não deixou. – Rebecca me olhou de um jeito estranho. – Continuo sem entender. Por que você está me perguntando sobre isso agora?

Não conte a ninguém.

– Só estou tentando chegar a alguma conclusão.

Ela balançou a cabeça, mas não acreditou em mim. Nenhum de nós mentia bem.

– Você tirou fotos dela? – perguntei.

– Fotos?

– Dos ferimentos. Após o acidente.

– Claro que não. Por que eu faria isso?

Uma boa pergunta. Mantive-me sentado pensando naquilo. Não sei por quanto tempo.

– Beck?

– Sim.

– Você não está com uma aparência boa.

– Você está – repliquei.

– Estou apaixonada.

– Você merece.

– Obrigada.

– É um bom sujeito?

– O melhor.

– Vai ver ele merece você, então.

– Talvez. – Ela se inclinou para a frente e me beijou no rosto. Foi um gesto reconfortante. – Alguma coisa aconteceu, não foi?

Desta vez optei pela verdade.

– Eu não sei.

13

SHAUNA E HESTER CRIMSTEIN ESTAVAM sentadas no pretensioso escritório de advocacia de Hester, no centro da cidade. Hester terminou sua ligação e pôs o fone no gancho.

– Eles não disseram muita coisa – disse Hester.

– Mas eles não o prenderam?

– Não. Ainda não.

– Então o que está acontecendo? – perguntou Shauna.

– Pelo que entendi, eles pensam que Beck matou a mulher.

– Loucura – disse Shauna. – Ele foi parar no hospital porque gritou por socorro. Aquele psicopata do KillRoy foi condenado à morte.

– Não pelo assassinato dela – replicou a advogada.

– O quê?

– Kellerton é suspeito de ter matado pelo menos 18 mulheres. Ele confessou 14 assassinatos, mas só conseguiram provas concretas para processá-lo e condená-lo por 12. Isso foi suficiente, eu acho. De quantas penas de morte um homem precisa?

– Mas todo mundo sabe que ele matou Elizabeth.

– Corrigindo: todo mundo *sabia*.

– Não estou entendendo. Como é que eles podem achar que Beck teve algo a ver com aquilo?

– Eu não sei – disse Hester. Ela pôs os pés sobre a mesa e as mãos atrás da cabeça. – Pelo menos, ainda não. Mas devemos ficar alertas.

– Como assim?

– Em primeiro lugar, temos de partir do princípio de que os tiras estão observando todos os passos de Beck. Escuta telefônica, vigilância, essas coisas.

– E daí?

– O que você quer dizer com e daí?

– Ele é inocente, Hester. Deixe eles vigiarem.

Hester ergueu o olhar e negou com a cabeça.

– Não seja ingênua.

– Que diabo isso significa?

– Significa que, se eles filmam Beck comendo ovos no café da manhã, deve haver algum motivo. Ele precisa tomar cuidado. Mas há outra coisa.

– O quê?

– Os agentes federais vão atrás de Beck.

– Como é possível?

– Acredite em mim. Eles têm uma cisma com seu amigo que já dura oito anos. Isso significa que estão desesperados. Tiras desesperados são capazes de qualquer coisa e não respeitam sequer os direitos constitucionais.

Shauna se recostou na cadeira e pensou nos estranhos e-mails de "Elizabeth".

– Em que você está pensando? – perguntou Hester.

– Nada.

– Não esconda nada de mim, Shauna.

– Eu não sou o cliente aqui.

– Você está dizendo que Beck não está me contando tudo?

Uma ideia encheu Shauna de uma sensação que se aproximava do horror. Ela refletiu mais um pouco, testou mentalmente a ideia, deixou-a correr solta por alguns momentos.

Aquilo fazia sentido, mas mesmo assim Shauna rezava para que estivesse enganada. Ela se levantou e correu em direção à porta.

– Tenho que ir.

– O que está acontecendo?

– Pergunte ao seu cliente.

◆◆◆

Os agentes especiais Nick Carlson e Tom Stone se posicionaram no mesmo sofá em que Beck recentemente tivera um acesso de nostalgia. Kim Parker, a mãe de Elizabeth, estava sentada diante deles com as mãos recatadamente no colo. Seu rosto, uma máscara de cera imóvel.

– O que há de tão importante que vocês nem puderam falar por telefone? – perguntou Hoyt.

– Queremos fazer algumas perguntas – respondeu Carlson.

– Sobre o quê?

– Sua filha.

Isso deixou os dois paralisados.

– Mais especificamente, gostaríamos de perguntar sobre seu relacionamento com o marido dela, o Dr. David Beck.

Hoyt e Kim trocaram um olhar.

– Por quê? – perguntou Hoyt.

– Tem a ver com um caso que está sendo investigado.

– Que caso? Ela está morta há oito anos. Seu assassino foi condenado à morte e aguarda a execução.

– Por favor, detetive Parker. Estamos todos do mesmo lado aqui.

O aposento estava silencioso e seco. Os lábios de Kim Parker se crisparam e começaram a tremer. Hoyt olhou para a esposa e, em seguida, fez um gesto de assentimento para os dois homens.

Carlson mantinha o olhar em Kim.

– Senhora Parker, como descreveria o relacionamento entre sua filha e o marido?

– Eles eram muito unidos, se amavam muito.

– Nenhum problema?

– Não – ela respondeu. – Nenhum.

– A senhora descreveria o Dr. Beck como um homem violento?

Ela pareceu surpresa.

– Não, de jeito nenhum.

Eles olharam para Hoyt, que concordou com um gesto de cabeça.

– Que o senhor saiba, o Dr. Beck alguma vez chegou a bater na sua filha?

– O quê?

Carlson fingiu abrir um sorriso gentil.

– Se o senhor pudesse se limitar a responder à pergunta...

– Nunca – respondeu Hoyt. – Ninguém batia na minha filha.

– Tem certeza?

Sua voz soou firme:

– Absoluta.

Carlson olhou para Kim.

– Senhora Parker?

– Ele a amava muito.

– Eu entendo, senhora. Mas muitos espancadores afirmam que amam suas esposas.

– Ele nunca bateu nela.

Hoyt parou de andar pelo aposento.

– Afinal, o que está acontecendo aqui?

Carlson olhou para Stone por um momento.

– Gostaria de mostrar algumas fotografias, se vocês quiserem ver. Elas são um tanto perturbadoras, mas acho que são importantes.

Stone entregou a Carlson o envelope amarelado. Carlson o abriu. Uma a uma, colocou as fotos de Elizabeth sobre a mesa de café. Prestou atenção para flagrar alguma reação por parte dos pais. Kim Parker, como era de esperar, deixou escapar um gritinho. O rosto pálido de Hoyt Parker deixava transparecer seu conflito interior.

– Onde vocês conseguiram isso? – perguntou Hoyt educadamente.

– O senhor já havia visto essas fotos antes?

– Nunca – respondeu Hoyt. Ele olhou para a esposa. Ela confirmou com um gesto de cabeça.

– Mas eu me lembro dos ferimentos – revelou Kim Parker.

– Quando?

– Não me lembro exatamente. Não muito antes de sua morte. Mas, quando os vi, eles não eram tão – ela procurou a palavra – profundos.

– Sua filha contou como se feriu?

– Ela disse que foi num acidente de carro.

– Senhora Parker, nós contatamos a seguradora de sua filha. Ela nunca informou sobre nenhum acidente de carro. Verificamos os arquivos da polícia. Ninguém fez nenhuma reclamação contra ela. Nenhum policial chegou a preencher ficha alguma.

– Aonde vocês querem chegar? – interveio Hoyt.

– É simples: se sua filha não sofreu nenhum acidente de carro, de onde vieram os ferimentos?

– Vocês acham que foi o marido que bateu nela?

– É uma teoria que estamos investigando.

– Baseados em quê?

Os dois homens hesitaram. A hesitação podia denotar que preferiam não discutir o assunto diante da mãe de Elizabeth. Hoyt entendeu o recado.

– Kim, você se importa se eu ficar a sós com os agentes por um momento?

– De jeito nenhum. – Ela levantou com as pernas vacilantes e cambaleou rumo às escadas. – Estarei no quarto.

Quando ela já não estava mais à vista, Hoyt disse:

– Muito bem, sou todo ouvidos.

– Nós não achamos que o Dr. Beck simplesmente bateu em sua filha – revelou Carlson. – Achamos que ele a matou.

Hoyt olhou de Carlson para Stone e depois de volta para Carlson, como se esperando o resto da história. Diante do silêncio dos policiais, sentou-se na cadeira:

– Acho bom vocês começarem a explicar essa história.

14

O QUE MAIS ELIZABETH ESCONDERA DE MIM? Ao descer a Décima Avenida em direção ao estacionamento, tentei mais uma vez minimizar a importância daquelas fotografias, considerando que talvez não passassem de um mero registro dos ferimentos de seu acidente de carro. Lembrei com que indiferença Elizabeth encarara aquela coisa toda na época. Uma simples batida, ela dissera. Nada de grave. Quando perguntei sobre os detalhes, ela desconversou.

Agora eu sabia que ela havia mentido para mim.

Eu diria que Elizabeth nunca mentira para mim, mas à luz dessa recente descoberta isso já não parecia um argumento convincente. Essa era, porém, a primeira mentira que eu descobria. Suponho que ambos tínhamos nossos segredos.

Quando cheguei ao estacionamento, notei algo estranho – ou melhor, alguém estranho. Bem na esquina, vi um homem com um sobretudo bege.

Ele olhava para mim.

E me pareceu familiar. Ninguém que eu conhecesse, mas mesmo assim tive a estranha sensação de déjà vu. Eu já tinha visto aquele homem antes. Naquela manhã mesmo. Onde? Recapitulei os acontecimentos do dia e localizei-o na memória: quando parei o carro para tomar um café, às oito da manhã, o homem de sobretudo bege estava ali. No estacionamento da Starbucks.

Com certeza?

Claro que não. Desviei os olhos e andei rapidamente até a cabine. O atendente do estacionamento – seu crachá dizia Cado – estava vendo televisão e comendo um sanduíche. Ele manteve os olhos na tela por meio minuto antes de desviá-los para mim. Depois, lentamente, sacudiu as migalhas das mãos, pegou meu tíquete e o carimbou. Paguei, e ele me entregou as chaves.

O homem continuava lá.

Fiz um grande esforço para não olhar em sua direção enquanto caminhava para o carro. Entrei, dei a partida e, quando alcancei a Décima Avenida, espiei pelo retrovisor.

O homem já não estava mais olhando para mim. Fiquei observando-o até entrar na West Side Highway. Em momento algum ele olhou em minha direção. Paranoia. Eu estava ficando meio paranoico.

Então por que Elizabeth mentira para mim?

Pensei a respeito, mas não cheguei a nenhuma conclusão.

Ainda faltavam três horas para a mensagem de Bat Street. Três longas horas.

Eu precisava me distrair. Pensar demais no que poderia haver do outro lado daquela conexão virtual acabaria me causando uma úlcera.

Eu sabia o que tinha de fazer. Estava simplesmente tentando adiar o inevitável.

◆◆◆

Quando cheguei em casa, vovô estava sentado em sua cadeira, sozinho. A televisão estava desligada. A enfermeira tagarelava ao telefone em russo. Não ia dar certo. Eu teria de telefonar para a agência e pedir outra para substituí-la.

Pedacinhos de ovo estavam grudados nos cantos da boca dele. Peguei um guardanapo e delicadamente os removi. Nossos olhos se encontraram, mas seu olhar estava perdido em algo bem além de mim. Recordei-me de todos nós lá no lago. Vovô fazendo sua encenação predileta de antes e depois do emagrecimento. Ele se virava de lado, se curvava, estufava a barriga e gritava: "Antes!"; em seguida, contraía a barriga, flexionava os músculos e berrava: "Depois!" Ele era brilhante nisso. Meu pai dava gargalhadas. Papai tinha a risada mais contagiante que já ouvi. Ele se soltava! Eu também tinha essa gargalhada. Ela morreu com ele. Nunca mais consegui rir da mesma maneira. De algum modo, aquilo parecia indecente.

Ao me ouvir, a enfermeira desligou às pressas o telefone e correu até o quarto com um sorriso radiante. Não retribuí o sorriso.

Olhei para a porta do porão. Eu continuava adiando o inevitável.

Chega de adiar.

– Fique com ele – ordenei.

A enfermeira assentiu com a cabeça e sentou-se.

O porão era do tempo em que as pessoas não ligavam para o acabamento dos porões – dava para perceber. O carpete outrora marrom estava todo manchado. Placas feitas de algum estranho material sintético imitando tijolos brancos haviam sido coladas nas paredes de betume. Algumas placas haviam caído no carpete; outras pararam no meio da queda, como as colunas da Acrópole.

No centro do aposento, o verde da mesa de pingue-pongue desbotara até adquirir uma cor de abacate. A rede rasgada parecia uma barricada após um ataque das tropas francesas. As raquetes estavam reduzidas a madeira lascada.

Algumas caixas de papelão, muitas já mofadas, repousavam sobre a mesa de pingue-pongue. Outras estavam empilhadas no canto. Roupas velhas mofavam em caixas dentro do armário. Não as de Elizabeth. Shauna e Linda as haviam levado. Devem ter sido doadas para obras de caridade. Mas algumas das outras caixas continham objetos velhos. Objetos *dela*. Não consegui jogá-los fora nem dá-los a outras pessoas. Não sei ao certo por quê. Algumas coisas a gente empacota, enfia no fundo do armário e espera não ver nunca mais – mas não consegue dispensar. Como sonhos, acredito.

Eu não sabia exatamente onde havia guardado aquilo, mas sabia que estava por ali. Comecei examinando velhas fotografias, de novo desviando o olhar. Eu era exímio naquilo, embora com o passar do tempo as fotos doessem cada vez menos. Quando via Elizabeth e eu juntos em alguma foto envelhecida de Polaroid, era como se olhasse para estranhos.

Eu detestava fazer aquilo.

Vasculhei a caixa até o fundo. As pontas de meus dedos atingiram algo feito de feltro, e puxei um galhardete com o monograma do colégio ganho como prêmio num torneio de tênis. Com um sorriso triste, lembrei-me de suas pernas bronzeadas e do balançar de suas tranças quando ela corria em direção à rede. Na quadra, seu rosto era pura concentração. Era assim que Elizabeth derrotava os adversários. Ela dava boas rebatidas e tinha um ótimo saque, mas o que a distinguia das colegas era a sua concentração.

Pus de lado o galhardete e voltei a vasculhar. Encontrei o que estava procurando no fundo da caixa: sua agenda.

A polícia quis ver a agenda após seu desaparecimento. Pelo menos foi o que me contaram. Rebecca veio até o apartamento e ajudou a encontrá-la. Suponho que eles procurassem pistas – a mesma coisa que eu estava prestes a fazer –, mas, quando o corpo surgiu marcado com a letra K, eles provavelmente desistiram.

Pensei naquilo um pouco mais – em como tudo havia sido perfeitamente atribuído a KillRoy –, e me ocorreu outro pensamento. Corri para o computador e entrei na internet. Encontrei o site do Departamento Penitenciário de Nova York. Havia toneladas de material ali, incluindo o nome e o telefone de que eu precisava.

Saí da internet e liguei para a Penitenciária Briggs.

Trata-se da prisão onde está KillRoy.

Quando começou a mensagem gravada, teclei o número da extensão e fui transferido para lá. Após três chamadas, um homem atendeu:

– Superintendente adjunto Brown falando.

Eu lhe disse que queria visitar Elroy Kellerton.

– O senhor é...? – perguntou ele.

– Dr. David Beck. Minha esposa, Elizabeth Beck, foi uma de suas vítimas.

– Entendo – hesitou Brown. – Posso saber o motivo de sua visita?

– Não.

Houve mais silêncio na linha.

– Tenho o direito de visitá-lo se ele concordar em me receber – falei.

– Sim, claro, mas esse é um pedido bastante incomum.

– Eu insisto.

– O procedimento normal é seu advogado entrar em contato...

– Mas isso não é obrigatório – interrompi. Eu havia descoberto num site sobre os direitos das vítimas que eu mesmo poderia fazer o pedido. Se Kellerton concordasse em me ver, eles não poderiam impedir. – Quero apenas falar com Kellerton. Amanhã haverá um horário para visitas, certo?

– Certo.

– Então, se Kellerton concordar, estarei aí amanhã. Algum problema?

– Não, senhor. Se ele concordar, nenhum problema.

Agradeci e desliguei o telefone. Eu estava agindo, e aquilo me fazia bem.

A agenda estava na mesa perto de mim. Eu a evitava de novo, porque, por mais dolorosa que uma foto ou gravação pudesse ser, a caligrafia era ainda pior, algo mais pessoal. As imensas maiúsculas de Elizabeth, os tês com o tracinho firme, o excesso de voltas entre as letras, a inclinação para a direita...

Passei uma hora examinando a agenda. Elizabeth era detalhista. Ela não abreviava muito. O que me surpreendeu foi quão bem eu conhecia minha esposa. Tudo era claro, e não havia surpresas. Na verdade, tinha apenas uma coisa que eu não conseguia entender.

Três semanas antes de sua morte, havia uma anotação que dizia simplesmente: *PF.*

E um número de telefone sem o código de área.

Em comparação com os detalhes em todo o restante da agenda, achei essa anotação um tanto perturbadora. Eu não tinha a mínima ideia de qual seria o código de área. O telefonema era de oito anos atrás. Os códigos de área haviam sido desmembrados e mudados várias vezes desde então.

Tentei 201 e a ligação não se completou. Tentei 973. Uma velhinha atendeu. Contei que ela ganhara uma assinatura grátis do *New York Post*. Ela disse seu nome. As iniciais não correspondiam. Tentei 212, que era da própria cidade. Bingo!

– Escritório de advocacia de Peter Flannery – disse uma mulher meio que bocejando.

– Posso falar com o Dr. Flannery, por favor?

– Ele está no fórum.

Dificilmente alguém soaria mais entediado. Ouvi muito barulho no fundo.

– Gostaria de agendar um horário com ele.

– O senhor está ligando para o Dr. Flannery por causa do anúncio no outdoor?

– Anúncio no outdoor?

– O senhor está ferido?

– Sim – respondi. – Mas não vi nenhum anúncio. Foi recomendação de um amigo. É um caso de imperícia médica. Fui tratar de um braço quebrado e agora não consigo movê-lo. Perdi o emprego. A dor é constante.

Ela marcou uma entrevista para a tarde do dia seguinte.

Pus o fone de volta no gancho e fechei a cara. O que Elizabeth foi tratar com um caçador de ambulâncias como Flannery?

O toque do telefone me deu um susto. Atendi rápido.

– Alô – disse.

Era Shauna.

– Onde você está? – perguntou ela.

– Em casa.

– Você precisa vir aqui agora mesmo – ordenou Shauna.

15

O AGENTE CARLSON ENCAROU Hoyt Parker:

– Como o senhor sabe, recentemente encontramos dois corpos na vizinhança do lago Charmaine.

Hoyt concordou com um movimento de cabeça.

Um telefone celular tocou. Stone conseguiu erguer seu peso e disse "Com licença" antes de se enfiar na cozinha. Hoyt se voltou novamente para Carlson e aguardou.

– Sabemos a versão oficial da morte de sua filha – disse Carlson. – Ela e o marido, David Beck, visitavam o lago para um ritual anual. Eles estavam nadando no escuro. KillRoy estava à espreita. Ele atacou o Dr. Beck e raptou sua filha. Fim da história.

– E vocês não acham que foi isso o que aconteceu?

– Não, Hoyt. Posso chamá-lo de Hoyt?

Hoyt fez que sim com a cabeça.

– Não, Hoyt, não achamos.

– Então como é que vocês veem essa história?

– Acho que David Beck matou sua filha e jogou a culpa em um *serial killer*.

Hoyt, um veterano de 28 anos da polícia de Nova York, sabia como manter a fisionomia impassível, mas mesmo assim se curvou para trás, como se as palavras fossem um soco no queixo.

– Conte sua versão.

– Muito bem, vamos começar pelo início. Beck leva sua filha para um lago isolado, certo?

– Certo.

– Você já esteve lá?

– Várias vezes.

– Como?

– Éramos todos amigos. Kim e eu éramos amigos dos pais de David. Sempre íamos visitá-los.

– Então você sabe como o lago é isolado.

– Sim.

– Estrada de terra, uma placa que você só vê se souber que ela está lá. Totalmente escondido. Nenhum sinal de vida.

– Aonde você quer chegar?

– Quais são as chances de KillRoy ter subido aquela estrada?

Hoyt ergueu as mãos para o céu.

– Quais são as chances de alguém topar com um *serial killer*?

– Tudo bem, mas nos outros casos havia uma lógica. Kellerton raptou alguém numa rua da cidade, sequestrou uma vítima em seu carro e, em outra ocasião, invadiu uma casa. Mas pense bem. Ele vê essa estrada de terra e, sabe-se lá por quê, decide procurar uma vítima ali? Não digo que seja impossível, mas é altamente improvável.

– Prossiga – disse Hoyt.

– Você há de admitir que existem vários furos lógicos na versão oficial.

– Todos os casos têm furos lógicos.

– Certo, mas deixe-me testar uma teoria alternativa. Digamos que o Dr. Beck quisesse matar a sua filha.

– Por quê?

– Suponhamos que fosse por um seguro de vida de 200 mil dólares.

– Ele não precisa de dinheiro.

– Todo mundo precisa de dinheiro, Hoyt. Você sabe disso.

– Você não está me convencendo.

– Veja bem, ainda estamos averiguando. Ainda não conhecemos todos os fatos. Mas deixe-me ao menos apresentar nosso cenário, certo?

Hoyt fez um gesto de "como quiser".

– Temos indícios de que o Dr. Beck a espancava.

– Que indícios? Vocês têm algumas fotografias. Ela contou à minha esposa que sofreu um acidente de carro.

– Espere um pouco, Hoyt. – Carlson apontou para as fotografias. – Observe a expressão no rosto de sua filha. Parece o rosto de uma mulher que sofreu um acidente de carro?

Não, pensou Hoyt, não parece.

– Onde vocês encontraram essas fotos?

– Chegarei lá em um segundo, mas vamos voltar ao meu cenário, certo? Suponhamos, por um momento, que o Dr. Beck tenha espancado sua filha e que ele tivesse uma tremenda herança para receber.

– Um monte de suposições.

– É verdade, mas preste atenção. Pense na versão aceita e em todos aqueles furos. Agora compare-a com esta: o Dr. Beck leva sua filha para um local isolado onde sabe que não haverá testemunhas e contrata dois bandidos para sequestrá-la. Ele sabe sobre KillRoy. Está em todos os jornais. Além disso, seu irmão trabalhou no caso do *serial killer*. Ele chegou a discuti-lo com você ou com Beck?

Hoyt ficou quieto por um momento.

– Continue.

– Os dois bandidos contratados sequestram e matam a sua filha. Naturalmente, o primeiro suspeito será o marido. É o que sempre acontece em casos como este, certo? Mas os dois bandidos marcam seu rosto com a letra K. A próxima coisa que sabemos é que a culpa é jogada em KillRoy.

– Mas Beck foi atacado. A ferida na sua cabeça foi real.

– Certo, mas ambos sabemos que isso não é incompatível com a possibilidade de ele estar por trás do crime. Se Beck escapasse incólume, como explicaria isso? "Sabe da maior, alguém sequestrou minha mulher, mas eu saí ileso..." Isso não colaria. A pancada na cabeça deu credibilidade à história.

– Foi uma senhora pancada.

– Ele estava lidando com bandidos, Hoyt. Eles provavelmente erraram na dose. E o ferimento? Ele conta uma história estranha de que milagrosamente se arrastou para fora da água e ligou para a polícia. Mostrei o boletim médico de Beck para vários médicos. Eles afirmam que a história contada por Beck desafia a lógica médica. Aquilo teria sido impossível, em vista dos seus ferimentos.

Hoyt pensou a respeito. Várias vezes ele próprio refletira sobre aquilo. Como foi que Beck sobreviveu e pediu ajuda?

– Que mais? – perguntou Hoyt.

– Há fortes indícios de que os dois bandidos, e não KillRoy, atacaram Beck.

– Que indícios?

– Enterrado com os corpos, encontramos um taco de beisebol com sangue. O teste completo do DNA levará algum tempo, mas os resultados preliminares indicam que o sangue é de Beck.

O agente Stone voltou à sala e sentou-se com dificuldade. Hoyt disse outra vez:

– Continue.

– O resto é óbvio. Os dois bandidos fazem o serviço. Eles matam sua filha e jogam a culpa em KillRoy. Depois voltam para pegar o resto do pagamento – ou talvez tenham decidido extorquir mais grana do Dr. Beck. Sei lá. O fato é que Beck precisa se livrar deles. Ele marca um encontro na floresta isolada, perto do lago Charmaine. Os dois bandidos devem ter pensado que estavam lidando com um médico fracote ou, talvez, ele os tenha pegado desprevenidos. O fato é que Beck atira neles e esconde os corpos junto com o taco de beisebol e quaisquer outros indícios que possam incriminá-lo depois. O crime perfeito. Nada que o associe ao assassinato. Venhamos e convenhamos: se não fosse uma tremenda sorte, os corpos jamais teriam sido encontrados.

Hoyt balançou a cabeça.

– Que imaginação.

– E tem mais.

– O quê?

Carlson olhou para Stone, que apontou para seu telefone celular.

– Acabam de ligar da Penitenciária Briggs – disse Stone. – Parece que seu genro ligou para lá e quer se encontrar com KillRoy.

Hoyt agora parecia totalmente aturdido:

– Por que diabos ele faria isso?

– Você deve saber melhor do que nós – respondeu Stone. – Mas não se esqueça de que Beck sabe que estamos atrás dele. De repente, ele tem esse desejo incontrolável de visitar o homem que ele transformou no assassino da sua filha.

– Tremenda coincidência – acrescentou Carlson.

– Vocês acham que ele está tentando encobrir suas pistas?

– Você teria uma explicação melhor?

Hoyt tentou relaxar e digerir tudo aquilo.

– Você se esqueceu de uma coisa.

– O quê?

Ele apontou para as fotografias sobre a mesa.

– Quem deu isso a vocês?

– De certa forma – respondeu Carlson –, acho que foi sua filha.

O rosto de Hoyt demonstrava perplexidade.

– Mais especificamente, seu codinome. Uma tal de Sarah Goodhart. O nome do meio de sua filha mais o nome desta rua.

– Não entendi.

– Quando desenterramos os corpos – explicou Carlson –, encontramos uma chavinha no sapato de um dos bandidos, Melvin Bartola. – Carlson mostrou a chave. Hoyt a pegou de sua mão, examinando-a como se contivesse alguma resposta mística. – Está vendo a sigla UCB do outro lado?

Hoyt assentiu com a cabeça.

– Significa United Central Bank. Descobrimos que essa chave provém da agência da Broadway, aqui na cidade. A chave é do cofre 174, registrado em nome de Sarah Goodhart. Conseguimos um mandado de busca para abri-lo.

Hoyt ergueu o olhar.

– As fotografias estavam lá dentro?

Carlson e Stone olharam um para o outro. Eles haviam decidido não contar a Hoyt tudo o que encontraram no cofre – até todos os exames retornarem do laboratório e eles terem certeza –, mas os dois homens responderam afirmativamente com acenos de cabeça.

– Pense nisso, Hoyt. Sua filha manteve essas fotos escondidas em um cofre de banco. As razões são óbvias. Quer mais? Interrogamos o Dr. Beck. Ele admitiu que não sabia nada sobre as fotos. Ele nunca as tinha visto. Por que sua filha as esconderia do marido?

– Vocês conversaram com Beck?

– Sim.

– O que mais ele disse?

– Não muito, porque exigiu um advogado. – Carlson esperou um momento. Depois, se inclinou para a frente.

– Além de pedir para chamar um advogado, foi chamar logo Hester Crimstein. Isso parece a atitude de um homem inocente para você?

Hoyt segurou com força as laterais da cadeira, tentando firmar-se.

– Vocês não têm como provar nada disso.

– Por enquanto, não. Mas nós sabemos. Isso já é meio caminho andado.

– O que é que vocês vão fazer agora?

– Só há uma coisa que podemos fazer. – Carlson sorriu para ele. – Pressionar Beck até extrair algo dele.

◆◆◆

Larry Gandle relembrou os acontecimentos do dia e murmurou para si mesmo:

– A coisa vai mal.

Primeiro, o FBI apanha Beck e o interroga.

Segundo, Beck liga para uma fotógrafa chamada Rebecca Schayes e pergunta sobre um antigo acidente de carro envolvendo sua mulher. Depois, visita seu estúdio.

Nada menos do que uma fotógrafa.

Terceiro, Beck liga para a Penitenciária Briggs e diz que quer se encontrar com Elroy Kellerton.

Quarto, Beck liga para o escritório de Peter Flannery.

Tudo isso era intrigante. Nada disso era bom.

Eric Wu desligou o telefone e disse:

– Você não vai gostar disso.

– Do quê?

– Nossa fonte no FBI diz que eles suspeitam que Beck tenha matado a esposa.

Gandle quase caiu para trás:

– Explique.

– Isso é tudo o que a fonte sabe. Por algum motivo, eles associaram os dois corpos à beira do lago com Beck.

Muito intrigante.

– Deixe-me ver aqueles e-mails novamente – pediu Gandle.

Eric Wu deu as folhas com os e-mails para ele. Quando Gandle refletiu sobre quem poderia tê-los enviado, sentiu novamente um frio na espinha. Ele tentou juntar as peças do quebra-cabeça. Sempre se perguntara como Beck sobrevivera naquela noite. Agora ele se perguntava outra coisa: alguém mais sobrevivera ao ataque?

– Que horas são? – perguntou Gandle.

– Seis e meia.

– Beck ainda não tentou entrar naquele site como Bat-sei-lá-do-quê?

– Bat Street. Não, ainda não.

– Algo mais sobre Rebecca Schayes?

– Só aquilo que já sabemos. Amiga íntima de Elizabeth Parker. Elas dividiram um apartamento antes de Elizabeth casar com Beck. Verifiquei registros telefônicos antigos. Beck não ligava para ela havia anos.

– Então por que a procurou agora?

Wu deu de ombros.

– A senhorita Schayes deve saber alguma coisa.

Griffin Scope havia sido bem claro. Descubra o que puder, depois o enterre. E use Wu.

– Precisamos ter uma conversinha com ela – disse Gandle.

16

SHAUNA ME ENCONTROU NO TÉRREO de um arranha-céu no nº 462 da Park Avenue, em Manhattan.

– Venha – disse ela sem maiores preâmbulos. – Tenho algo para lhe mostrar lá em cima.

Olhei o relógio. Faltavam pouco menos de duas horas para a mensagem de Bat Street. Entramos num elevador. Shauna apertou o botão do 23º andar. Os números no mostrador luminoso foram aumentando rapidamente, enquanto uma mensagem gravada indicava os andares aos deficientes visuais.

– Hester me deixou preocupada – disse Shauna.

– Por quê?

– Ela diz que os agentes federais estão desesperados atrás de você.

– E daí?

O elevador parou em nosso andar.

– Saia. Você vai ver.

A porta se abriu, dando para um salão dividido em um sem-número de estações de trabalho. É o que mais se vê na cidade atualmente. Se você arrancar o teto e olhar de cima, não verá nenhuma diferença entre esses escritórios e um labirinto de ratos. Aliás, aqui de baixo a impressão já é essa.

Shauna marchou entre inúmeras divisórias forradas de pano. Fui andando atrás dela. No meio do caminho, ela dobrou à esquerda, depois à direita, depois à esquerda novamente.

– Talvez fosse melhor eu jogar migalhas de pão – brinquei.

Sua voz soou monótona:

– Ótima piada.

– Obrigado. Dou show aqui todas as semanas.

Ela não estava rindo.

– Que lugar é este, afinal? – perguntei.

– Uma empresa chamada DigiCom. Nossa agência trabalha com ela às vezes.

– Fazendo o quê?

– Você vai ver.

Fizemos uma última curva e entramos em uma estação de trabalho atulhada, ocupada por um jovem de cabeça comprida e dedos esguios de pianista.

– Este é Farrell Lynch. Farrell, este é David Beck.

Apertei rapidamente sua mão.

– Oi – cumprimentou Farrell.

Retribuí com um aceno de cabeça.

– O.k. – disse Shauna. – Pode ligar.

Farrell Lynch girou a cadeira para ficar de frente para o computador. Shauna e eu observamos por sobre os ombros dele. Ele começou a digitar.

– Está ligado – disse ele.

– Pode rodar.

Ele apertou a tecla Enter. A tela ficou preta e, em seguida, apareceu Humphrey Bogart, com chapéu de feltro e sobretudo. Reconheci a cena imediatamente. O nevoeiro, o avião ao fundo. O final de *Casablanca*.

Olhei para Shauna.

– Espere – ela disse.

A câmera focalizava Bogart. Ele dizia a Ingrid Bergman que ela entraria no avião com Laszlo e que os problemas de três míseras pessoas eram insignificantes diante dos problemas do mundo. Depois, a câmera se voltou para Ingrid Bergman...

... mas não era Ingrid Bergman.

Pisquei. Ali, sob o famoso chapéu, olhando para Bogart e banhada numa luz prateada, estava Shauna.

– Não posso ir com você, Rick – disse dramaticamente a Shauna do computador –, porque estou apaixonada pela Ava Gardner.

Voltei-me para Shauna. Meus olhos fizeram a pergunta. Ela respondeu que sim com a cabeça. Mesmo assim, eu disse:

– Você acha... – gaguejei – que fui enganado por um truque fotográfico?

Farrell entrou na conversa.

– Fotografia digital – ele me corrigiu. – Bem mais fácil de manipular. – Ele girou a cadeira na minha direção. – Veja bem, imagens de computador não são como um filme. Elas não passam de pixels armazenados em arquivos. Como os documentos de um processador de textos. Você sabe como é fácil mudar um documento no processador de textos, certo? Alterar o conteúdo, a fonte, o espaçamento.

Concordei.

– Quem tem algum conhecimento, ainda que rudimentar, de tratamento digital de imagens consegue manipular facilmente os fluxos de imagens no computador. Aquilo não são fotos, filmes nem fitas. Os fluxos de vídeo no computador não passam de um monte de pixels. Qualquer um consegue manipulá-los. É só cortar e colar e depois executar um programa de edição.

Olhei para Shauna.

– Mas ela parecia mais velha no vídeo – insisti. – Diferente.

Shauna disse:

– Mostre a ele, Farrell.

Ele apertou outra tecla. Bogart surgiu novamente na tela. Só que, desta vez, na cena de Ingrid Bergman, Shauna parecia ter 70 anos.

– Software de progressão da idade – explicou Farrell. – Este recurso costuma ser usado nos casos de crianças desaparecidas, mas atualmente vendem em qualquer loja de informática uma versão para uso doméstico. Posso também mudar qualquer parte da imagem de Shauna: corte de cabelo, cor dos olhos, tamanho do nariz. Posso tornar seus lábios mais finos ou mais grossos, acrescentar uma tatuagem, o que eu quiser.

– Obrigada, Farrell – agradeceu Shauna.

Ela lhe lançou um olhar que até um cego conseguiria interpretar como uma dispensa.

– Com licença – disse Farrell antes de se afastar.

Eu não conseguia nem pensar.

Quando Farrell estava fora de alcance, Shauna disse:

– Lembrei-me de uma série de fotografias que tirei no mês passado. Uma das fotos saiu perfeita, o patrocinador adorou, mas o brinco estava meio fora do lugar. Trouxemos a imagem para cá. Farrell fez uma de suas mágicas e o brinco voltou para o lugar certo.

Fiz um gesto de espanto. Ela continuou:

– Pense nisso, Beck. Os agentes federais acham que você matou Elizabeth, mas não têm como provar. Hester explicou quão desesperados eles estão. Comecei a pensar: talvez eles queiram torturá-lo mentalmente para ver se confessa. Haverá forma melhor de tortura mental do que esses e-mails?

– Mas e a "hora do beijo"...?

– O que tem a ver?

– Como é que eles poderiam saber da "hora do beijo"?

– Eu sei. Linda sabe. Aposto que Rebecca também sabe, e talvez até os pais de Elizabeth saibam. Eles podem ter descoberto.

Senti as lágrimas aflorarem. Fiz força e consegui sussurrar:

– É uma farsa?

– Não sei, Beck. Realmente não sei. Mas sejamos racionais. Se Elizabeth estivesse viva, onde se escondeu durante oito anos? Por que resolveu voltar do túmulo justamente agora, quando o FBI começa a suspeitar de que você a matou? Você acredita mesmo que ela esteja viva? Eu sei que você quer isso. Poxa, eu também quero. Mas vamos encarar os fatos de forma racional. Se você pensar friamente, o que faz mais sentido?

Cambaleei para trás e caí na cadeira. Meu coração começou a desmoronar. Senti a esperança me abandonar.

Uma farsa. Tudo aquilo não passara de uma farsa?

17

UMA VEZ ACOMODADO DENTRO DO ESTÚDIO de Rebecca Schayes, Larry Gandle ligou do celular para a esposa.

– Vou chegar tarde – avisou ele.

– Não se esqueça de tomar o remédio – lembrou Patty.

Gandle sofria de uma diabete leve, controlada por meio de dieta e um remédio. Nada de insulina.

– Vou tomar.

Eric Wu, ainda entretido com seu walkman, estendeu cuidadosamente um plástico de vinil perto da porta.

Gandle desligou o telefone e colocou luvas de látex. A busca seria minuciosa e longa. Como a maioria dos fotógrafos, Rebecca Schayes guardava toneladas de negativos. Havia quatro arquivos de metal cheios deles. Eles tinham checado a agenda dela. Ela estava concluindo uma sessão de fotos e voltaria para a câmara escura em mais ou menos uma hora. Não era tempo suficiente.

– Sabe o que ajudaria? – disse Wu.

– O quê?

– Ter alguma ideia do que estamos procurando.

– Beck recebe aqueles e-mails misteriosos – disse Gandle. – E o que ele faz? Pela primeira vez em oito anos vem correndo ver a amiga mais antiga de sua mulher. Precisamos saber o motivo.

Wu continuou olhando para ele.

– Não é mais fácil esperar e perguntar para ela?

– É o que faremos, Eric.

Wu balançou lentamente a cabeça e se afastou.

Gandle encontrou uma mesa de metal comprida na câmara escura. Testou-a. Forte. Tamanho ideal também. Dava para colocar uma pessoa em cima e amarrar os membros em cada perna da mesa.

– Quanta fita isolante trouxemos?

– O suficiente – respondeu Wu.

– Faça um favor, então – pediu Gandle. – Estenda um plástico embaixo da mesa.

◆◆◆

Faltava meia hora para eu receber a mensagem de Bat Street.

A demonstração de Shauna atingira-me como um gancho de esquerda inesperado. Eu me sentia zonzo, seminocauteado. Mas uma coisa interessante aconteceu. Consegui me levantar da lona. Fiquei de pé novamente, espanei as teias de aranha e comecei a andar em círculos.

Estávamos em meu carro. Shauna insistira em voltar para casa comigo. Uma limusine a levaria de volta em poucas horas. Sei que ela queria me confortar, mas era óbvio que ela ainda não queria ir para casa.

– Tem uma coisa que ainda não entendi – falei.

Shauna virou-se em minha direção.

– Os tiras acham que matei Elizabeth, certo?

– Certo.

– Então por que eles me enviariam e-mails fingindo que ela está viva?

Shauna não tinha uma resposta na ponta da língua.

– Pense nisso – argumentei. – Você diz que essa é uma espécie de armação para me levar a revelar minha suposta culpa. Mas, se eu tivesse matado Elizabeth, saberia que é uma farsa.

– É uma tortura psicológica – disse Shauna.

– Mas isso não faz sentido. Se é para me torturar psicologicamente, teriam que mandar e-mails fingindo, sei lá, ser alguém que testemunhou o assassinato ou coisa parecida.

Shauna refletiu sobre o que eu dissera.

– Acho que eles querem deixar você tenso, Beck.

– Tá, mas mesmo assim não faz sentido.

– O.k., quanto tempo falta para a próxima mensagem?

Consultei o relógio.

– Vinte minutos.

Shauna relaxou na poltrona.

– Vamos esperar e ver o que ela diz.

◆◆◆

Eric Wu instalou seu laptop no chão em um canto do estúdio de Rebecca Schayes.

Ele checou o computador do escritório de Beck primeiro. Ainda inativo. O relógio marcava alguns minutos depois das 20 horas. A clínica já fechara havia muito tempo. Ele mudou para o computador da casa de Beck. Por alguns segundos, nenhum sinal. Em seguida:

– Beck acaba de se conectar – disse Wu.

Larry Gandle veio correndo.

– Podemos ver a mensagem antes dele?

– Seria ótimo.

– Por que não dá?

– Se fizermos isso, quando ele tentar entrar, o sistema dirá que alguém já está conectado com aquele nome de usuário.

– Ele saberá que está sendo observado?

– Sim. Mas isso não importa. Estamos observando Beck em tempo real. No momento em que ele ler a mensagem, também leremos.

– O.k., então me avise quando chegar a hora.

Wu olhou a tela, forçando a vista.

– Ele acaba de entrar no site Bigfoot. Será daqui a alguns segundos.

◆◆◆

Eu digitei www.bigfoot.com e apertei a tecla Enter.

Minha perna direita começou a tremer. Isso sempre acontece quando fico nervoso. Shauna pôs a mão no meu joelho. Minha perna se acalmou. Ela tirou a mão. Meu joelho ficou tranquilo por um minuto e, depois, voltou a tremer. Shauna recolocou a mão no meu joelho. O ciclo recomeçou.

Shauna parecia calma, mas sei que ela não desgrudava os olhos de mim. Era minha melhor amiga. Ela me apoiaria até o fim. Mas apenas um idiota não se perguntaria, àquela altura dos acontecimentos, se não haveria algum parafuso solto na minha cabeça. Dizem que a loucura, como as doenças cardíacas ou a inteligência, é hereditária. O pensamento vinha aflorando na minha mente desde que vi Elizabeth na câmera de rua. Um pensamento nada reconfortante.

Meu pai morreu num acidente de automóvel quando eu tinha uns 20 anos. Seu carro caiu de uma barragem. Segundo uma testemunha – um caminhoneiro de Wyoming –, o Buick de meu pai de repente saiu da estrada. Era uma noite fria. A pista, embora bem conservada, estava escorregadia.

Muitos insinuaram – bem, insinuaram discretamente – que ele se suicidou. Eu não acredito. É verdade que ele andava mais retraído e calado nos últimos meses. É possível que essas coisas o deixassem mais suscetível a um acidente. Mas suicídio? Nem pensar.

Minha mãe, uma pessoa sempre frágil, com uma neurose aparentemente branda, reagiu perdendo o juízo aos poucos. Ela literalmente recuou para dentro de si mesma. Linda tentou cuidar dela durante três anos, até que concordou que mamãe precisava ser internada. Linda visita mamãe o tempo todo. Eu não.

Após mais alguns instantes, a página principal do site Bigfoot surgiu. Achei a caixa onde deveria digitar o nome do usuário e escrevi Bat Street.

Apertei a tecla Tab e, na caixa destinada à senha, digitei Teenage. Apertei Enter.

Nada apareceu.

– Você tem que clicar no botão Login – disse Shauna.

Olhei para ela. Ela deu de ombros. Cliquei.

A tela ficou branca. Depois apareceu um anúncio de uma loja de CDs. A barra de progresso foi se enchendo lentamente. Quando chegou quase à metade, a tela desapareceu e, vários segundos depois, surgiu a mensagem:

ERRO – Nome do usuário ou senha incorretos.

– Tente de novo – disse Shauna.

Foi o que eu fiz. A mensagem de erro apareceu outra vez. O computador estava me dizendo que a conta nem sequer existia.

O que significaria aquilo?

Eu não tinha a menor ideia. Tentei pensar numa razão para a conta não existir.

Verifiquei a hora: 20h13min34seg.

Hora do beijo.

Aquela poderia ser a resposta? Seria possível que a conta, assim como o link no dia anterior, ainda não existisse? Refleti mais um pouco. Era possível, mas pouco provável.

Como se lesse meu pensamento, Shauna sugeriu:

– Acho que devemos esperar até 20h15.

Tentei de novo às 20h15. Às 20h18. Às 20h20.

Nada além daquela mensagem de erro.

– Os tiras devem ter desligado o site da tomada – brincou Shauna.

Balancei a cabeça, ainda não disposto a desistir.

Minha perna voltou a tremer. Shauna usou uma das mãos para acalmá-la e a outra para atender o celular. Ela começou a gritar com alguém do outro lado. Olhei o relógio. Tentei novamente. Nada. Outra vez. Nada.

Já passava de 20h30.

– Ela pode estar atrasada – disse Shauna.

Fiz cara feia.

– Quando a viu ontem, você não sabia onde ela estava, certo?

– Certo.

– Ela pode estar em outro fuso horário – aventou Shauna. – Talvez por isso esteja atrasada.

– Outro fuso horário? – Fechei ainda mais a cara. Shauna nem ligou.

Esperamos mais uma hora. Tenho de admitir que em nenhum momento Shauna disse "Eu lhe avisei". Pouco depois, ela pôs a mão nas minhas costas e disse:

– Ei, tive uma ideia.

Virei-me em sua direção.

– Vou esperar em outro lugar – disse Shauna. – Acho que isso pode ajudar.

– De que maneira?

– Veja bem: se isto fosse um filme, esta seria a parte em que eu fico cansada dessa sua loucura e caio fora. Aí, bingo!, a mensagem aparece, de modo que só você a vê e todos continuam pensando que você está louco. Como no *Scooby-Doo*, quando apenas ele e Salsicha veem o fantasma e ninguém acredita neles.

Pensei um pouco.

– Vamos tentar – sugeri.

– Ótimo. Que tal eu esperar na cozinha? Fique calmo. Quando a mensagem aparecer, apenas dê um gritinho.

Ela se levantou.

– Você está brincando comigo? – perguntei.

Shauna pensou a respeito.

– Provavelmente.

Ela saiu. Virei em direção à tela. E aguardei.

18

– NÃO ESTÁ ACONTECENDO NADA – DISSE ERIC WU. – Beck continua tentando entrar na rede, mas tudo o que consegue é uma mensagem de erro.

Larry Gandle ia fazer uma pergunta a respeito quando ouviu o barulho do elevador. Olhou o relógio.

Rebecca Schayes estava chegando na hora certa.

Eric Wu se afastou do computador. Encarou Larry Gandle com o tipo de olhar que faz um homem dar um passo para trás. Gandle apanhou sua arma, que desta vez era uma 9 milímetros. Por precaução. Wu fez uma cara sinistra. Moveu seu corpanzil até a porta e apagou a luz.

Eles aguardaram no escuro.

Vinte segundos depois, o elevador parou no andar.

◆◆◆

Rebecca Schayes quase não pensava mais em Elizabeth e Beck. Afinal, oito anos haviam se passado. Mas naquela manhã os acontecimentos despertaram algumas sensações há muito adormecidas. Sensações dolorosas.

Sobre o "acidente de carro".

Após todos aqueles anos, Beck enfim lhe perguntara sobre aquilo.

Oito anos antes, Rebecca estava preparada para contar tudo a respeito. Mas Beck não retornara os telefonemas. Com o passar do tempo – e depois da prisão de um suspeito –, não havia mais sentido em revolver o passado. Aquilo apenas feriria Beck. Mas a sensação perturbadora – de que os ferimentos de Elizabeth no "acidente de carro" prenunciaram de algum modo seu assassinato – persistia, embora não fizesse sentido. Mais do que isso, essa sensação perturbadora a levava à inevitável pergunta: caso tivesse realmente insistido em revelar a verdade sobre o "acidente de carro", quem sabe ela não poderia ter salvado a amiga?

A sensação, porém, foi minguando com o tempo. Afinal, por maior que seja a amizade, você acaba superando a morte de um amigo. Gary Lamont irrompera em sua vida três anos antes e mudara tudo. Sim, Rebecca Schayes, a fotógrafa boêmia de Greenwich Village, se apaixonara por um corretor de Wall Street cheio da grana. Eles se casaram e se mudaram para um prédio alto e badalado no Upper West Side.

Engraçado como a vida funcionava.

Rebecca entrou no elevador de carga e fechou a porta. As luzes se apagaram, o que não era raro naquele prédio. O elevador começou a subir. Às vezes, à noite, ela ouvia os cavalos relincharem, mas daquela vez eles estavam quietos. O cheiro de feno e o de algo menos agradável se misturavam no ar.

Ela gostava de ir ao estúdio à noite. O modo como a solidão se mesclava com os sons noturnos da cidade fazia com que se sentisse "inspirada" como em nenhum outro momento.

Sua mente retrocedeu à conversa da noite anterior com Gary. Ele queria sair do centro de Nova York, de preferência para uma casa espaçosa em Long Island, em Sands Point, onde havia sido criado. A ideia de se mudar para o subúrbio a aterrorizava. Mais do que o amor à cidade, ela sabia que aquilo seria a traição final às suas raízes boêmias. Ela se tornaria o que tinha jurado nunca ser: igual à sua mãe e à mãe de sua mãe.

O elevador parou. Ela saiu e foi andando pelo corredor. Todas as luzes estavam apagadas. Ela ajeitou o cabelo para trás e o prendeu num grosso rabo de cavalo.

Olhou o relógio. Quase nove horas. O prédio devia estar vazio. De seres humanos, pelo menos.

O sapato estalava contra o cimento frio. A verdade era que – e Rebecca, uma boêmia inveterada, tinha dificuldade em aceitar isso – quanto mais pensava a respeito, mais percebia que, sim, queria ter filhos, e a cidade era um péssimo lugar para criá-los. Crianças precisam de quintal, balanço, ar puro...

Rebecca Schayes estava quase se decidindo – decisão que, sem dúvida, surpreenderia o marido – quando meteu a chave na fechadura e abriu o estúdio. Ela entrou e acendeu a luz.

E então percebeu o estranho homem asiático.

Por alguns momentos, ele simplesmente a fitou. Rebecca permaneceu como que congelada pelo olhar. Depois o asiático se aproximou e, posicionando-se por trás dela, lhe deu um murro bem no meio das costas.

Foi como um golpe de marreta nos rins.

Ela caiu de joelhos. O homem prendeu seu pescoço com dois dedos, apertando um ponto sensível. Rebecca sentiu muita dor. Com a mão livre, ele enterrou os dedos, como trituradores de gelo, sob o tórax de Rebecca. Quando eles atingiram o fígado, seus olhos quase saltaram das órbitas. A dor superava tudo o que ela jamais havia imaginado. Tentou gritar, mas apenas um grunhido abafado saiu de sua boca.

Do outro lado do estúdio, ouviu-se uma voz de homem:

– Onde está Elizabeth? – perguntou a voz pela primeira vez.

Mas não pela última.

19

PERMANECI DIANTE DO COMPUTADOR e comecei a beber com vontade. Tentei me conectar ao site de 12 maneiras diferentes. Usei o Explorer, depois o Netscape. Limpei o cache, recarreguei a página, desconectei-me do provedor e conectei-me de novo.

Não adiantava. Continuava surgindo a mensagem de erro.

Às 22 horas, Shauna voltou. Suas bochechas brilhavam de tanto beber. As minhas também deviam estar brilhando, imaginei.

– Nada ainda?

– Vá para casa – recomendei.

Ela assentiu com a cabeça.

– Sim, acho melhor.

A limusine chegou em cinco minutos. Shauna cambaleou até o meio-fio, sob o efeito de bourbon e cerveja. Eu estava no mesmo estado.

Shauna abriu a porta e se virou para mim.

– Alguma vez você se sentiu tentado a trair Elizabeth? Quer dizer, quando vocês estavam casados.

– Não – respondi.

Shauna fez um gesto de desapontamento.

– Você é todo certinho!

Dei-lhe um beijo de despedida e entrei. Continuei olhando a tela como se fosse algo sagrado. Nada mudara.

Chloe se aproximou lentamente alguns minutos depois. Ela cutucou minha mão com o nariz úmido. Nossos olhos se encontraram através de sua floresta de pelos, e eu seria capaz de jurar que Chloe compreendeu o que eu estava sentindo. Não sou daqueles que atribuem características humanas aos cães – até porque acho que isso os depreciaria –, mas acredito que eles tenham uma compreensão básica do que seus donos estão sentindo. Dizem que os cães conseguem farejar o medo. Seria exagero acreditar que eles também possam farejar a alegria, a raiva ou a tristeza?

Sorri para Chloe e afaguei sua cabeça. Ela pôs uma pata no meu braço, em um gesto confortador.

– Quer dar uma volta, garota? – perguntei.

Chloe respondeu saltando como um animal de circo. Como eu já disse, são as pequenas coisas que contam.

O ar noturno invadiu meus pulmões. Tentei me concentrar em Chloe – o passo saltitante, o rabo abanando –, mas eu estava um tanto quanto cabisbaixo.

Aquela hipótese de Shauna sobre manipulação digital não tinha me convencido totalmente. Sim, alguém poderia manipular uma fotografia e torná-la parte de um vídeo. E alguém poderia saber sobre a "hora do beijo". E poderia até ter feito os lábios sussurrarem: "Sinto muito." E meu desespero provavelmente ajudou a tornar a ilusão real e me deixou suscetível a uma manipulação daquelas.

E o pior era que a hipótese de Shauna fazia muito mais sentido do que um retorno do túmulo.

Mas havia dois detalhes que contrariavam tudo aquilo. Em primeiro lugar, não sou dado a delírios. Sou um cara extremamente racional e, bem diferente da maioria das pessoas, tenho os pés no chão. Segundo, o desespero poderia até ter obscurecido meu raciocínio, e a fotografia digital poderia até ter feito muitas coisas.

Mas não aqueles olhos...

Os olhos *dela*. Os olhos de Elizabeth. Era impossível que fossem antigas fotografias transformadas em vídeo digital. Aqueles olhos pertenciam à minha esposa. Minha mente racional tinha certeza disso? Não, claro que não. Não sou nenhum ingênuo. Mas, levando em conta o que vi e todas as perguntas que formulei, acabei praticamente descartando a demonstração do vídeo de Shauna. Eu chegara em casa convencido de que receberia uma mensagem de Elizabeth.

Agora eu já nem sabia mais o que pensar. A bebida devia estar contribuindo para minha perplexidade.

Chloe parou para dar uma longa fungada. Aguardei sob um poste de luz e observei sua sombra alongada.

A hora do beijo...

Chloe rosnou ao perceber um movimento em um arbusto. Um esquilo atravessou correndo a rua. Chloe fez menção de correr atrás. O esquilo parou e se virou para nós. Chloe latiu, como que dizendo: "Sorte sua eu estar presa na guia." Na verdade, ela não faria nenhum mal ao esquilo. Chloe era incapaz de matar um mosquito.

A hora do beijo...

Inclinei a cabeça, como Chloe faz quando ouve um som estranho. Voltei a pensar no que vira no dia anterior no computador – e no esforço que alguém fizera para manter tudo aquilo em segredo. O e-mail sem assinatura dizendo para eu clicar no link na "hora do beijo". O segundo e-mail criando uma conta em meu nome.

Estão observando...

Alguém estava se esforçando ao máximo para manter aquelas comunicações em segredo.

A hora do beijo...

Se alguém – tudo bem, se Elizabeth – quisesse simplesmente me mandar uma mensagem, por que não me telefonava ou escrevia um e-mail? Por que tantos obstáculos?

A resposta era óbvia: segredo. Alguém – não direi Elizabeth novamente – queria manter tudo em segredo.

E, se você tem um segredo, conclui-se que existe alguém de quem você quer ocultá-lo. E talvez esse alguém esteja observando ou espreitando ou tentando descobrir seu segredo. Ou isso, ou você está paranoico. Geralmente fico com a hipótese da paranoia, mas...

Estão observando...

O que aquilo significava exatamente? Quem estaria observando? Os agentes federais? E, se os federais estivessem realmente por trás dos e-mails, por que me alertariam daquela maneira? Os federais queriam que eu agisse.

A hora do beijo...

Meu sangue gelou nas veias. Chloe virou a cabeça em minha direção.

Meu Deus, por que não percebi antes?

◆◆◆

Eles nem se deram ao trabalho de usar a fita isolante.

Rebecca Schayes jazia sobre a mesa agora, choramingando como um cão agonizante à beira da estrada. Às vezes, ela balbuciava algumas palavras, duas ou mesmo três de uma vez, mas jamais formava uma sequência coerente. Ela estava acabada demais para continuar gritando. As súplicas haviam cessado. Seus olhos continuavam arregalados e perplexos. Já não viam nada. Sua mente havia se estilhaçado em meio a um grito 15 minutos antes.

Surpreendentemente, Wu não deixara nenhuma marca. Nenhuma marca, mas ela parecia 20 anos mais velha.

Rebecca Schayes não sabia de nada. O Dr. Beck a visitara por causa de um antigo acidente de carro que não foi bem um acidente de carro. Havia fotos também. Beck supôs que ela as tirara. Mas não tinha sido ela.

A sensação de arrepio no estômago – que começara como simples cócegas quando Larry Gandle soube dos corpos encontrados no lago – não parava de aumentar. Algo tinha dado errado naquela noite. Sem dúvida. Mas agora Larry Gandle temia que talvez tudo tivesse dado errado.

Estava na hora de trazer à luz a verdade.

Ele consultara seu espião. Beck estava levando o cachorro para passear. Sozinho. À luz dos indícios que Wu forjaria, aquele seria um péssimo álibi. Os agentes federais jamais acreditariam nele.

Larry Gandle se aproximou da mesa. Rebecca Schayes ergueu o olhar e fez um ruído estranho, um misto de gemido agudo e riso magoado.

Ele apertou o revólver contra sua testa. Ela fez aquele ruído novamente. Ele disparou duas vezes e o mundo caiu no silêncio.

◆◆◆

Comecei a voltar para casa, mas pensei naquela advertência.

Estão observando...

Por que me arriscar? Havia um cibercafé três quadras adiante aberto 24 horas por dia. Quando cheguei à porta, entendi por quê. Era meia-noite e o local estava lotado. Um monte de homens e mulheres de negócios bebericavam cappuccinos e navegavam na internet.

Esperei minha vez num labirinto formado por cordas de veludo. Lembrei-me das visitas ao banco antes do advento dos caixas eletrônicos. A mulher à minha frente vestia um terninho social – em plena madrugada – e tinha olheiras tão grandes que poderia ser confundida com uma coruja. Atrás de mim, um homem de cabelos encaracolados e roupa de malha escura apanhou um telefone celular e começou a apertar os botões.

– Senhor?

Alguém com o uniforme do cibercafé apontou para Chloe.

– O senhor não pode entrar com o cachorro.

Quase contei a ele que já havia entrado outras vezes, mas me contive. A mulher de terninho não reagiu. O sujeito de cabelos encaracolados e roupa de malha escura me olhou como quem diz: "O que se há de fazer?" Saí rapidinho, prendi Chloe do lado de fora e retornei ao mesmo lugar. O homem de cabelos encaracolados nem chiou.

Dez minutos depois eu estava na frente da fila. O funcionário do cibercafé era jovem e exuberante. Ele me conduziu a um terminal de computador e explicou calmamente o sistema de cobrança.

Concordei com a cabeça durante a explicação e me conectei à internet.

A hora do beijo...

Percebi que aquele era o segredo. O primeiro e-mail se referira à "hora do beijo", e não às 18h15. Por quê? A resposta era óbvia. Aquilo era um código – para o caso de pessoas erradas interceptarem o e-mail. Quem quer que o tenha enviado levantara a possibilidade de isso acontecer; sabia que apenas eu conhecia o significado da "hora do beijo".

Foi então que tive um estalo.

Primeiro, o nome da conta: Bat Street. Quando Elizabeth e eu éramos crianças, costumávamos descer a Morewood Street de bicicleta a caminho do campo de beisebol. Uma velhota com cara de bruxa morava numa casa amarela desbotada. Ela vivia sozinha e fazia cara feia para as crianças que passavam. Toda cidadezinha do interior tem essas velhas corocas. Elas costumam ter um apelido. No nosso caso, a chamávamos de Bat Lady.

Entrei de novo no Bigfoot. Digitei Morewood na caixa do nome do usuário.

Ao meu lado, o funcionário do cibercafé repetia sua cantilena para o homem de cabelos encaracolados e roupa de malha escura. Apertei a tecla Tab, pulando para a caixa destinada à senha.

A pista Teenage era mais fácil. Em nosso primeiro ano de escola secundária, fomos uma sexta-feira à noite à casa de Jordan Goldman. Éramos um grupo de mais ou menos 10. Jordan descobriu onde seu pai escondia um vídeo pornô. Nenhum de nós havia visto um antes. Assistimos ao vídeo, rindo desconfortavelmente, fazendo as piadinhas de praxe e nos sentindo deliciosamente indecentes. Quando precisamos de um nome para nosso time de beisebol, Jordan sugeriu que usássemos o título idiota do filme:

Teenage Sex Poodles.

Digitei Sex Poodles como senha. Prendi a respiração e cliquei em Login.

Olhei para o homem de cabelos encaracolados. Ele estava concentrado numa pesquisa no Yahoo. Olhei de volta para a recepção. A mulher de terninho franzia a testa diante de outro atendente do cibercafé.

Aguardei a mensagem de erro. Mas desta vez ela não veio. Uma tela de boas-vindas apareceu. No alto, lia-se:

Oi, Morewood!

Embaixo estava escrito:

Há 1 mensagem em sua caixa postal.

Meu coração parecia um pássaro tentando fugir da caixa torácica.

Cliquei em Novas Mensagens, e minha perna começou a tremer. Dessa vez Shauna não estava por perto para acalmá-la. Da janela do cibercafé pude ver Chloe amarrada. Ela me reconheceu e começou a ganir. Pus um dedo diante dos lábios, num sinal para que ela se acalmasse.

A mensagem do e-mail apareceu.

Washington Square Park. Encontre-me na esquina a sudeste.
Amanhã às 17 horas.
Você será seguido.

E no final:

Aconteça o que acontecer, eu te amo.

A esperança, aquele pássaro engaiolado que nunca morre, se libertou. Relaxei. Lágrimas jorravam dos meus olhos, mas, pela primeira vez em muito tempo, consegui sorrir de verdade.

Elizabeth continuava sendo a pessoa mais esperta que eu conhecia.

20

ÀS DUAS DA MADRUGADA, ME ENFIEI na cama e me acomodei de costas. O teto começou a girar por causa do excesso de bebida.

Shauna havia perguntado antes se eu alguma vez caíra na tentação de trair Elizabeth depois de casado. Ela acrescentou esta última parte – "depois de casados" – porque já sabia do outro incidente.

Tecnicamente, traí Elizabeth uma vez, embora essa palavra não seja realmente adequada. Trair denota prejudicar alguém. Estou certo de que Elizabeth não foi prejudicada pelo fato de, no meu ano de calouro na faculdade, eu ter participado de um rito de iniciação meio deplorável em que tinha de passar a noite com uma colega. Por curiosidade, suponho. Puramente experimental e estritamente físico. Não gostei muito. Vou omitir o velho clichê de que sexo sem amor não faz sentido. Não é verdade. Mas, embora eu ache relativamente fácil fazer sexo com alguém que você não conhece direito nem ama, passar a noite juntos é diferente. A atração, nesse caso, foi estritamente hormonal. Uma vez satisfeitos os instintos, eu queria cair fora. Sexo é para qualquer um; o pós-sexo é para os apaixonados.

Bonita racionalização, não acha?

Aliás, desconfio de que Elizabeth tenha feito algo semelhante. Ambos concordamos que tentaríamos "conhecer" – um termo vago e abrangente – outras pessoas quando entrássemos na faculdade. Uma eventual traição serviria para testar a solidez de nosso relacionamento. Sempre que o assunto vinha à tona, Elizabeth negava ter havido outra pessoa em sua vida. Mas eu também negava.

A cama continuava girando enquanto eu pensava: "O que fazer agora?"

Em primeiro lugar, tinha de esperar até as 17 horas do dia seguinte. Mas eu não podia ficar impassível até lá. Já havia ficado antes e me arrependera. A verdade – uma verdade que eu não gostava de admitir nem para mim mesmo – é que eu hesitei no lago. Porque estava assustado. Saí da água e parei. Aquilo deu ao atacante a chance de me atingir. E não reagi após aquele primeiro golpe. Não enfrentei meu agressor. Não o ataquei, nem sequer cerrei o punho. Eu simplesmente desabei. Tentei proteger a cabeça, entreguei os pontos e deixei um homem mais forte levar minha esposa.

Nunca mais.

Pensei em procurar meu sogro novamente – não me passou despercebido que Hoyt talvez não tivesse se aberto muito durante minha última visita –, mas de que adiantaria? Ou Hoyt estava mentindo ou... sei lá. Mas a mensagem havia sido clara. *Não conte a ninguém*. A única maneira de fazê-lo falar seria contar o que vi naquela câmera de rua. Mas eu ainda não estava preparado para isso.

Saí da cama e liguei o computador. Comecei a navegar novamente. De manhã, eu já tinha um plano na cabeça.

◆◆◆

Gary Lamont, o marido de Rebecca Schayes, não entrou em pânico imediatamente. Sua mulher costumava trabalhar até tarde, bem tarde, e às vezes chegava a passar a noite numa velha cama dobrável no estúdio. Assim, quando o relógio marcou quatro horas sem que ela tivesse chegado em casa, ele ficou apenas preocupado, mas não entrou em pânico.

Pelo menos, ele se esforçou para não entrar.

Gary telefonou para o estúdio, mas a secretária eletrônica atendeu. O que não era raro. Rebecca, quando estava trabalhando, detestava interrupções. Não havia sequer uma extensão do telefone na câmara escura. Ele deixou um recado e voltou para a cama.

O sono veio de forma irregular. Gary pensou em fazer alguma coisa, mas aquilo a deixaria irritada. Rebecca tinha um espírito livre, e, se havia uma área de tensão naquele relacionamento tão perfeito, estava ligada ao seu estilo de vida relativamente "tradicional", o que lhe cortava as asas da criatividade. A expressão era dela.

Portanto, ele lhe dava espaço. Para que ela abrisse as asas ou coisa semelhante.

Às sete da manhã, a preocupação deu lugar a algo mais próximo do verdadeiro medo. O telefonema de Gary acordou Arturo Ramirez, o ajudante esquelético de Rebecca.

– Acabo de chegar em casa – reclamou Arturo, meio grogue.

Gary explicou a situação. Arturo, que havia adormecido com a roupa de trabalho, saiu daquele mesmo jeito. Gary prometeu encontrá-lo no estúdio e pegou o ônibus até o centro.

Arturo chegou primeiro e encontrou a porta do estúdio entreaberta.

– Rebecca?

Nenhuma resposta. Arturo chamou de novo. Novamente nada. Entrou e revistou o estúdio. Ela não estava lá. Abriu a câmara escura. O costumeiro cheiro forte dos ácidos usados na revelação de filmes ainda dominava o ambiente, mas havia algo mais, algo que conseguiu deixar seus cabelos em pé.

Algo caracteristicamente humano.

Gary entrou no estúdio a tempo de ouvir o grito.

21

DE MANHÃ, COMI UM CROISSANT E PERCORRI a Rodovia 80 no sentido oeste durante 45 minutos. A Rodovia 80 em Nova Jersey não tem a menor graça. Depois que você passa por Saddle Brook, os prédios desaparecem, e você depara com filas idênticas de árvores dos dois lados da estrada. Somente as placas da estrada interestadual rompem a monotonia.

Ao tomar a saída 163, em uma cidadezinha chamada Gardensville, diminuí a marcha e contemplei a relva alta. Meu coração começou a disparar. Eu nunca estivera lá antes – evitara propositadamente aquele trecho da estrada nos últimos oito anos. Foi ali, a menos de 100 metros de onde eu estava, que o corpo de Elizabeth havia sido encontrado.

Consultei o roteiro que eu imprimira na noite anterior. Descobri o melhor caminho para chegar ao necrotério de Sussex County no site de localização www.mapquest.com, e por isso eu sabia com precisão milimétrica como chegar lá. O prédio parecia um galpão com as venezianas fechadas e sem nenhum letreiro ou placa indicativa, um simples retângulo de tijolos sem adornos. Mas convenhamos que um necrotério não pode ser muito enfeitado. Cheguei alguns minutos antes das oito e meia e me dirigi para a parte de trás do prédio. O escritório ainda estava fechado. Que bom.

Um Cadillac Seville amarelo entrou numa vaga com uma placa indicando ser de Timothy Harper, o médico-legista municipal. O motorista do carro jogou fora uma guimba de cigarro – sempre me surpreendo com o número de médicos-legistas fumantes – antes de saltar. Harper tinha a minha altura, pouco menos de 1,80m, pele morena e cabelos grisalhos e ralos. Ao me ver de pé diante da porta, fez uma cara séria. Ninguém vai de manhã cedo a um necrotério atrás de boas notícias.

Ele fez a gentileza de se aproximar de mim:

– Em que posso ser útil? – perguntou.

– Dr. Harper?

– Sim, eu mesmo.

– Sou o Dr. David Beck. – Doutor. Portanto, éramos colegas. – Gostaria de dispor de um pouco de seu tempo.

Ele não reagiu ao nome. Pegou uma chave e abriu a porta.

– Por que não nos sentamos no meu escritório?

– Obrigado.

Segui o homem por um corredor. Harper foi ligando os interruptores. As lâmpadas fluorescentes do teto se acenderam relutantemente uma a uma. O chão era coberto por um linóleo arranhado. O local parecia mais um escritório do Departamento de Trânsito do que um mortuário, mas talvez fosse esse o objetivo. Nossos passos ecoavam de modo ritmado, misturando-se ao zumbido das lâmpadas. Harper apanhou uma pilha de correspondências e separou as cartas mais importantes enquanto caminhávamos.

O escritório de Harper também era simples. Havia uma escrivaninha de metal semelhante à que uma professora usaria em uma escola primária. As cadeiras eram de madeira envernizada, estritamente funcionais. Vários diplomas cobriam uma das paredes. Observei que ele também estudara na Faculdade de Medicina de Colúmbia, embora tivesse se formado quase 20 anos antes de mim. Nenhuma foto da família, nenhum troféu de golfe, nenhuma placa de homenagem, nada pessoal. Os visitantes do local não estavam ali para bate-papos agradáveis. Ninguém ia lá para ver os netos sorridentes do médico-legista.

Harper entrelaçou as mãos e as colocou sobre a escrivaninha.

– O que posso fazer pelo senhor, Dr. Beck?

– Oito anos atrás – comecei – minha esposa foi trazida para cá. Ela foi vítima de um *serial killer* chamado KillRoy.

Não sou muito bom em interpretar fisionomias. O contato visual nunca foi meu forte. A linguagem corporal nada significa para mim. Mas, ao observar Harper, me perguntei o que faria um médico-legista experiente, um homem acostumado a lidar com a morte, empalidecer tanto.

– Eu me lembro – disse ele calmamente.

– O senhor fez a autópsia?

– Sim. Bem, em parte.

– Em parte?

– Sim. As autoridades federais também estiveram envolvidas. Trabalhamos juntos no caso e, como o FBI não possui médicos-legistas, assumi o comando.

– Conte o que o senhor viu quando eles trouxeram o corpo – pedi.

Harper mudou de posição na cadeira.

– Pode me dizer por que quer saber isso?

– Sou um marido enlutado.

– Isso aconteceu oito anos atrás.

– O luto é uma coisa pessoal, doutor.

– Sim, é verdade, mas...

– Mas o quê?

– Mas gostaria de saber o que o senhor procura aqui.

Decidi ser direto.

– Vocês tiram fotos de todos os corpos trazidos para cá, certo?

Ele hesitou. Deu para perceber. Ele notou que percebi e pigarreou.

– Sim. Atualmente usamos tecnologia digital. Uma câmera digital, para ser específico. Com isso podemos armazenar fotografias e diferentes imagens no computador. Isso ajuda no diagnóstico e na catalogação.

Balancei a cabeça, indiferente. Ele estava me enrolando. Quando parou, perguntei:

– Vocês tiraram fotografias da autópsia da minha mulher?

– Sim, claro. Mas... o senhor disse que foi há quanto tempo?

– Há oito anos.

– Naquela época usávamos câmeras Polaroid.

– E onde estão essas fotos agora, doutor?

– Na ficha de sua esposa.

Olhei para o arquivo alto que se erguia no canto da sala como uma sentinela.

– Não estão ali – ele acrescentou rapidamente. – O caso dela está encerrado. O assassino foi preso e condenado. Além do mais, isso foi há mais de cinco anos.

– Então onde estão?

– Num depósito. Em Layton.

– Gostaria de ver as fotografias, se possível.

Ele anotou alguma coisa e olhou para o pedaço de papel.

– Vou ver o que posso fazer.

– Doutor?

Ele ergueu o olhar.

– O senhor disse que se lembra da minha esposa.

– Bem, sim, quero dizer, mais ou menos. Nós não temos muitos homicídios aqui, e o da sua esposa foi muito comentado.

– O senhor se lembra do estado do corpo dela?

– Na verdade, não. Quer dizer, não dos detalhes.

– Lembra-se de quem a identificou?

– Não foi o senhor?

– Não.

Harper coçou a cabeça.

– Foi o pai dela, não foi?

– Lembra quanto tempo ele levou para fazer a identificação?

– Quanto tempo?

– Foi de imediato? Levou alguns minutos? Cinco, dez minutos?

– Confesso que não sei.

– O senhor não lembra se foi de imediato ou não?

– Desculpe, não me lembro.

– O senhor acabou de dizer que foi um caso importante.
– Sim.
– Talvez o seu caso mais famoso.
– Tivemos o caso do entregador de pizzas alguns anos atrás – disse ele. – Mas eu diria que o de sua esposa foi um dos mais famosos.
– Mesmo assim o senhor não lembra se o pai teve dificuldade em identificar o corpo?
Ele não gostou da pergunta.
– Dr. Beck, com todo o respeito, não sei aonde o senhor quer chegar.
– Sou um marido enlutado. Estou fazendo perguntas bem simples.
– O seu tom de voz – ele disse – parece hostil.
– Deveria ser?
– O que o senhor está insinuando?
– Como o senhor soube que ela foi vítima de KillRoy?
– Eu não soube.
– Então como foi que os agentes federais se envolveram?
– Havia marcas identificadoras...
– Quer dizer que ela estava marcada com a letra K?
– Sim.
Eu estava a mil agora, e estranhamente sentia que tinha razão.
– Então a polícia trouxe o corpo. O senhor começou a examinar e descobriu a letra K...
– Não, eles já estavam aqui. Refiro-me aos agentes federais.
– Antes que o corpo fosse trazido?
Ele ergueu o olhar, recordando ou inventando.
– Ou imediatamente após. Não me lembro.
– Como foi que eles souberam tão rapidamente do corpo?
– Não sei.
– O senhor não tem ideia?
Harper cruzou os braços.
– Suponho que um dos policiais que encontrou o corpo viu a marca e chamou o FBI. Mas é apenas uma suposição.
Meu bipe vibrou. Dei uma olhada. Uma emergência na clínica.
– Sinto muito pela sua perda – disse ele num tom de voz experiente. – Entendo a dor pela qual está passando, mas estou com a agenda cheia hoje. Talvez possamos marcar um encontro depois...
– Quanto tempo o senhor levará para localizar a ficha de minha esposa? – perguntei.

– Nem sei se vou conseguir localizá-la. Quer dizer, vou ter de dar uma olhada...

– E a Lei da Liberdade de Informação?

– Perdão?

– Eu me informei hoje de manhã. O caso de minha esposa está encerrado agora. Tenho o direito de consultar a ficha dela.

Harper certamente sabia daquilo – eu não era a primeira pessoa que pedia para consultar uma ficha de autópsia – e balançou a cabeça com um vigor exagerado.

– Tudo bem, mas existem os canais competentes, formulários a serem preenchidos.

– O senhor está fazendo jogo duro?

– Como?

– Minha esposa foi vítima de um crime terrível.

– Eu entendo.

– E tenho o direito de ver a ficha dela. Se o senhor começar a criar caso, vou desconfiar de suas intenções. Nunca dei entrevista para a mídia sobre minha esposa ou o assassino. Mas posso dar agora. E todos estranharão que o legista local crie tantas dificuldades para atender a um pedido tão simples.

– Isto soa como uma ameaça, Dr. Beck.

Levantei-me.

– Estarei de volta amanhã de manhã – disse. – Por favor, providencie a ficha de minha esposa.

Eu estava agindo. E me sentia bem com aquilo.

22

Os DETETIVES ROLAND DIMONTE E KEVIN KRINSKY, da Divisão de Homicídios da polícia de Nova York, foram os primeiros a chegar à cena do crime. Dimonte, um homem de cabelos oleosos que gostava de botas de pele de cobra e mantinha um palito de dentes na boca, assumiu o comando. Ele gritava ordens. O local do crime foi imediatamente isolado. Alguns minutos depois, peritos surgiram e se espalharam pelo local.

– Isolem as testemunhas – ordenou Dimonte.

Eram apenas duas: o marido e o auxiliar de Rebecca. Dimonte notou que o marido parecia atordoado, embora pudesse estar fingindo. Mas primeiro as providências iniciais.

Dimonte, ainda mascando o palito, levou o auxiliar – seu nome, pelo que constatou, era Arturo – para o lado. O rapaz estava pálido. Normalmente, Dimonte desconfiaria de drogas, mas o sujeito havia vomitado ao encontrar o corpo.

– Você está bem? – perguntou Dimonte, como se ele se importasse.

Arturo assentiu com a cabeça.

Dimonte perguntou se acontecera algo de estranho com a vítima recentemente. Arturo respondeu que sim. O que aconteceu? Rebecca recebera um telefonema no dia anterior que a perturbara. Quem telefonou? Arturo não tinha certeza, mas uma hora depois – talvez menos, ele não sabia ao certo – um homem viera ao estúdio ver Rebecca. Quando o homem partiu, ela estava arrasada.

– Lembra-se do nome do homem?

– Beck – respondeu Arturo. – Ela o chamou de Beck.

◆◆◆

Shauna colocou o lençol de Mark na máquina de lavar. Linda veio atrás dela.

– Ele está fazendo xixi na cama de novo – observou Linda.

– Você é observadora!

– Não seja sarcástica. – Linda se afastou. Shauna abriu a boca para pedir desculpas, mas não disse nenhuma palavra. Quando ela saiu de casa pela primeira vez – a *única* vez –, Mark reagira negativamente. Passara a fazer xixi na cama. Quando ela e Linda se reconciliaram, o xixi na cama parou. Até aquele dia.

– Ele sabe o que está acontecendo – disse Linda. – Ele sente a tensão.

– O que você quer que eu faça, Linda?

– O que tivermos que fazer.

– Eu não vou sair de casa de novo. Eu prometi.

– Mas isso não é suficiente.

Shauna colocou um pouco de amaciante de roupas na máquina. Seu rosto estava marcado pela exaustão. Ela não precisava daquilo. Era uma modelo cheia da grana. Não podia chegar ao trabalho com olheiras ou sem brilho nos cabelos. Estava cansada daquilo tudo. Cansada da vida doméstica que não combinava com ela. Cansada da pressão dos malditos bem-intencionados. Esquecer a intolerância era fácil. Mas a pressão sobre um casal de lésbicas com um filho – exercida por defensores supostamente bem-intencionados – era mais que sufocante. Se a relação desse errado, a falha seria do lesbianismo em si ou coisa que o valha, como se casais heterossexuais nunca brigassem. Shauna não era idealista. Ela sabia disso. Egoísta ou não, sua felicidade não seria sacrificada no altar do "bem maior"

Ela se perguntou se Linda sentia a mesma coisa.

– Eu te amo – disse Linda.

– Eu também te amo.

Elas olharam uma para a outra. Mark voltara a fazer xixi na cama. Shauna não se sacrificaria pelo bem maior. Mas por Mark, sim.

– Então o que vamos fazer? – perguntou Linda.

– Vamos tentar resolver o problema.

– Será que vamos conseguir?

– Você me ama?

– Você sabe que sim – respondeu Linda.

– Você ainda acha que sou a criatura mais empolgante e maravilhosa na face da Terra?

– Claro – respondeu Linda.

– Eu também acho – Shauna sorriu para ela. – Eu sou uma chata de uma narcisista.

– É mesmo.

– Mas sou a sua narcisista.

– Com certeza.

Shauna se aproximou.

– Não estou destinada a uma vida de relacionamentos fáceis. Sou muito volúvel.

– Você é supersexy quando está volúvel – disse Linda.

– E também quando não estou.

– Cala a boca e me dá um beijo.

O interfone soou. Linda olhou para Shauna, que deu de ombros. Linda apertou o botão e disse:

– Sim?

– É Linda Beck?

– Quem é?

– Sou o agente especial Kimberly Green, do FBI. Estou com meu colega, o agente especial Rick Peck. Gostaríamos de subir e fazer umas perguntas.

Shauna se aproximou de Linda antes que ela pudesse responder.

– A nossa advogada é Hester Crimstein – gritou ela ao interfone. – Vocês podem telefonar para ela.

– Vocês não são suspeitas de nenhum crime. Só queremos fazer umas perguntas...

– Hester Crimstein – interrompeu Shauna. – Tenho certeza de que vocês sabem o telefone dela. Tenham um bom dia.

Shauna soltou o botão do interfone. Linda olhou para ela.

– O que eles estavam querendo?

– Seu irmão está em apuros.

– O quê?

– Sente-se – disse Shauna. – Precisamos conversar.

◆◆◆

Raisa Markov, a enfermeira que cuidava do avô do Dr. Beck, ouviu a firme batida na porta e atendeu. Os agentes especiais Carlson e Stone, trabalhando agora em conjunto com os detetives da polícia de Nova York Dimonte e Krinsky, lhe entregaram o documento.

– Mandado de busca federal – anunciou Carlson.

Raisa saiu da frente sem reagir. Tendo nascido na antiga União Soviética, estava acostumada a arbitrariedades policiais.

Oito dos homens de Carlson invadiram a residência de Beck e se espalharam.

– Quero tudo gravado em vídeo – ordenou Carlson. – Nada de erros.

Eles estavam se apressando na esperança de permanecer meio passo à frente de Hester Crimstein. Carlson sabia que Crimstein, como muitos advogados de defesa espertalhões nesta era pós-O. J. Simpson, se aferrava desesperadamente a alegações de incompetência ou má conduta policial. Carlson, um tira competente, não deixaria que isso acontecesse com ele. Cada passo, movimento ou respiração seria documentado e corroborado.

Quando Carlson e Stone irromperam no estúdio de Rebecca Schayes, Dimonte não ficou nada satisfeito em vê-los. Houve o costumeiro atrito entre a polícia local e os agentes federais. Poucas coisas conseguem unir o FBI às autoridades locais, especialmente em uma metrópole como Nova York.

Mas Hester Crimstein era uma dessas coisas.

Ambos os lados sabiam que Crimstein era mestre em confundir e em atrair publicidade. O mundo estaria de olho. Ninguém se atreveria a cometer qualquer erro. Essa era a motivação principal ali, de modo que forjaram uma aliança tão sólida quanto um acordo de paz entre palestinos e israelenses, porque no fundo ambos os lados sabiam que precisariam coletar as provas rapidamente – antes que Crimstein turvasse as águas.

Os federais conseguiram o mandado de busca. Para eles, bastava atravessar a Federal Plaza até o Tribunal Federal do distrito sul. Se Dimonte e a polícia de Nova York quisessem obter um, teriam de ir até o Palácio da Justiça em Nova Jersey – tempo longo demais com Hester Crimstein em sua cola.

– Agente Carlson!

O grito veio da esquina. Carlson correu para fora, seguido por Stone.

Dimonte e Krinsky foram atrás. No meio-fio, um jovem agente federal estava ao lado de uma lata de lixo aberta.

– O que é isso? – perguntou Carlson.

– Pode não ser nada, senhor, mas... – O agente apontou para o que parecia ser um par de luvas de látex descartado às pressas.

– Recolha-as – disse Carlson. – Quero um teste de resíduos de pólvora imediatamente. – Carlson olhou para Dimonte. Hora de usar o velho truque da competição. – Quanto tempo levará o teste no laboratório de vocês?

– Pelo menos um dia – respondeu Dimonte. Ele tinha um palito novo na boca e não parava de mascá-lo. – Talvez dois.

– Muito tempo. Vamos ter que enviar as amostras de avião para o nosso laboratório em Quantico.

– Nada disso – reclamou Dimonte.

– Concordamos em agir da forma mais rápida possível.

– Fazer o teste aqui é mais rápido – afirmou Dimonte. – Deixe comigo.

Carlson concordou com um movimento de cabeça. A coisa acontecera como ele esperava. Se você quer que os tiras locais deem prioridade a um caso, ameace tirá-lo deles. Competição. Sempre funciona.

Meia hora depois, eles ouviram outro grito, dessa vez vindo da garagem. De novo, correram naquela direção.

Stone assobiava baixinho. Dimonte olhava. Carlson se inclinou para baixo para ver melhor.

Ali, sob os jornais em uma cesta de lixo reciclável, jazia uma pistola 9 milímetros. Uma rápida cheirada revelou que a arma havia sido disparada recentemente.

Stone se virou para Carlson. Certificou-se de que seu sorriso não estava sendo filmado.

– Peguei o cara – disse Stone tranquilamente.

Carlson não disse nada. Ele observou o técnico guardar a arma na bolsa. Depois, refletindo sobre o caso, fechou a cara.

23

A CHAMADA DE EMERGÊNCIA EM meu bipe envolvia TJ. Ele arranhara o braço num portal, em casa. Para a maioria das crianças, o pior que podia acontecer era ter de passar um remédio que ardesse; para TJ, aquilo significava uma noite no hospital. Quando cheguei lá, ele já estava conectado a um dispositivo intravenoso. A hemofilia é tratada ministrando produtos derivados de sangue, como plasma crioprecipitado ou congelado. Mandei a enfermeira iniciar imediatamente o procedimento.

Como já mencionei, conheci Tyrese seis anos antes, quando ele estava algemado e gritava palavrões. Uma hora antes, ele trouxera correndo seu filho TJ, então com 9 meses, para a sala de emergência. Eu estava ali, mas não cuidava das doenças agudas. O médico competente tratou de TJ.

TJ estava apático e letárgico. Sua respiração era fraca. Tyrese, que agira, segundo o boletim, de maneira instável (como é que um pai que traz correndo um filho para uma sala de emergência deveria agir?), informou ao médico competente que o menino vinha piorando o dia inteiro. O médico deu uma olhada sutil para a enfermeira. Ela fez que sim com a cabeça e foi dar um telefonema. Mera precaução.

Um exame fundoscópico revelou que o bebê tinha hemorragias intraoculares – ou seja, os vasos sanguíneos no fundo dos dois olhos haviam-se rompido. Quando o médico juntou as peças do quebra-cabeça – sangramento intraocular, forte letargia e, bem, o pai –, formulou o diagnóstico.

Síndrome do bebê sacudido.

Seguranças armados chegaram com força total. Eles algemaram Tyrese, e foi aí que ouvi os palavrões. Fui até lá ver o que estava acontecendo. Dois membros uniformizados da polícia de Nova York chegaram. Duas mulheres do Juizado de Menores também. Tyrese tentou se defender. Todos olhavam para ele com cara de reprovação.

Eu testemunhara cenas como aquela dezenas de vezes no hospital. Na verdade, eu havia visto coisas ainda piores. Tratei meninas de 3 anos com doenças venéreas. Certa vez fiz um teste de estupro num menino de 4 anos com hemorragia interna. Em ambos os casos – e em todos os casos semelhantes de abuso sexual que tratei –, o culpado era um membro da família ou o namorado mais recente da mãe.

O Homem Mau não está espreitando crianças nos parques infantis. Ele mora na casa delas.

Eu também sabia – e essa estatística nunca deixava de me impressionar – que mais de 95 por cento dos ferimentos intracranianos graves nas crianças resultavam de maus-tratos. Portanto, as probabilidades eram todas a favor de que Tyrese tivesse maltratado o filho.

Na sala de emergência costumávamos ouvir todo tipo de desculpas. O bebê caiu do sofá. A porta do forno bateu na cabeça dele. O irmão mais velho jogou um brinquedo nele. Quem trabalha aqui muito tempo fica mais cético do que o mais experiente policial. A verdade é que crianças saudáveis toleram bem esses tipos de golpes acidentais. É muito raro que, digamos, somente uma queda do sofá cause uma hemorragia retiniana.

Eu não tive problema com o diagnóstico de maus-tratos ao bebê. Não à primeira vista.

Mas algo na maneira como Tyrese se defendia me pareceu estranho. Não que eu o considerasse inocente. Não estou isento de julgamentos sumários baseados na aparência – ou, para usar um termo politicamente correto, discriminação racial. Todos fazemos isso. Se você atravessa a rua para evitar uma gangue de adolescentes negros, está discriminando racialmente; se não atravessa a rua porque não quer parecer racista, está discriminando racialmente; se vê o grupo e não está nem aí, você é de algum outro planeta que nunca visitei.

O que me fez parar ali foi a pura dicotomia. Eu tinha visto um caso assustadoramente semelhante durante meu plantão recente no abastado subúrbio de Short Hills, em Nova Jersey. Um casal branco, ambos impecavelmente vestidos e a bordo de um Range Rover superequipado, levara a filha de 6 meses às pressas para a sala de emergência. A menina, o terceiro filho do casal, apresentava os mesmos sintomas de TJ.

Ninguém algemou o pai.

Portanto, me aproximei de Tyrese. Ele me encarou com aquela cara de morador de bairro da periferia. Na rua, aquilo me intimidaria. Ali, era como o lobo mau soprando a casinha de tijolos.

– Seu filho nasceu neste hospital? – perguntei.

Tyrese não respondeu.

– Seu filho nasceu aqui, sim ou não?

Ele se acalmou e respondeu:

– Sim.

– Ele foi circuncidado?

Tyrese voltou a fazer aquela cara de marginal.

– Você é algum tipo de bicha?

– Quer dizer que há mais de um tipo? – repliquei. – Ele foi circuncidado aqui, sim ou não?

Relutantemente, Tyrese respondeu:

– Sim.

Descobri o número de inscrição de TJ na previdência social e o digitei no computador. Sua ficha apareceu. Verifiquei a circuncisão. Normal. Mas aí vi outro registro. Aquela não era a primeira visita de TJ ao hospital. Com duas semanas de vida, seu pai o trouxera por causa de um sangramento do cordão umbilical.

Estranho.

Então fizemos alguns exames de sangue, embora a polícia insistisse em manter Tyrese preso. Ele não reclamou. Queria apenas que os exames fossem feitos. Tentei apressá-los, mas não tenho poder para burlar a burocracia. Poucos têm. Mesmo assim, pelas amostras de sangue, o laboratório constatou que o tempo de tromboplastina parcial era prolongado, embora o tempo de protrombina e a contagem de plaquetas fossem normais. Meio complicado, mas tenham paciência.

O melhor – e o pior – foi confirmado. O menino não tinha sido vítima de agressão. A hemofilia fora a causa das hemorragias retinianas. Ela também deixara o garoto cego.

Os seguranças suspiraram, tiraram as algemas de Tyrese e se afastaram sem proferir uma palavra. Tyrese esfregou os pulsos. Ninguém pediu desculpas nem ofereceu uma palavra de conforto àquele homem injustamente acusado de agredir o filho agora cego.

Imagine isso num bairro de gente rica. TJ se tornou meu paciente desde então.

Agora, no quarto do hospital, acariciei a cabeça de TJ e olhei para dentro de seus olhos. As crianças costumam me olhar com muito respeito, um misto de medo e veneração. Meus colegas acreditam que as crianças possuem uma compreensão mais profunda que os adultos do que está acontecendo com elas. Acho que a resposta é provavelmente mais simples. As crianças veem seus pais como intrépidos e onipotentes. No entanto, no hospital, elas veem seus pais olhando para mim, o médico, com uma ânsia repleta de medo, o que lhes parece inteiramente incompreensível.

O que poderia ser mais aterrorizante para uma criança pequena? Alguns minutos depois, os olhos de TJ se fecharam. Ele adormeceu.

– Ele apenas esbarrou na porta – explicou Tyrese. – Só isso. Ele é cego. Acontece.

– Ele terá de ficar aqui esta noite – disse eu. – Mas vai ficar bem.

– Como? – Tyrese olhou para mim. – Como é que ele vai ficar bem se não para de sangrar?

Não tive resposta.

– Preciso tirá-lo daqui.

Não era ao hospital que ele se referia.

Tyrese meteu a mão no bolso e tirou um bolo de dinheiro. Eu não estava a fim. Levantei a mão e disse:

– Voltarei mais tarde.

– Obrigado por ter vindo, doutor. Fico muito agradecido.

Tive vontade de lembrar que eu tinha vindo por causa de seu filho, não dele, mas preferi o silêncio.

◆◆◆

Cuidado, pensou Carlson, enquanto sua pulsação acelerava.

Seja cuidadoso.

Os quatro – Carlson, Stone, Krinsky e Dimonte – estavam sentados à mesa de reunião com o promotor público Lance Fein. Fein, um homem ardiloso e ambicioso, com sobrancelhas ondulantes e um rosto tão branco que parecia feito de cera e dava a impressão de que derreteria se exposto ao calor, fazia uma cara de animal selvagem.

Dimonte disse:

– Vamos meter esse cara em cana.

– Expliquem todos os detalhes – pediu Lance Fein –, de tal modo que nem o Alan Dershowitz queira defendê-lo.

Dimonte fez um sinal para o seu companheiro com a cabeça.

– Vai fundo, Krinsky. Deixe-me excitado!

Krinsky apanhou seu bloco de notas e começou a ler:

– Rebecca Schayes foi atingida duas vezes à queima-roupa na cabeça por uma pistola automática 9 milímetros. Sob um mandado de busca federal, uma pistola 9 milímetros foi encontrada na garagem do Dr. David Beck.

– Encontraram impressões digitais na pistola? – perguntou Fein.

– Não. Mas um exame de balística confirmou que a pistola encontrada na garagem do Dr. Beck é a arma do crime.

Dimonte sorriu e ergueu as sobrancelhas.

– Alguém ainda duvida de que foi ele?

Fein franziu as sobrancelhas e depois as relaxou.

– Por favor, continue – ele disse.

– Sob o mesmo mandado de busca federal, um par de luvas de látex foi encontrado em uma lata de lixo na residência do Dr. David Beck. Resíduos de pólvora foram detectados na luva direita. O Dr. Beck é destro.

Dimonte levantou as botas de pele de cobra e manobrou o palito na boca.

– Vai, continua. Estou gostando da história.

Fein franziu a testa. Krinsky, sem desgrudar os olhos do bloco, umedeceu um dedo com saliva e virou a página.

– Na mesma luva de látex, o laboratório descobriu um fio de cabelo com cor idêntica à dos cabelos de Rebecca Schayes.

– Meu Deus! Meu Deus! – Dimonte começou a gritar com falso entusiasmo. Ou talvez fosse verdadeiro.

– Um teste de DNA conclusivo levará mais tempo – prosseguiu Krinsky. – Além disso, impressões digitais pertencentes ao Dr. David Beck foram encontradas na cena do crime, embora não na câmara escura, onde acharam o corpo.

Krinsky fechou o bloco de notas. Todos os olhares se voltaram para Lance Fein.

Fein se levantou e esfregou o queixo. Apesar do comportamento de Dimonte, todos tinham o mesmo entusiasmo. Sentia-se no ar aquele clima que antecede a captura de um criminoso, aquela euforia inebriante que surge com os casos realmente abomináveis. Haveria entrevistas coletivas à imprensa, telefonemas de políticos e retratos nos jornais.

Somente Nick Carlson permanecia meio apreensivo. Ele não parava de torcer e endireitar um clipe. Alguma coisa muito estranha estava acontecendo. Em primeiro lugar, havia os dispositivos de escuta na casa de Beck. Alguém vinha ouvindo suas conversas. E seu telefone também estava grampeado. Ninguém parecia saber o motivo ou se importar com isso.

– Lance? – Era Dimonte.

Lance Fein pigarreou e perguntou:

– Sabe onde o Dr. Beck está neste instante?

– Em sua clínica – respondeu Dimonte. – Mandei dois policiais ficarem de olho nele.

Fein balançou a cabeça afirmativamente.

– Vamos, Lance – disse Dimonte. – Deixe-me prendê-lo.

– Primeiro vamos avisar à senhorita Crimstein – disse Fein. – Como uma cortesia.

◆◆◆

Shauna contou quase tudo a Linda. Só deixou de fora a parte em que Beck "viu" Elizabeth no computador. Não porque não desse crédito àquela história. Ela havia provado que aquilo era uma fraude digital. Mas Beck havia sido firme. Não conte a ninguém. Ela não gostava de ter segredos para Linda, mas aquilo era preferível a trair a confiança de Beck.

Linda ficou o tempo todo observando os olhos de Shauna. Ela não balançou a cabeça, nem falou, nem sequer se mexeu. Quando Shauna terminou, Linda perguntou:

– Você viu as fotos?

– Não.

– Onde foi que a polícia as conseguiu?

– Não sei.

Linda se levantou.

– David seria incapaz de agredir Elizabeth.

– Eu sei.

Linda abraçou o próprio corpo. Ela começou a respirar fundo. Seu rosto empalideceu.

– Você está bem? – perguntou Shauna.

– O que você está escondendo de mim?

– O que a faz pensar que estou escondendo alguma coisa?

Linda ficou olhando para Shauna.

– Pergunte ao seu irmão – disse Shauna.

– Por quê?

– Não cabe a mim contar.

O interfone tocou novamente. Desta vez, Shauna atendeu.

– Sim?

– É Hester Crimstein – respondeu a voz no interfone.

Shauna apertou o botão que abria a porta. Dois minutos depois, Hester entrou esbaforida na sala.

– Conhecem uma fotógrafa chamada Rebecca Schayes?

– Claro – respondeu Shauna. – Quer dizer, não a vejo há muito tempo.

– Faz muitos anos – concordou Linda. – Ela e Elizabeth dividiram um apartamento no centro. Por quê?

– Ela foi assassinada na noite passada – informou Hester. – A polícia acha que foi Beck quem a matou.

As duas mulheres congelaram. Shauna se recuperou primeiro.

– Mas eu estive com Beck na noite passada – disse. – Na casa dele.

– Até que horas?

– Até que horas você precisa?

Hester fez uma cara séria.

– Não brinque comigo, Shauna. A que horas você saiu da casa dele?

– Dez, dez e meia. Ela foi morta a que horas?

– Não sei ainda. Mas tenho uma fonte na polícia. Ela revelou que eles têm provas sólidas contra ele.

– Impossível.

Um telefone celular soou. Hester Crimstein atendeu.

– O quê?

A pessoa do outro lado falou por um tempo que pareceu bem longo. Hester ouviu em silêncio. Seu semblante começou a adquirir um ar de derrota.

Alguns minutos depois, sem dizer até logo, ela desligou o telefone com um movimento brusco.

– Uma chamada de cortesia – murmurou ela.

– O quê?

– Eles vão prender o seu irmão. Temos uma hora para entregá-lo às autoridades.

24

EU NÃO CONSEGUIA PARAR DE PENSAR no Washington Square Park. É verdade que eu não deveria aparecer por lá por pelo menos quatro horas. Mas, embora eu tivesse de atender a eventuais emergências, aquele era meu dia de folga. Livre como um pássaro – e esse pássaro queria voar até o Washington Square Park.

Eu estava saindo da clínica quando o bipe voltou a tocar. Suspirei e verifiquei o número. Era Hester Crimstein. Com um código de emergência.

Coisa boa não era.

Por um momento, pensei em não ligar de volta – em prosseguir meu voo –, mas depois vi que isso não fazia sentido. Dei meia-volta até o consultório. A porta estava fechada e a alavanca vermelha tinha sido puxada. Isso significava que algum outro médico estava usando a sala.

Desci o corredor, dobrei à esquerda e encontrei uma sala vazia na seção de ginecologia e obstetrícia. Senti-me como um espião em território inimigo. A sala brilhava com o excesso de metais. Cercado de fórceps e outros dispositivos que pareciam assustadoramente medievais, disquei o número.

Hester Crimstein nem se deu o trabalho de dizer alô.

– Beck, temos uma grande encrenca. Onde você está?

– Estou na clínica. O que está acontecendo?

– Responda a uma pergunta – disse Hester Crimstein. – Quando foi a última vez que você viu Rebecca Schayes?

Meu coração começou a disparar.

– Foi ontem. Por quê?

– E antes disso?

– Há oito anos.

Crimstein deixou escapar um palavrão.

– O que está acontecendo? – perguntei.

– Rebecca Schayes foi morta ontem à noite em seu estúdio. Alguém deu dois tiros em sua cabeça.

Tive uma sensação de queda, daquelas que você tem momentos antes de adormecer. Minhas pernas tremeram. Desmoronei na cadeira.

– Meu Deus...

– Beck, escute. Preste atenção.

Lembrei-me da aparência de Rebecca no dia anterior.

– Onde você estava na noite passada?

Afastei o telefone e respirei fundo. Morta. Rebecca estava morta.

Estranhamente, lembrei-me do brilho de seus bonitos cabelos. Pensei em seu marido. Pensei em como seriam suas noites, deitado na cama, lembrando-se de como aqueles cabelos costumavam se espalhar pelo travesseiro.

– Beck?

– Em casa – respondi. – Estava em casa com Shauna.

– E depois disso?

– Fui dar uma volta.

– Onde?

– Por perto.

– Por perto onde?

Eu não respondi.

– Escute, Beck, encontraram a arma do crime na sua casa.

Ouvi as palavras, mas não conseguia captar o sentido delas. A sala de repente pareceu apertada. Não havia janelas. Estava difícil respirar.

– Está me ouvindo?

– Sim – respondi. Depois de alguns segundos, enfim entendendo, disse: – Não é possível.

– Olhe, não temos tempo para lamentar agora. Você está prestes a ser preso. Falei com o promotor encarregado. Ele é um pé no saco, mas concordou em deixar que você se entregue.

– Preso?

– Fique onde está, Beck.

– Mas eu não fiz nada.

– Isso é irrelevante agora. Eles vão prender você. Você será levado a juízo. Depois vamos libertá-lo sob fiança. Estou a caminho da clínica agora. Para buscá-lo. Fique aí. Não diga nada a ninguém, está ouvindo? Nem para os guardas, nem para os agentes federais, nem para o novo colega de cela. Entendeu?

Meu olhar se fixou no relógio sobre a mesa. Eram poucos minutos após as duas horas. Washington Square. Pensei em Washington Square.

– Não posso ser preso, Hester.

– Você será solto depois.

– Quanto tempo?

– Quanto tempo o quê?

– Quanto tempo levará até eu conseguir a fiança?

– Não sei exatamente. Acho que a fiança em si não será nenhum problema. Você não tem antecedentes criminais. É um membro importante da comunidade, com raízes e laços. Provavelmente terá de entregar o passaporte...

– Mas quanto tempo?

– Quanto tempo até o quê, Beck? Não estou entendendo.

– Até eu sair da prisão.

– Olhe, vou tentar pressioná-los, certo? Mas mesmo que eles agilizem o processo, e não posso garantir que vão agilizar, terão que enviar suas impressões digitais para Albany. É a regra. Se tivermos sorte, podemos fazer com que você seja levado a juízo à meia-noite.

– Meia-noite?

O medo envolveu-me o tórax como cabos de aço. A cadeia significava perder o encontro no Washington Square Park. Minha ligação com Elizabeth era frágil como vidro. Se eu não estivesse em Washington Square às 17 horas...

– Não dá – eu disse.

– O quê?

– Você tem que detê-los, Hester. Fazer com que me prendam amanhã.

– Está brincando? Olhe, eles já devem estar aí vigiando você.

Coloquei a cabeça para fora da porta e olhei para o fundo do corredor. De onde eu estava, só conseguia ver parte do balcão de recepção, o canto direito, mas foi o suficiente.

Havia dois guardas, talvez mais.

– Meu Deus! – exclamei, retrocedendo para dentro da sala.

– Beck?

– Não posso ser preso – repeti. – Hoje não.

– Não me deixe nervosa, Beck. Fique aí. Não saia do lugar, não fale com ninguém, não faça nada. Fique sentado na sua sala e aguarde. Estou indo.

Ela desligou.

Rebecca estava morta. Achavam que eu era o assassino. Ridículo, é claro, mas tinha que haver uma ligação. Eu a tinha visitado, pela primeira vez, depois de oito anos. Na mesma noite ela acabou sendo morta.

Que diabo estaria acontecendo?

Abri a porta e coloquei a cabeça para fora. Os guardas não olhavam em minha direção. Saí sem fazer alarde e comecei a descer o corredor. Havia uma saída de emergência nos fundos. Eu poderia escapar por ali. Depois, iria até Washington Square Park.

Será que eu conseguiria escapar da polícia?

Eu não sabia. Mas, quando alcancei a porta, arrisquei uma olhada para trás. Um dos guardas me avistou. Ele apontou para mim e saiu correndo em minha direção.

Abri a porta com força e saí correndo.

◆◆◆

Não conseguia acreditar no que estava acontecendo. Eu estava fugindo da polícia.

A saída de emergência dava para uma rua escura bem atrás da clínica. A rua não me era familiar. Pode parecer estranho, mas eu mal conhecia aquela região. Eu vinha, trabalhava e ia embora. Ficava fechado num ambiente sem janelas, doente com a falta de sol, como uma coruja sombria. Se me afastasse um quarteirão de onde eu trabalhava, estaria em território totalmente desconhecido.

Virei à direita sem nenhum motivo. Atrás de mim, ouvi a porta sendo aberta.

– Pare! Polícia!

Eles realmente berraram aquilo. Não entreguei os pontos. Eles atirariam? Duvidei. Imagine a repercussão de atirar em um homem desarmado que estava apenas fugindo. Não era impossível – pelo menos, não naquele bairro –, mas era pouco provável.

Não havia muita gente naquele quarteirão, mas quem estava lá me encarou com o mesmo interesse passageiro de quem pula de canal em canal na TV com o controle remoto. Passei correndo por um homem mal-encarado com um rottweiler igualmente mal-encarado. Uns velhos sentados na esquina se queixavam da vida. Mulheres carregavam bolsas em excesso. Crianças que àquela hora deveriam estar na escola estavam encostadas no que estivesse disponível, cada uma mais antipática do que a outra.

Quanto a mim, estava fugindo da polícia.

Minha mente não acreditava no que acontecia. Minhas pernas já estavam ficando bambas. Mas a imagem de Elizabeth olhando para a câmera me incentivava a avançar.

Eu respirava ofegante.

A gente ouve falar que a adrenalina é capaz de impelir uma pessoa para a frente e que lhe dá uma força incomum, mas existe o outro lado da moeda. A sensação é inebriante, fora de controle. Ela aguça os sentidos a ponto de paralisar. Esse poder precisa ser controlado para que ele não o derrube.

Entrei num beco – é o que eles sempre fazem nos seriados da TV – que acabou se revelando sem saída, dando para os latões de lixo mais imundos do planeta. O mau cheiro me fez empinar como um cavalo. Anos antes, quando LaGuardia era prefeito, as lixeiras talvez fossem verdes. Tudo o que restava agora era a ferrugem. Em vários pontos, a ferrugem abrira buracos no metal por onde ratos circulavam com a mesma facilidade com que o esgoto percorre um cano.

Procurei alguma passagem, uma porta ou qualquer outra coisa, mas não havia nada. Nenhuma saída. Pensei em quebrar uma janela para obter acesso, mas as mais baixas tinham grades.

A única saída era o caminho por onde eu entrara – onde os policiais com certeza me veriam.

Estava encurralado.

Olhei para a esquerda, para a direita e depois, estranhamente, para cima.

Escadas de emergência.

Havia várias sobre a minha cabeça. Ainda explorando minha fonte interna de adrenalina, saltei com toda a força, estiquei os dois braços, mas acabei de bunda no chão. Tentei novamente. Não cheguei nem perto. As escadas eram altas demais.

E agora?

Talvez eu pudesse arrastar uma lixeira até lá, ficar de pé sobre ela e pular de novo. Mas as tampas das lixeiras haviam sido totalmente destruídas pela ferrugem. Mesmo que eu pudesse me equilibrar sobre as pilhas de lixo, não conseguiria altura suficiente.

Respirei fundo e tentei refletir. O fedor estava me atingindo, entrando pelo nariz. Retrocedi até a entrada do beco.

Estática de rádio. Como algo que você ouviria de um rádio da polícia.

Espremi-me contra a parede e escutei. Esconder. Eu tinha de me esconder.

A estática foi ficando mais alta. Ouvi vozes. Os tiras se aproximavam. Eu estava totalmente exposto. Grudei-me ainda mais na parede, como se aquilo pudesse ajudar. Como se eles fossem dobrar a esquina e me confundir com um mural.

Sirenes abalavam o ar tranquilo. Sirenes por minha causa.

Ouvi passos. Eles estavam definitivamente se aproximando.

Só havia um lugar onde me esconder.

Rapidamente imaginei qual dos latões seria o menos imundo, fechei os olhos e mergulhei.

Leite azedo. Leite *totalmente* azedo. Foi o primeiro cheiro que me atingiu. Mas não foi o único. Senti um fedor ainda pior do que o de vômito. Eu estava sentado sobre algo úmido e pútrido que grudava em mim. Tive ânsia de vômito. Meu estômago ficou embrulhado.

Ouvi alguém correndo diante da entrada do beco. Permaneci abaixado.

Um rato passou sobre a minha perna.

Quase gritei, mas meu subconsciente me amordaçou. Meu Deus, aquilo era surreal. Tentei prender a respiração, mas só consegui por pouco tempo. Tentei respirar pela boca, mas voltei a sentir ânsia de vômito. Com a camisa, tapei o nariz e a boca. Aquilo ajudou, mas não muito.

A estática de rádio havia desaparecido. Os passos também.

Teria conseguido enganá-los? Se consegui, não foi por muito tempo. Novas sirenes de polícia se fizeram ouvir, harmonizando-se com as primeiras numa verdadeira "Rhapsody in Blue". Os tiras teriam reforço agora. Logo, logo alguém voltaria. Eles examinariam o beco. Como escapar?

Agarrei a beira da lata de lixo para me levantar e sair. A ferrugem me cortou. Levei a mão à boca. Estava sangrando. O pediatra dentro de mim alertou para os perigos do tétano. O resto de mim observou que o tétano seria a menor das minhas preocupações.

Prestei atenção aos ruídos. Nenhum passo. Nenhuma estática. As sirenes ainda soavam, mas eu esperava o quê? Mais reforços. Um assassino estava à solta em nossa bela cidade. Os homens da lei viriam com força total. Eles isolariam a área e fariam uma varredura.

Até onde eu havia corrido?

Não sabia. Mas tinha uma certeza. Eu não podia parar. Precisava me distanciar ao máximo da clínica.

Isso significava sair daquele beco.

Novamente rastejei até a saída. Continuei não ouvindo passos nem rádio. Bom sinal. Tentei raciocinar por um momento. Fugir era uma ótima ideia, mas eu precisava de um destino. Decidi seguir na direção leste, embora aquela zona fosse menos segura. Lembro-me de ter visto trilhos de trem.

O metrô.

Aquilo me levaria para longe dali. Tudo o que eu tinha de fazer era entrar num trem, fazer algumas baldeações, e aí talvez eu conseguisse desaparecer. Mas onde ficava a entrada de metrô mais próxima?

Eu tentava evocar mentalmente o mapa do metrô quando um policial entrou no beco.

Ele parecia bem jovem, alinhado, penteado e saudável. As mangas azuis da camisa estavam impecavelmente arregaçadas, com dois torniquetes em seus bíceps avantajados. Ele se assustou ao me ver – tão surpreso com minha presença como eu com a dele.

Ambos congelamos. Mas ele congelou por uma fração de segundo a mais.

Se eu tivesse me aproximado dele como um boxeador ou um lutador de kung fu, ele teria me arrebentado a cara. Mas não foi o que fiz. Entrei em pânico. Agi movido por puro medo.

Atirei-me contra ele.

Com o queixo contraído, abaixei a cabeça e mirei seu estômago, como um foguete. Elizabeth jogava tênis. Certa vez ela me contou que, quando seu adversário estava junto à rede, muitas vezes ela atirava a bola bem na barriga, para que ele não soubesse para onde se mover. Com isso ela retardava seu tempo de reação.

Foi isso o que aconteceu.

Meu corpo bateu contra o dele. Agarrei seus ombros como um macaco dependurado numa grade. Tombamos. Levantei os joelhos e enterrei-os em seu peito. Meu queixo continuava contraído, o alto da minha cabeça sob a mandíbula do jovem policial.

Atingimos o solo com um terrível estrondo.

Ouvi um barulho de rachadura. Uma dor aguda desceu de onde meu crânio atingira sua mandíbula. O jovem policial emitiu um gemido baixinho. Sua mandíbula parecia estar quebrada. O pânico tomou conta de mim. Afastei-me dele como se tivesse levado um choque elétrico.

Eu atacara um policial.

Não havia tempo para ficar pensando. Eu só queria me afastar dele. Consegui me levantar e estava prestes a me virar e sair correndo quando senti sua mão no meu tornozelo. Olhei para baixo e nossos olhos se encontraram.

Ele sentia dor. Causada por mim.

Mantive o controle e desferi um pontapé que atingiu suas costelas. Ele emitiu um ruído molhado desta vez. O sangue jorrava de sua boca. Eu não conseguia acreditar no que estava fazendo. Dei um novo pontapé, forte o suficiente para que ele me soltasse. Eu estava livre.

E saí correndo.

25

HESTER E SHAUNA PEGARAM UM TÁXI até a clínica. Linda pegou o trem número 1 até o World Financial Center para falar com o consultor financeiro sobre a liquidação de alguns ativos para o pagamento da fiança.

Uma dúzia de viaturas da polícia estava estacionada diante da clínica de Beck, apontando para diferentes direções como dardos atirados por um bêbado.

As luzes vermelhas e azuis giravam em alerta máximo. Sirenes soavam. Mais carros da polícia chegavam.

– Que diabo está acontecendo aqui? – perguntou Shauna.

Quando Hester avistou o promotor assistente Lance Fein, ele já a tinha visto. E disparou na direção das duas mulheres. Seu rosto estava rubro e a veia na testa pulsava.

– O filho da mãe fugiu – desembuchou Fein, sem nenhum preâmbulo.

Hester contra-atacou:

– Seus homens devem tê-lo espantado.

Dois novos carros de polícia apareceram, e também o carro de reportagem do Canal 7. Fein praguejou:

– A imprensa. Cacete, Hester. Sabe o que eles vão falar de mim?

– Olhe, Lance...

– Que sou um corrupto que dá tratamento especial aos ricos. Como é que você faz uma coisa dessas comigo, Hester? Sabe o que o prefeito vai fazer? Vai cair na minha pele. E Tucker – Tucker era o promotor-chefe de Manhattan –, meu Deus, você nem imagina o que ele vai fazer!

– Promotor Fein!

Um dos policiais o chamou. Fein encarou as duas mulheres outra vez antes de se afastar bruscamente.

Hester descarregou sua ira sobre Shauna:

– Será que Beck ficou maluco?

– Ele se assustou – disse Shauna.

– Ele está fugindo da polícia – gritou Hester. – Tem ideia da gravidade? Sabe o que isso significa? – Ela apontou para o carro de reportagem. – A droga da mídia está aqui. Eles vão falar sobre o assassino fugitivo. Isso é perigoso. Faz com que ele pareça culpado. Pode até jogar o júri contra ele.

– Fique calma – disse Shauna.

– Calma? Entende o que ele fez?

– Ele fugiu. Só isso. Como O. J. Simpson, certo? Simpson não teve o menor problema com o júri.

– Não se trata de O. J. Simpson, Shauna. Estamos falando de um médico branco e rico.

– Beck não é rico.

– Não é esse o problema, droga! Vão querer crucificá-lo depois disso. A fiança, um julgamento justo, tudo isso já era. – Ela tomou fôlego e cruzou os braços. – E Fein não é o único cuja reputação está em jogo.

– Como assim?

– E a minha reputação? – berrou Hester. – De uma só tacada, Beck destruiu minha credibilidade junto à promotoria. Quando eu prometo entregar um sujeito, tenho de cumprir a palavra.

– Sabe de uma coisa, Hester?

– O quê?

– Eu não estou nem aí para a sua reputação neste momento.

Uma súbita irrupção sonora abalou as duas mulheres. Elas se viraram e viram uma ambulância descer correndo o quarteirão. Alguém gritou. Depois outro grito. Guardas começaram a correr para lá e para cá como um monte de bolinhas soltas ao mesmo tempo num fliperama.

A ambulância parou cantando pneus. Os enfermeiros – um homem e uma mulher – saltaram da cabine. Rápido. Muito rápido. Eles abriram a traseira e tiraram uma maca.

– Por aqui! – alguém gritou. – Ele está aqui!

Shauna sentiu o coração falhar. Ela correu até Lance Fein.

Hester correu atrás.

– O que há de errado? – perguntou Hester. – O que aconteceu?

Fein a ignorou.

– Lance?

Ele enfim as olhou de frente. Os músculos de seu rosto tremiam de raiva.

– Seu cliente.

– O que aconteceu com ele? Está ferido?

– Ele acabou de atacar um policial.

◆◆◆

Aquilo era loucura.

Eu havia transposto uma barreira ao fugir, mas atacar aquele guarda... Não havia mais caminho de volta. Então corri. Com todas as minhas forças.

– Alto lá!

Alguém realmente gritou aquilo. Mais gritos se seguiram. Mais estática de rádio. Mais sirenes. Todos vinham na minha direção. Meu coração saltou até a garganta. Continuei forçando minhas pernas. Comecei a senti-las rígidas e pesadas, como se os músculos e os ligamentos estivessem se petrificando. Estava fora de forma. Começou a escorrer muco do meu nariz, misturando-se à sujeira que eu acumulara no lábio superior e penetrando na minha boca.

Ziguezagueei de um quarteirão para outro como se aquilo fosse enganar a polícia. Nem virei para trás para ver se estavam me seguindo. Sabia que estavam. As sirenes e a estática de rádio mostravam isso.

Eu não tinha saída.

Disparei por áreas que jamais teria percorrido de carro. Pulei uma cerca e corri pela grama alta do que um dia parecia ter sido um parque infantil. As pessoas comentavam sobre como os preços dos imóveis em Manhattan haviam subido. Mas ali, não muito longe da Harlem River Drive, havia terrenos baldios cheios de cacos de vidro e ruínas enferrujadas do que poderiam ter sido balanços, escorregas, gangorras e até carros.

Diante de um conjunto de prédios populares, um grupo de adolescentes negros com pinta de cantores de rap olhou para mim como se eu fosse um estranho no ninho. Eles iam fazer alguma coisa – eu não sabia o quê – quando perceberam que a polícia estava no meu encalço.

Começaram a torcer por mim.

– Vai fundo, branquelo!

Fiz um sinal de agradecimento com a cabeça ao passar disparado por eles, um maratonista grato pelo pequeno incentivo da multidão. Um deles gritou:

– Diallo!

Continuei correndo, mas, claro, eu sabia quem era Amadou Diallo. Todos em Nova York sabiam. Ele havia levado 41 tiros da polícia – embora estivesse desarmado. Por um momento, pensei que aquilo fosse uma espécie de aviso de que a polícia poderia atirar em mim.

Mas não era nada disso.

Os defensores dos policiais alegaram que, quando Amadou Diallo foi pegar a carteira no bolso, os guardas acharam que se tratasse de um revólver. Desde então, as pessoas, em sinal de protesto, enfiavam rapidamente a mão no bolso e apanhavam a carteira, gritando: Diallo! Os guardas que patrulhavam as ruas contavam que, sempre que isso acontecia, sentiam o baque do medo.

Foi o que aconteceu então. Meus recém-aliados – que provavelmente torciam por mim por pensarem que eu era um assassino – tiraram suas carteiras do bolso. Os dois guardas que me perseguiam hesitaram. Foi o suficiente para aumentar minha distância deles.

Mas o que fazer?

Minha garganta queimava. Eu estava inspirando uma quantidade excessiva de ar. Minhas botas pareciam feitas de chumbo. Sentia-me lerdo. Meu pé fraquejou, fazendo com que eu tropeçasse. Perdi o equilíbrio e escorreguei na calçada, arranhando as palmas das mãos, o rosto e os joelhos.

Consegui me levantar, mas minhas pernas tremiam.

A distância dos guardas em relação a mim estava diminuindo. O suor fazia a camisa grudar em minha pele. Meus ouvidos zuniam como se eu estivesse surfando. Sempre detestei corridas.

Os recém-convertidos ao jogging costumam contar como se viciaram no esporte, como conseguem atingir um verdadeiro êxtase correndo. Sempre acreditei firmemente que – assim como na autoasfixia – o êxtase vinha mais da falta de oxigênio no cérebro do que de algum afluxo de endorfina.

Acredite, eu não estava sentindo êxtase nenhum.

Cansado. Cansado demais. Eu não podia continuar correndo para sempre. Olhei para trás. Nenhum guarda. A rua estava abandonada. Tentei uma porta. Fechada. Tentei outra. O estalido do rádio recomeçou. Corri. No fim do quarteirão, vi a porta de um porão entreaberta. Também enferrujada. Tudo estava enferrujado naquele lugar.

Inclinei-me e puxei a maçaneta de metal. A porta se abriu com um rangido maldito. Espiei a escuridão lá dentro.

Um tira berrou:

– Cerquem do outro lado!

Nem quis olhar para trás. Enfiei o pé rapidamente no buraco.

Alcancei o primeiro degrau. Frouxo. Procurei com o pé o segundo degrau. Não havia mais nenhum.

Fiquei suspenso no ar por um segundo, como um personagem de desenho animado que salta de um penhasco, antes de mergulhar implacavelmente na cova escura.

A queda não deve ter ultrapassado três metros, mas tive a impressão de levar muito tempo até atingir o chão. Agitei os braços. Não adiantou. Meu corpo aterrissou no cimento, e o impacto fez meus dentes estalarem.

Eu estava de costas agora, olhando para cima. A porta se fechou. Melhor assim, pensei, mas a escuridão agora era total. Fiz um rápido exame de minha condição, o médico examinando a si mesmo. Tudo doía.

Ouvi os tiras novamente. As sirenes não haviam desistido, ou talvez o som ecoasse apenas em meus ouvidos. Muitas vozes. Muita estática.

Eles estavam fechando o cerco.

Virei para o lado e me apoiei na mão direita, com a palma ardendo por causa dos cortes, para levantar o corpo do chão. Minha cabeça zonza protestou quando fiquei de pé. Quase caí de novo.

E agora?

Deveria permanecer escondido ali? Não, aquilo não adiantaria. No final, eles começariam a revistar as casas. Eu seria pego. E, mesmo que não fosse, eu não fugira com a intenção de ficar escondido num porão abafado. Fugira para poder manter meu compromisso com Elizabeth em Washington Square.

Tinha de ir em frente.

Mas para onde?

Meus olhos começaram a se adaptar ao escuro, o suficiente para ver formas indistintas. Caixas estavam empilhadas ao acaso. Havia pilhas de trapos, algumas cadeiras de bar, um espelho quebrado. Ao ver meu reflexo no vidro, quase caí para trás. Havia um talho na minha testa. Minhas calças estavam rasgadas nos dois joelhos. Minha camisa estava esfarrapada como a do Incrível Hulk. A fuligem era tanta que eu poderia trabalhar como limpador de chaminés.

Para onde ir?

Uma escada. Tinha de haver uma escada em algum lugar. Fui tateando, movendo-me numa espécie de dança espasmódica, abrindo caminho com a perna esquerda como se fosse uma bengala de cego. Pisei sobre cacos de vidro. Continuei avançando.

Ouvi o que me pareceu um resmungo, e uma gigantesca pilha de trapos se ergueu à minha frente. Algo semelhante à mão de um homem se estendeu em minha direção como que saída da tumba. Contive um grito.

– Himmler adora filés de atum! – ele gritou para mim.

O homem – sim, agora eu via claramente que se tratava de um homem – começou a se levantar. Era alto e negro e tinha uma barba tão grisalha e crespa que parecia estar comendo uma ovelha.

– Está me ouvindo? – gritou o homem. – Ouviu o que eu disse?

Ele avançou na minha direção. Eu me encolhi.

– Himmler! Ele adora filés de atum!

O homem barbudo estava claramente descontente com alguma coisa.

Fechou o punho e deu um soco na minha direção. Desviei-me automaticamente para o lado. Seu punho passou por mim com força suficiente para fazê-lo perder o equilíbrio – ou talvez ele estivesse bêbado. Ele caiu de cara no chão. Não esperei que se levantasse. Encontrei a escada e corri para cima.

A porta estava trancada.

– Himmler!

A voz dele era alta, muito alta. Empurrei a porta. Não se abriu.

– Está me ouvindo? Está ouvindo o que estou dizendo?

Ouvi um estalido. Olhei para trás e vi algo que encheu meu coração de medo. Luz solar.

Alguém abrira a porta pela qual eu tinha entrado.

– Quem está aí embaixo?

A voz era autoritária. A luz de uma lanterna rodopiou pelo chão. Ela atingiu o homem barbudo.

– Himmler adora filés de atum!

– É você que está gritando, seu velho?

– Está me ouvindo?

Usei o ombro para empurrar a porta, usando toda a minha força.

O portal começou a estalar. A imagem de Elizabeth pipocou na minha mente – aquela que eu vira no computador –, o braço erguido, os olhos me chamando. Empurrei ainda com mais força.

A porta se abriu.

Fui parar no andar térreo, perto do portão de entrada do prédio.

E agora?

Outros policiais estavam próximos – eu ainda ouvia a estática de rádio –, e um deles entrevistava o biógrafo de Himmler. Eu não tinha muito tempo e precisava de ajuda.

Mas de quem?

Não podia telefonar para Shauna. A polícia estaria de olho nela. O mesmo com Linda. Hester insistiria para que eu me entregasse.

Alguém estava abrindo o portão de entrada.

Desci rapidamente o corredor. O linóleo do chão estava imundo. As portas dos apartamentos eram todas de metal e estavam fechadas. Empurrei com força uma porta corta fogo e subi as escadas. No terceiro andar, voltei para o corredor.

Dei de cara com uma velha.

Para minha surpresa, ela era branca. Devia ter ouvido a confusão e saído para ver o que estava acontecendo. Parei bruscamente. Ela estava suficientemente afastada da porta aberta de seu apartamento para que eu pudesse entrar...

Chegaria ao ponto de invadir o apartamento de uma velhinha para fugir?

Olhei para ela. Ela olhou para mim. Em seguida, ela apanhou um revólver.

Meu Deus.

– O que o senhor quer? – ela perguntou.

Vi-me respondendo:

– Posso usar seu telefone?

Ela não titubeou:

– Vinte paus.

Apanhei a carteira e tirei o dinheiro. A velha deu um sorriso de satisfação e me deixou entrar. O apartamento era minúsculo e asseado. Toalhinhas de renda cobriam os braços do sofá e as mesinhas de madeira escura.

– Ali – ela indicou.

O telefone era de discar. Enfiei o dedo nos buraquinhos. Engraçado. Eu nunca discara aquele número antes – nunca quisera discar –, mas sabia de cor.

Psiquiatras seriam capazes de discutir esse fenômeno o dia inteiro. Terminei de discar e aguardei.

Dois sinais de chamada, e depois uma voz atendeu:

– Alô.

– Tyrese? É o Dr. Beck. Preciso da sua ajuda.

26

SHAUNA BALANÇOU a cabeça:

– Beck feriu alguém? Não é possível.

A veia de Fein voltou a pulsar. Ele avançou na direção de Shauna até ficarem cara a cara:

– Ele atacou um policial num beco. Parece que quebrou a mandíbula e algumas costelas do cara.

Fein se aproximou ainda mais, lançando gotas de cuspe nas bochechas de Shauna.

– Está me ouvindo?

– Perfeitamente – respondeu Shauna. – E agora dê um passo para trás porque não estou a fim de aturar seu mau hálito.

Fein permaneceu no lugar por alguns segundos só de pirraça, antes de se afastar. Hester Crimstein fez o mesmo. Ela começou a andar na direção da Broadway. Shauna foi atrás.

– Aonde você está indo? – perguntou.

– Desisto – disse Hester.

– O quê?

– Arrume outro advogado, Shauna.

– Você está brincando.

– Estou falando sério.

– Você não pode cair fora desse jeito.

– Duvida?

– Mas isso vai ser péssimo.

– Dei a minha palavra de que ele se entregaria – disse ela.

– Dane-se a sua palavra. A prioridade aqui é Beck, e não você.

– Para você, talvez.

– Você está se colocando na frente de um cliente?

– Recuso-me a trabalhar para um homem capaz de fazer uma coisa dessas.

– Está gozando da minha cara? Você defendeu estupradores.

Ela fez um gesto de despedida com a mão.

– Estou fora.

– Você não passa de uma maldita hipócrita viciada na mídia.

– Me poupe, Shauna.

– Pois eu vou até eles.

– Eles quem?

– Vou até a mídia.

Hester parou.

– E vai dizer o quê? Que abandonei um assassino desonesto? Boa, vai fundo. Eu vou jogar tanta merda no ventilador que, em comparação a Beck, Jeffrey Dahmer* parecerá um anjinho.

– Não há nada que você possa dizer contra ele – reagiu Shauna.

Hester deu de ombros.

– Quando estou com raiva, ninguém consegue me segurar.

As duas mulheres se encararam, furiosas.

– Você pode achar que minha reputação é irrelevante – disse Hester, numa voz subitamente branda. – Mas não é. Se a promotoria não pode contar com minha palavra, eu me torno inútil para os meus outros clientes. E para Beck também. É simples. Não vou deixar que minha carreira e meus clientes se ferrem só porque seu amigo agiu como um louco.

Shauna fez um gesto de reprovação com a cabeça:

– Saia da minha frente!

– E tem mais.

– O quê?

– Gente inocente não foge, Shauna. Aposto cem contra um que Beck matou Rebecca Schayes.

– Agora você passou dos limites – disse Shauna. – E tem mais um detalhe, Hester. Se você disser uma só palavra contra Beck, farei picadinho de você. Ouviu bem?

Hester não respondeu. Ela se afastou mais um passo de Shauna. E então o tiroteio começou.

◆◆◆

---

* Um dos mais terríveis *serial killers* de todos os tempos, condenado à prisão perpétua em 1992 e morto por outro presidiário em 1994. (N. do T.)

Estava meio agachado, descendo por uma saída de incêndio, quando o barulho de um tiroteio ali por perto me fez parar. Grudei-me no chão empoeirado e esperei.

Mais tiros.

Ouvi gritos. Deveria ter previsto aquilo, mas mesmo assim fiquei impressionado. Tyrese me mandara subir ali e esperá-lo. Não conseguia imaginar como ele planejava me tirar de lá. Agora eu estava começando a entender.

Uma diversão para desviar a atenção.

À distância, ouvi alguém gritar:

– Há um homem branco atirando lá de cima!

Depois outra voz:

– Um homem branco com um revólver! Um homem branco com um revólver!

Mais tiros. Mas – e forcei os ouvidos – já não ouvia a estática dos rádios da polícia. Continuei agachado e tentei não pensar demais. Meu cérebro parecia ter entrado em curto-circuito. Três dias antes, eu era um médico dedicado vagando pela minha própria vida como um sonâmbulo. Desde então, eu vira um fantasma, recebera e-mails de minha mulher morta, tornara-me suspeito não de um, mas de dois assassinatos, virara foragido da polícia, atacara um policial e pedira ajuda a um traficante de drogas.

As 72 horas mais emocionantes da minha vida.

Seria cômico se não fosse trágico.

– Ei, doutor.

Olhei para baixo. Tyrese tinha chegado. Com ele, outro homem negro, de 20 e poucos anos, extremamente alto. O grandão olhou para mim com seus óculos de sol reluzentes que combinavam à perfeição com a total ausência de expressão facial.

– Vamos, doutor. Vamos cair fora.

Desci correndo as escadas da saída de incêndio. Tyrese não parava de olhar para os lados. O sujeito grandão estava totalmente imóvel, braços cruzados na frente do peito, no que costumamos chamar de postura de búfalo. Hesitei diante do último lance de escada, tentando descobrir como fazer com que ela chegasse ao chão.

– Ei, doutor, a alavanca à esquerda.

Puxei-a, e a escada deslizou para baixo. Quando cheguei ao chão, Tyrese fez cara de nojo e balançou a mão diante do nariz.

– Você está bem cheiroso, doutor.

– Desculpe, mas não tive tempo de tomar banho.

– Por aqui.

Tyrese percorreu rapidamente os fundos do prédio. Eu o segui, tendo de apressar o passo para acompanhá-lo. O grandão caminhava com passos ágeis atrás de nós, em silêncio. Ele não olhava para os lados, mas tive a impressão de que mesmo assim não deixava passar nada despercebido.

Um BMW preto com vidros escuros, uma antena complicada e uma corrente ao redor da placa traseira estava com o motor ligado. As portas estavam todas fechadas, mas dava para ouvir o rap lá dentro. O baixo vibrava no meu peito como um diapasão.

– Um carro desses – perguntei com ar reprovador – não pode despertar suspeitas?

– Se você é da polícia e está atrás de um médico branquelo, qual o último lugar em que procuraria?

Ele tinha razão.

O grandão abriu a porta traseira. O som vibrava no volume de um show do Black Sabbath. Tyrese estendeu o braço como se fosse um porteiro. Entrei no carro. Ele se acomodou ao meu lado. O grandão se encaixou no assento do motorista.

Eu não conseguia entender muita coisa do que o rapper no CD dizia, mas ele estava claramente reclamando dos "homis". Subitamente entendi.

– Este aqui é Brutus – apresentou Tyrese.

Ele se referia ao motorista grandalhão. Tentei captar seus olhos no espelho retrovisor, mas não consegui discerni-los através dos óculos escuros.

– Prazer em conhecê-lo – eu disse. Brutus não respondeu.

Voltei minha atenção de novo para Tyrese.

– Como foi que você conseguiu isso?

– Mandei meus garotos darem uns tiros lá na rua 147.

– A polícia não vai achá-los?

Tyrese bufou:

– Sem chance.

– E é tão fácil assim escapar?

– Dali de onde estão, é fácil. Temos um apartamento no bloco 5 do Hobart Houses. Dou aos moradores 10 paus por mês para deixarem o lixo atravancando as portas traseiras. Fica tudo bloqueado, e os tiras não conseguem passar. Bom lugar para fazer negócios. Os meus rapazes vão até as janelas dar uns tiros. Quando os "homis" chegam lá, puf, eles já desapareceram.

– E quem estava gritando sobre um homem branco armado?

– Alguns dos meus rapazes.

– Teoricamente, eu – observei.

– Teoricamente – repetiu Tyrese com um sorriso. – Uma palavra grandona, doutor.

Reclinei a cabeça. A fadiga tomou conta de meus ossos. Brutus dirigiu para leste. Ele cruzou aquela ponte azul diante do Estádio Yankee – eu nunca soube direito o nome dela –, o que indicava que estávamos no Bronx. Por um momento, agachei-me com medo de que alguém espiasse para dentro do carro, mas depois lembrei que os vidros eram escuros. Olhei para fora.

A área era feia como o diabo, como uma daquelas cenas que se veem nos filmes apocalípticos depois da detonação da bomba. Havia diversos trechos de prédios em ruínas, em diferentes estágios de decadência. As construções pareciam ter desmoronado de dentro para fora, como se a estrutura de suporte tivesse se desgastado.

Continuamos um pouco mais. Tentei compreender o que acontecia, mas meu cérebro criava obstáculos. Uma parte de mim reconheceu que eu estava quase em estado de choque. A outra nem sequer admitia essa possibilidade. Concentrei-me nos arredores. À medida que avançamos – penetrando mais fundo na decadência –, os prédios habitáveis foram desaparecendo. Embora devêssemos estar a poucos quilômetros da clínica, eu não tinha a menor ideia de onde nos encontrávamos. Ainda no Bronx, pensei. Sul do Bronx, provavelmente.

Pneus velhos e colchões rasgados jaziam como destroços de guerra no meio da rua. Grandes blocos de cimento podiam ser vistos em meio ao capim. Havia carros depenados e, embora eu não visse fogo, parecia ter havido algum incêndio no passado.

– O senhor vem sempre aqui, doutor? – perguntou Tyrese, disfarçando o riso.

Não me dei o trabalho de responder.

Brutus parou o carro diante de outro prédio condenado. Uma cerca de ferro isolava o edifício decadente. As janelas haviam sido tapadas com compensado. Vi um pedaço de papel colado na porta, provavelmente um aviso de demolição. A porta também era de compensado. Ela se abriu. Um homem saiu, erguendo uma das mãos para proteger os olhos do sol, cambaleando como Drácula em contato com a luz.

Meu mundo continuava rodando.

– Vamos – disse Tyrese.

Brutus saltou do carro primeiro. Ele abriu a porta para mim.

Agradeci. Ele se manteve impassível. Tinha aquele ar de estátua de índio que você jamais poderia imaginar – e provavelmente não gostaria de ver – sorrindo.

À direita, um pequeno trecho da cerca havia sido arrebentado. Passamos agachados por ali. O homem cambaleante aproximou-se de Tyrese. Brutus retesou os músculos, mas Tyrese fez um sinal para que ficasse tranquilo. O homem cambaleante e Tyrese se abraçaram calorosamente e deram um complicado aperto de mão. Depois cada um seguiu seu caminho.

– Venha – disse Tyrese.

Entrei no prédio, minha mente ainda entorpecida. A primeira coisa que senti foi o fedor, o cheiro ácido de urina e a catinga inconfundível de fezes. Algo estava queimando – tenho a impressão de que eu sabia o que era – e um odor úmido e amarelo de suor parecia vir das paredes. Mas havia algo mais ali. Um cheiro, não de morte, mas de pré-morte, como gangrena, como algo morrendo e se decompondo enquanto ainda respira.

Fazia um calor sufocante. Seres humanos – talvez 50, talvez 100 – se espalhavam pelo chão como canhotos não premiados numa casa de apostas de corridas de cavalos. Estava escuro lá dentro. Parecia não haver eletricidade, nem água corrente, nem qualquer tipo de mobília. Tábuas bloqueavam a maior parte da luz do sol; a única iluminação vinha de fendas muito estreitas por onde os raios penetravam como a foice de um ceifeiro. Podiam-se distinguir algumas sombras e formas e pouca coisa mais.

Reconheço minha ingenuidade sobre o mundo das drogas. Na sala de emergência, vi os resultados muitas vezes. Mas as drogas nunca me interessaram pessoalmente. A bebida alcoólica era meu veneno predileto. Ainda assim, os estímulos eram suficientes para que até eu conseguisse deduzir que estávamos numa casa de crack.

– Por aqui – indicou Tyrese.

Começamos a andar em meio à escória humana. Brutus seguiu na frente. As pessoas reclinadas foram dando passagem como se ele fosse Moisés diante do mar Vermelho. Alinhei-me atrás de Tyrese. Cachimbos eram acesos alternadamente, pipocando na escuridão. Aquilo me lembrou o circo quando eu era criança, onde ficávamos girando pequenas lanternas no escuro. Era essa a impressão que eu tinha. Eu via o escuro. Eu via sombras. Eu via os lampejos.

Não se ouvia nenhuma música. Ninguém tampouco estava ali para conversar. Ouvi um sussurro. Ouvi o som úmido da aspiração dos cachimbos. Gritos cortavam o ar vez ou outra, sons meio desumanos.

Também ouvi gemidos. Pessoas praticavam os mais lascivos atos sexuais escancaradamente, sem nenhuma vergonha, sem nenhuma preocupação com a privacidade.

Uma visão específica – vou omitir os detalhes – me fez parar, horrorizado. Tyrese observou minha expressão meio sorridente.

– Quando acaba o dinheiro, eles trocam isso – apontou Tyrese – por droga.

Senti um gosto de bile na boca. Virei-me para ele. Ele deu de ombros.

– Comércio, doutor. É o que move o mundo.

Tyrese e Brutus continuaram andando. Segui cambaleante ao lado deles. A maior parte das paredes internas havia desmoronado. Pessoas – velhos, jovens, negros, brancos, homens, mulheres – amontoavam-se por toda parte, alquebradas, prostradas como os relógios das pinturas de Dalí.

– Você fuma crack, Tyrese? – perguntei.

– Já fumei. Viciei-me com 16 anos.

– Como foi que parou?

Tyrese sorriu.

– Está vendo meu capanga Brutus?

– Difícil não ver.

– Prometi dar a ele mil dólares a cada semana que eu permanecesse careta. Brutus veio morar comigo.

Fiz um sinal afirmativo com a cabeça. Aquilo parecia bem mais eficaz do que uma semana numa clínica de recuperação.

Brutus abriu uma porta. Aquele aposento, embora não muito bem equipado, pelo menos tinha mesas e cadeiras – até lâmpadas –, além de uma geladeira. Notei um gerador portátil no canto.

Tyrese e eu entramos. Brutus fechou a porta e permaneceu no corredor. Ficamos a sós.

– Bem-vindo ao meu escritório – disse Tyrese.

– Brutus ainda ajuda você a não usar drogas?

Ele balançou a cabeça.

– Não, meu filho faz isso agora. Entende o que estou dizendo?

Eu entendia.

– E você não tem problemas com o que faz aqui?

– Tenho muitos problemas, doutor. – Tyrese se sentou e me convidou a fazer o mesmo. Seus olhos cintilavam para mim, e não gostei do que vi neles. – Eu não sou nenhum santinho.

Fiquei sem resposta, por isso mudei de assunto.

– Preciso estar no Washington Square Park às 17 horas.

Ele se reclinou na cadeira.

– Diga-me o que está acontecendo.

– É uma longa história.

Tyrese pegou um canivete e começou a limpar as unhas.

– Se meu filho fica doente, vou ao especialista, certo?

Concordei com um movimento de cabeça.

– Se você tem problemas com a lei, deveria fazer o mesmo.

– Uma boa analogia.

– Algo ruim está acontecendo com você, doutor. – Ele abriu os braços. – Saiba que sou especialista em coisas ruins.

Contei-lhe a história. Quase toda. Ele balançou várias vezes a cabeça, mas acho que não acreditou quando eu disse que não tinha nada a ver com os assassinatos. Acho que ele nem se importou com isso.

– O.k. – disse ele quando terminei. – Agora você vai se arrumar. Depois precisamos conversar sobre outra coisa.

– O quê?

Tyrese não respondeu. Ele foi até um aparente cofre de metal reforçado no canto. Abriu-o com uma chave, inclinou-se para dentro e retirou uma arma.

– Uma autêntica Glock – disse, entregando-a para mim.

Estremeci. Uma imagem de escuridão e sangue surgiu na minha mente e logo desapareceu. Não fui atrás dela. Havia passado muito tempo. Estendi o braço e peguei a arma com dois dedos, como se pudesse estar quente.

– Arma de campeões – ele acrescentou.

Quase a recusei, mas seria tolice. Eu já estava sendo procurado por dois assassinatos, agressão a um policial, resistência à prisão e fuga. Porte ilegal de arma não era nada depois disso.

– Está carregada – informou ele.

– Tem alguma trava de segurança?

– Tinha.

– Ah! – exclamei. Virei-a lentamente, lembrando-me da última vez em que segurara uma arma. A sensação foi agradável. Algo ligado ao peso, imaginei. Gostei da textura, do aço frio, do encaixe perfeito na minha mão. Não gostei do fato de gostar dela.

– Pegue isto também. – Ele me entregou o que parecia um telefone celular.

– O que é isso? – perguntei.

Tyrese fez uma cara séria.

– O que parece? Um celular. Mas é um telefone clonado. Não pode ser rastreado.

Balancei a cabeça, sentindo-me um peixe fora d'água.

– Tem um banheiro atrás dessa porta – informou Tyrese, apontando para a direita. – Não tem chuveiro, mas tem uma banheira. Limpe essa sujeira. Vou lhe arrumar umas roupas limpas. Depois Brutus e eu levaremos você até Washington Square.

– Você disse que tinha algo para me dizer.

– Depois que você se vestir – disse Tyrese. – Então nós vamos conversar.

27

ERIC WU FITOU A ÁRVORE FRONDOSA. Seu rosto estava sereno, o queixo ligeiramente inclinado para cima.

– Eric? – A voz era de Larry Gandle.

– Sabe como se chama esta árvore? – perguntou Wu sem se virar.

– Não.

– O Olmo do Carrasco.

– Encantador.

Wu sorriu.

– Alguns historiadores acreditam que, durante o século XVIII, este parque foi usado para execuções públicas.

– Interessante, Eric.

– Pode crer.

Dois homens sem camisa passaram por eles de patins. Um aparelho de som tocava Jefferson Airplane. O Washington Square Park – nome dado em homenagem a George Washington, o que não causava nenhuma surpresa – era um desses lugares que tentavam preservar o clima dos anos 1960, embora isso fosse cada vez mais difícil. Havia protestos lá, mas os manifestantes mais pareciam atores numa encenação nostálgica do que autênticos revolucionários. Artistas apresentavam seus números com excesso de requinte. Moradores de rua formavam uma fauna colorida e meio constrangedora.

– Tem certeza de que o local está sendo bem vigiado? – perguntou Gandle.

Wu concordou com a cabeça, ainda contemplando a árvore.

– Seis homens. Mais os dois da caminhonete.

Gandle olhou para trás. A caminhonete branca tinha adesivos com os dizeres B&T Pinturas, um número de telefone e um logotipo engraçadinho de um sujeito segurando uma escada e um pincel. Se fossem solicitadas a descrever o veículo, as testemunhas lembrariam, no máximo, o nome da empresa e talvez o telefone.

Os dois eram fictícios.

A caminhonete estava estacionada em fila dupla. Em Manhattan, um carro comercial estacionado legalmente chamaria mais atenção do que um em fila dupla. Mesmo assim, os ocupantes estavam atentos. Se um policial se aproximasse, eles sairiam dali e levariam a caminhonete até um estacionamento na Lafayette Street. Lá, trocariam as placas e os adesivos. Em seguida, voltariam.

– É melhor você voltar para a caminhonete – sugeriu Wu.

– Você acha que Beck vai conseguir chegar aqui?

– Duvido – respondeu Wu.

– Achei que, se ele fosse preso, ela teria de sair da toca. – observou Gandle. – Eu não contava com esse encontro.

Um de seus espiões – o homem de cabelos encaracolados e de roupa de malha escura na noite anterior – vira a mensagem no computador do cibercafé. Mas, quando conseguiu transmiti-la, Wu já havia forjado os indícios na casa de Beck.

Não importava. O plano acabaria dando certo.

– Temos de pôr as mãos nos dois, mas ela é mais importante – disse Gandle. – Na pior das hipóteses, matamos os dois. Mas seria melhor pegá-los vivos. Assim podemos descobrir o que sabem.

Wu não respondeu. Ele ainda observava a árvore.

– Eric?

– Minha mãe foi enforcada numa árvore dessas – revelou Wu.

Gandle não soube o que responder, então se limitou a dizer "sinto muito".

– Pensaram que ela fosse uma espiã. Seis homens tiraram a roupa dela e apanharam um chicote. Eles bateram nela durante horas. Em todas as partes do corpo. Até o rosto ficou ferido. Ela ficou consciente o tempo todo e não parava de gritar. Levou muito tempo para morrer.

– Meu Deus – observou Gandle gentilmente.

– Quando terminaram de chicoteá-la, eles a penduraram numa árvore enorme. – Ele apontou para o Olmo do Carrasco. – Igual a esta. Era para servir de lição, é claro. Assim ninguém mais espionaria. Mas os pássaros e animais foram atraídos pelo corpo. Dois dias depois, só havia ossos naquela árvore.

Wu pôs o walkman novamente nos ouvidos e voltou as costas para a árvore.

– É melhor você não ficar à vista – disse ele. Larry teve dificuldade em desviar os olhos do enorme olmo, mas acabou assentindo com a cabeça e saiu dali.

28

VESTI UM JEANS PRETO CUJA CINTURA TINHA a circunferência aproximada de um pneu de caminhão. Dobrei o cós para diminuir a folga e apertei bem o cinto. A camisa preta do time de beisebol White Sox ficou parecendo uma bata havaiana. O boné preto – com um logotipo que não consegui reconhecer – já veio com a viseira quebrada. Tyrese também me deu uns óculos escuros do tipo usado por Brutus.

Tyrese quase riu quando saí do banheiro.

– Você está lindo, doutor.

– Acho que a palavra certa é sexy.

Ele riu.

– Esses brancos...

Depois seu rosto ficou sério. Ele passou para mim umas folhas de papel grampeadas. Peguei-as. No alto, estava escrito: Testamento. Olhei-o com ar interrogativo.

– Eu queria falar com você sobre isso – disse Tyrese.

– Sobre seu testamento?

– Ainda faltam dois anos para completar o meu plano.

– Que plano?

– Com mais dois anos de trabalho, terei dinheiro suficiente para tirar TJ daqui. Acho que tenho uns 60 por cento de chance.

– Chance de quê?

Os olhos de Tyrese se fixaram nos meus.

– Você sabe.

Eu sabia mesmo. Chance de sobreviver.

– Para onde você vai?

Ele me entregou um cartão-postal. Um cenário ensolarado, com mar azul e palmeiras. O postal estava amassado de tanto manuseio.

– Para a Flórida – ele respondeu num tom ligeiramente animado. – Conheço esse lugar. É tranquilo. Tem piscina e boas escolas. Ninguém querendo descobrir onde arrumei tanto dinheiro, sabe?

Devolvi a fotografia.

– E o que *eu* tenho a ver com isso?

– Este – ele levantou a fotografia – é o plano para os 60 por cento. Aquele – ele apontou para o testamento – é para os outros 40.

Eu disse que continuava não entendendo.

– Fui ao centro seis meses atrás. Arrumei um bom advogado que me custou 2 mil dólares por algumas horas. O nome dele é Joel Marcus. Se eu morrer, você vai ter que ir lá. Você é o executor do meu testamento. Tenho alguns papéis escondidos. Lá está escrito onde está o dinheiro.

– Por que eu?

– Você se preocupa com o meu filho.

– E Latisha?

Ele riu.

– Ela é mulher, doutor. Assim que eu bater as botas, ela vai correr atrás de outro macho, você sabe muito bem. É capaz de engravidar de novo. Talvez volte a usar drogas. – Ele relaxou e dobrou os braços. – Não se pode confiar nas mulheres, doutor. Você deveria saber disso.

– Ela é a mãe de TJ.

– Certo.

– Ela adora o filho.

– Sim, eu sei. Mas, veja bem, ela é apenas uma mulher. Se você botar o dinheiro na mão dela, vai desaparecer em um dia. Por isso apliquei nuns fundos de investimento e coisa e tal. Você é o executor. Quando ela precisar de dinheiro para TJ, você terá de aprovar. Você e esse tal de Joel Marcus.

Achei aquilo o cúmulo do machismo, mas o momento me pareceu inadequado para discordar. Virei na cadeira e olhei para ele. Tyrese talvez tivesse uns 25 anos. Havia visto muitos homens como ele. Eu sempre colocava todos eles no mesmo saco, misturando seus rostos em um retrato indistinto do mal.

– Tyrese?

Ele olhou para mim.

– Vá embora agora. – Ele fez uma cara séria. – Use o dinheiro que você tem. Arrume um emprego lá na Flórida. Eu empresto mais se você precisar. Mas leve sua família e vá agora.

Ele recusou minha sugestão com um movimento da cabeça.

– Tyrese?

Ele se levantou.

– Vamos, doutor. É melhor a gente ir.

◆◆◆

– Ainda estamos procurando por ele.

Lance Fein praguejou, seu rosto de cera quase derretendo. Dimonte ponderava. Krinsky tomava notas. Stone suspendeu a calça.

Carlson estava perplexo, inclinado sobre um fax que acabara de chegar no carro.

– E os tiros? – perguntou Lance Fein, irritado.

O guarda uniformizado – o agente Carlson nem se dera o trabalho de perguntar seu nome – deu de ombros.

– Ninguém sabe de nada. Acho que não tinha nada a ver.

– Nada a ver? – berrou Fein. – Que tipo de idiota incompetente é você, Benny? Uns caras vinham correndo pela rua gritando sobre um homem branco.

– Bem, ninguém sabe de nada ainda.

– Deem uma dura neles – ordenou Fein. – Deem uma dura. Descubram direitinho quem é esse homem branco. Aliás, como é que vocês deixam um cara desses escapar?

– Nós vamos pegá-lo.

Stone deu um tapinha no ombro de Carlson.

– O que está acontecendo, Nick?

Nick Carlson franziu a testa diante da folha impressa. Ele não falou. Era um homem metódico, quase obsessivo-compulsivo. Lavava demais as mãos. Costumava trancar e destrancar a porta umas 10 vezes antes de sair de casa. Ele continuou examinando o fax. Alguma coisa estava mal contada.

– Nick?

Carlson virou-se em sua direção.

– O 38 que achamos no cofre de Sarah Goodhart.

– Aquele da chave encontrada no sapato do bandido?

– Exato.

– E daí? – perguntou Stone.

Carlson continuou de testa franzida.

– Tem uma série de furos aqui.

– Furos?

– Primeiro – continuou Carlson – nós supusemos que o cofre de Sarah Goodhart fosse de Elizabeth Beck, certo?

– Certo.

– Mas alguém pagou a conta do cofre nos últimos oito anos – disse Carlson. – Elizabeth Beck está morta. Os mortos não pagam contas.

– Talvez o pai dela. Ele deve saber mais do que está revelando.

Carlson não gostou daquilo.

– E os aparelhos de escuta que encontramos na casa de Beck? O que há por trás deles?

– Sei lá – respondeu Stone com desdém. – Talvez algum outro agente tenha suspeitado dele também.

– A esta altura nós já saberíamos disso. E o relatório sobre o 38 encontrado no cofre? – Ele apontou para o relatório. – Você viu o que diz nele?

– Não.

– O Bulletproof não encontrou nenhum resultado, mas isso é normal, porque os dados não cobrem até oito anos atrás.

O Bulletproof, um modelo de análise de balas usado pela Divisão de Álcool, Tabaco e Armas de Fogo, permitia associar dados de crimes passados às armas de fogo descobertas mais recentemente.

– Mas o Centro Nacional de Rastreamento encontrou uma pista. Adivinhe qual foi o último proprietário registrado da arma.

Ele entregou o relatório a Stone, que o examinou e encontrou o proprietário.

– Stephen Beck?

– O pai de David Beck.

– Ele morreu, não foi?

– Positivo.

Stone devolveu o relatório.

– Então o filho deve ter herdado a arma – disse ele. – O revólver era de Beck.

– Então por que sua esposa o manteria trancado em um cofre com aquelas fotografias?

Stone refletiu por um minuto.

– Talvez tivesse medo de que ele usasse a arma contra ela.

Carlson franziu ainda mais a testa.

– Está faltando uma peça no quebra-cabeça.

– Olhe, Nick, não vamos complicar as coisas além do necessário. Conseguimos incriminar Beck pela morte de Schayes. Ele não tem como escapar. Vamos esquecer o caso de Elizabeth Beck, certo?

Carlson olhou para ele.

– Esquecer Elizabeth?

Stone pigarreou e espalmou as mãos.

– Agarrar Beck pela morte de Schayes vai ser moleza. Mas a esposa, meu Deus, esse caso já tem oito anos. Encontramos alguns indícios, mas não vamos conseguir prendê-lo por isso. Tarde demais. Talvez... – ele deu de ombros com certa dramaticidade – seja melhor deixar como está.

– Que diabos você está dizendo?

Stone se aproximou de Carlson e fez sinal para que ele se aproximasse.

– Tem gente no FBI que prefere que nós não mexamos nesse caso.

– Quem é que não quer que mexamos em qual caso?

– Não importa, Nick. Estamos todos no mesmo barco, certo? Se descobrirmos que KillRoy não matou Elizabeth Beck, estaremos mexendo num vespeiro, certo? O advogado dele provavelmente pedirá um novo julgamento...

– Ele nunca foi julgado pela morte de Elizabeth Beck.

– Mas nós arquivamos o caso como obra de KillRoy. Despertaríamos uma dúvida, é isso. Melhor deixar como está.

– Não quero deixar nada como está – protestou Carlson. – Quero a verdade.

– Todos queremos a verdade, Nick. Mas queremos mais ainda a justiça, certo? Beck pegará prisão perpétua pela morte de Rebecca Schayes. KillRoy permanecerá na cadeia. É assim que deve ser.

– Existem furos, Tom.

– Você vive dizendo isso, mas não vejo furo nenhum. Você foi o primeiro a levantar a hipótese de que Beck fosse culpado pela morte da esposa.

– Exatamente – disse Carlson. – Pela morte da esposa. Não de Rebecca Schayes.

– Não sei aonde você quer chegar.

– A morte de Schayes não se encaixa.

– Você está de brincadeira? Ela torna as coisas ainda mais coerentes. Schayes sabia de alguma coisa. Começamos a fechar o cerco. Beck teve de calá-la.

Carlson franziu de novo a testa.

– O quê? – continuou Stone. – Você acha que a visita de Beck ao estúdio de Schayes ontem, logo depois que o pressionamos, foi mera coincidência?

– Não – respondeu Carlson.

– Então foi o quê, Nick? Você não vê? A morte de Schayes se encaixa perfeitamente.

– Perfeitamente demais – disse Carlson.

– Ah, não me venha de novo com essa lenga-lenga.

– Deixe-me fazer uma pergunta, Tom. Com que eficiência Beck planejou e executou o assassinato da esposa?

– Eficiência total.

– Exatamente. Ele matou todas as testemunhas. Ele se livrou dos corpos. Não fosse a chuvarada e aquele urso, não teríamos nada. Mas, mesmo com tudo isso, não temos provas suficientes para indiciá-lo, e muito menos para condená-lo.

– E daí?

– E daí que me pergunto por que Beck de repente teve um acesso de burrice. Ele sabe que estamos atrás dele. Ele sabe que o ajudante de Schayes poderá testemunhar que ele a visitou no dia do crime. Por que a burrice de guardar o revólver na garagem? Por que a burrice de jogar aquelas luvas em sua própria lata de lixo?

– É fácil – respondeu Stone. – Desta vez, ele teve de correr. Com a esposa, ele teve bastante tempo para planejar.

– Você viu isto? – perguntou Carlson, entregando a Stone o relatório da vigilância.

– Beck visitou o necrotério hoje de manhã – disse Carlson. – Por quê?

– Eu não sei. Talvez ele quisesse saber se havia algo incriminador na ficha de autópsia.

Carlson voltou a franzir a testa.

– Está faltando uma peça do quebra-cabeça, Tom.

– Não vejo o que pode estar faltando, mas, de qualquer maneira, temos de capturá-lo. Depois podemos descobrir, certo?

Stone se dirigiu a Fein. Carlson continuou ruminando as dúvidas. Pensou de novo na visita de Beck ao escritório do médico-legista. Apanhou o telefone, esfregou-o com um lenço e discou. Quando atenderam, disse:

– Gostaria de falar com o médico-legista de Sussex.

29

NOS VELHOS TEMPOS – UNS 10 ANOS ANTES –, tinha amigos que moravam no Hotel Chelsea, na Rua 23 Oeste. O hotel era meio turístico, meio residencial, cheio de tipos muito loucos. Artistas, escritores, estudantes, viciados em metadona de todos os tipos e convicções. Unhas pintadas de preto, rostos góticos maquiados de branco, batons cor de sangue, cabelos completamente lisos – tudo isso antes que o hotel se tornasse conhecido.

Pouco mudara. Um bom lugar para permanecer anônimo. Após comprar uma fatia de pizza do outro lado da rua, ela havia se registrado no hotel e não se aventurara fora do seu quarto. Outrora ela considerara Nova York seu lar, mas aquela era apenas sua segunda visita nos últimos oito anos.

Sentia saudade da cidade.

Com a mão já acostumada àquilo, comprimiu os cabelos sob a peruca. A cor naquele dia seria loura com raízes escuras. Ela colocou óculos com armação metálica e enfiou as próteses na boca. Elas mudavam o formato do rosto.

Suas mãos tremiam.

Duas passagens de avião estavam sobre a mesa da cozinha. Naquela noite, eles pegariam o voo 174 da British Airways no Aeroporto JFK, em Nova York, até o Aeroporto Heathrow, em Londres, onde seu contato os encontraria com novas identidades. Então, eles pegariam o trem até Gatwick e o voo vespertino até Nairóbi, no Quênia. Um jipe os levaria aos contrafortes do monte Meru, na Tanzânia, ao que se seguiria uma marcha de três dias.

Uma vez ali – num dos poucos lugares deste planeta sem rádio, sem televisão, sem eletricidade –, eles estariam livres.

Os nomes nas passagens eram Lisa Sherman e David Beck.

Deu uma última ajeitada na peruca e contemplou seu reflexo.

Sua visão se obscureceu e, por um momento, ela estava de volta ao lago. A esperança queimou em seu peito, mas, desta vez, ela nada fez para extingui-la. Conseguiu dar um sorriso e afastou-se do espelho.

◆◆◆

Tyrese e Brutus me deixaram na esquina da Rua 4 Oeste com a Lafayette, cerca de quatro quarteirões a leste do parque. Eu conhecia muito bem a região. Elizabeth e Rebecca haviam dividido um apartamento em Washington Square, sentindo-se deliciosamente avant-garde em suas incursões ao West Village – a fotógrafa e a advogada assistente social lutando para ser boêmias em meio aos companheiros de boemia criados em subúrbios abastados e aos revolucionários de carteirinha. Francamente, eu nunca engoli aquilo, mas aceitava.

Eu frequentava a Faculdade de Medicina de Colúmbia naquela época e tecnicamente morava na periferia, na Haven Avenue, perto do hospital hoje conhecido como New York Presbyterian. Mas, naturalmente, eu passava muito tempo no centro.

Bons tempos.

Faltava meia hora para o encontro.

Desci a Rua 4 Oeste, passando pela loja de CDs Tower Records e penetrando em uma região da cidade dominada pela Universidade de Nova York. A universidade fazia questão de que você soubesse disso. Ela indicava a posse sobre aquele território enchendo todos os cantos de bandeiras com seu logotipo púrpura berrante. Feia como o diabo, a cor contrastava com os tijolos de Greenwich Village.

Meu coração disparou no peito como se quisesse se libertar.

Ela já estaria lá?

Não corri. Mantive a calma e tentei não pensar no que a próxima hora poderia trazer. As feridas de meu recente suplício se encontravam em um estado entre a queimadura e o prurido. Captei meu reflexo na janela de um prédio e não pude deixar de observar o ridículo de meu traje emprestado. Parecia um aprendiz de cantor de rap.

Minhas calças caíam. Eu as segurava com uma das mãos e tentava manter o ritmo.

Elizabeth poderia estar no parque.

Eu podia ver a praça agora. O canto sudeste estava a apenas um quarteirão de distância. O ar parecia agitado, talvez anunciando um temporal, mas aquilo provavelmente era minha imaginação trabalhando a mil. Mantive a cabeça abaixada. Meu retrato já teria chegado às televisões? Os âncoras já teriam feito os anúncios de "procura-se"? Eu duvidava. Mesmo assim, meus olhos não desgrudavam da calçada.

Acelerei o passo. O Washington Square Park sempre fora intenso demais para mim durante os meses de verão. Era esforço excessivo – muitos acontecimentos com muito desespero. Uma vanguarda meio artificial. Meu local favorito era o grande aglomerado de pessoas nas mesas de xadrez de cimento. Às vezes, eu jogava ali. Eu era bom no xadrez, mas naquele parque o jogo era o grande nivelador. Ricos, pobres, brancos, negros, donos de imóveis, locatários, moradores de rua – todos se harmonizavam em volta das milenares peças brancas e pretas. O melhor jogador que vi ali era um homem negro que passava a maior parte das tardes limpando os vidros dos carros no sinal por alguns trocados.

Elizabeth ainda não estava lá.

Sentei-me num banco.

Quinze minutos se passaram.

A opressão no meu peito aumentou. Nunca me sentira tão assustado em toda a minha vida. Pensei na demonstração tecnológica de Shauna. Uma farsa? Refleti novamente. E se tudo aquilo não passasse de uma farsa? E se Elizabeth estivesse realmente morta? O que eu faria, então?

Especulação inútil, disse para mim mesmo. Desperdício de energia.

Ela tinha de estar viva. Não havia outra opção.

Relaxei e esperei.

◆◆◆

– Ele está aqui – informou Eric Wu pelo telefone celular.

Larry Gandle olhou pela janela escurecida da caminhonete. David Beck estava exatamente onde eles haviam esperado, vestido como um cantor de rap. Seu rosto estava coberto de arranhões e ferimentos.

Gandle fez um movimento de incredulidade com a cabeça:

– Como foi que esse cara conseguiu chegar aqui?

– Podemos perguntar a ele – sugeriu Eric Wu com sua voz monótona.

– Temos de fazer um serviço benfeito.

– Com certeza.

– Todos a postos?

– Claro.

Gandle consultou o relógio.

– Ela deve chegar a qualquer momento.

◆◆◆

Localizado entre as ruas Sullivan e Thompson, o edifício mais impressionante de Washington Square era uma torre alta de tijolos marrons desbotados no lado sul do parque. A maioria das pessoas acreditava que a torre ainda fizesse parte da Igreja Judson Memorial. Mas não fazia. Nos últimos 20 anos, passara a abrigar escritórios e dormitórios da Universidade de Nova York. O alto da torre era facilmente acessível a qualquer pessoa.

Do alto, ela podia ver o parque inteiro. E, ao fazê-lo, começou a chorar.

Beck tinha vindo. Ele usava o mais esdrúxulo dos disfarces, já que o e-mail alertara que ele poderia estar sendo seguido. Ela pôde vê-lo sentado no banco, sozinho, esperando, a perna direita balançando para cima e para baixo. A perna dele sempre fazia isso quando ele estava nervoso.

– Ah, Beck...

Ela conseguia ouvir a dor, a amarga agonia em sua própria voz. Continuou olhando para ele.

O que ela havia feito?

Que loucura.

Ela se forçou a olhar em outra direção. Suas pernas se dobraram e ela escorregou, as costas apoiadas na parede, até se sentar no chão. Beck viera vê-la.

Mas eles também tinham vindo.

Tinha certeza disso. Vira três deles, pelo menos. Provavelmente mais. Também vira a caminhonete da B&T Pinturas. Ligou para o telefone do adesivo da caminhonete, mas estava desativado. Consultou o serviço de informações. Não existia nenhuma B&T Pinturas.

Eles os haviam encontrado. Apesar de suas precauções, eles estavam ali.

Fechou os olhos. Loucura. Tremenda loucura achar que ela conseguiria levar a cabo aquele plano. Como tinha deixado aquilo acontecer? A ânsia havia cegado seu julgamento. Estava claro agora. De algum modo, ela se iludira ao achar que conseguiria transformar uma catástrofe devastadora – os dois corpos descobertos perto do lago – em algum tipo de dádiva divina.

Loucura.

Ela se levantou e arriscou outra olhada para Beck. Seu coração desabou como uma pedra caindo num poço. Ele parecia tão sozinho lá embaixo, tão pequeno, frágil e indefeso. Será que ele tinha conseguido se adaptar à morte dela? Provavelmente. Teria enfrentado a realidade e reconstruído sua vida? Também era provável. Teria se recuperado do golpe para que a burrada dela lhe desse uma nova porrada?

Definitivamente.

As lágrimas retornaram.

Ela pegou as passagens de avião. Preparo. Aquele sempre fora o segredo de sua sobrevivência. Preparar-se para qualquer eventualidade. Por isso planejara o encontro ali, em um parque público onde ela teria a vantagem da familiaridade. Não admitira para si mesma, mas ela sabia que a possibilidade – não, a probabilidade – de ser seguida por eles existia.

Agora já era.

A pequena abertura, se é que chegara a existir, havia se fechado novamente.

Hora de ir embora. Sozinha. E desta vez para sempre.

Perguntou a si mesma como ele reagiria ao não aparecimento dela. Ele continuaria grudado no computador à espera de e-mails que jamais chegariam? Olharia para os rostos dos estranhos e imaginaria ter visto o dela? Simplesmente esqueceria tudo e seguiria em frente? No fundo de sua alma, era isso o que ela queria que ele fizesse?

Não importava. A sobrevivência em primeiro lugar. Ela não tinha opção. Tinha de ir.

Com grande esforço, desviou o olhar dele e desceu correndo as escadas. Havia uma saída nos fundos que dava para a Rua 3 Oeste, de modo que ela não precisaria mais entrar no parque. Ela empurrou a porta pesada de metal e saiu. Descendo a Sullivan Street, encontrou um táxi vazio na esquina da Bleecker.

Ela se reclinou e fechou os olhos.

– Para onde? – perguntou o motorista.

– Aeroporto JFK – informou ela.

30

HAVIA PASSADO um tempo longo demais.

Permaneci no banco e esperei. À distância, eu conseguia ver o conhecido arco de mármore do parque. Stanford White, o famoso arquiteto que assassinara um homem em um acesso de ciúme por causa de uma moça de 15 anos, havia "projetado" o arco. Aquilo não entrava na minha cabeça. Como é que alguém projeta algo que não passa de uma réplica do trabalho de outra pessoa? O fato de o Arco de Washington ser uma imitação do Arco do Triunfo de Paris não era segredo para ninguém. Os nova-iorquinos se empolgavam com algo que não passava de uma cópia. Eu não entendia por quê.

Já não se podia mais tocar no arco. Uma cerca de ferro, parecida com as que eu acabara de ver no sul do Bronx, protegia-o da ação de grafiteiros. O parque estava cheio de cercas – cercas duplas na maioria dos lugares.

Onde estaria ela?

Pombos gingavam com o tipo de autoridade geralmente associada aos políticos. Muitos vieram em minha direção. Eles bicaram meus tênis e, depois, olharam para cima como que desapontados por não serem comestíveis.

– Ty costuma se sentar aí.

A voz veio de um morador de rua de orelhas pontudas e chapéu engraçado. Ele sentou diante de mim.

– Ah! – exclamei.

– Ty dá comida para eles. Eles adoram Ty.

– Ah! – repeti.

– Por isso eles estão vindo até você. Não é por gostarem de você. Eles acham que você é Ty. Ou um amigo de Ty.

– Entendi...

Olhei o relógio. Eu estava sentado lá havia quase duas horas. Ela não viria. Algo tinha dado errado. De novo, me perguntei se tudo não passara de uma fraude, mas rapidamente afastei esse pensamento. Melhor continuar pensando que as mensagens eram de Elizabeth. Se tudo não passar de uma fraude, acabarei descobrindo.

Aconteça o que acontecer, eu te amo.

Era o que a mensagem dizia. Aconteça o que acontecer. Como se algo pudesse dar errado. Como se algo inesperado pudesse acontecer. Como se eu devesse esquecer tudo aquilo e seguir em frente.

De jeito nenhum!

A sensação era de estranheza. Sim, eu estava esmagado. A polícia estava atrás de mim. Sentia-me exausto, machucado e à beira de um ataque de nervos. No entanto, fazia muito tempo que eu não me sentia tão forte. Não sabia por quê. Mas sabia que não esmoreceria. Somente Elizabeth conhecia todas aquelas coisas: a hora do beijo, a velhota de Bat Street, o filme *Teenage Sex Poodles*. Consequentemente, fora Elizabeth quem enviara os e-mails. Ou alguém mandara Elizabeth enviá-los. Fosse qual fosse o caso, ela estava viva. Eu tinha de acreditar naquilo. Não havia opção.

Então, o que fazer agora?

Peguei meu novo celular. Esfreguei o queixo por um minuto e depois tive uma ideia. Digitei um número. Um homem sentado não muito longe – ele lia um jornal havia um bom tempo – olhou para mim. Não gostei daquilo. Seguro morreu de velho. Levantei e me afastei até uma distância de onde ele não pudesse me ouvir.

Shauna atendeu o telefone:

– Alô?

– Telefone do velho Teddy – eu disse.

– Beck? Que diabo...?

– Três minutos.

Desliguei. Desconfiei que o telefone de Shauna e Linda pudesse estar grampeado. A polícia ouviria cada palavra que eu dissesse. Mas no andar de baixo morava um velho viúvo chamado Theodore Malone. Shauna e Linda vez ou outra faziam uma visita para ver se ele estava bem. Elas tinham a chave de seu apartamento. Eu ligaria para lá. Os agentes federais ou os tiras, ou seja lá quem fosse, não teriam um grampo naquele telefone. Pelo menos não ainda.

Teclei o número.

Shauna falou esbaforida:

– Alô?

– Preciso da sua ajuda.

– Você tem alguma ideia do que está acontecendo?

– A polícia inteira deve estar me caçando. – Apesar dos pesares, eu me sentia estranhamente calmo. Pelo menos superficialmente.

– Beck, você tem de se entregar.

– Eu não matei ninguém.

– Eu sei, mas se você continuar foragido...

– Você quer ou não me ajudar? – interrompi.

– Diga – ela concordou.

– Eles já estabeleceram a hora do assassinato?

– Cerca de meia-noite. O horário deles é meio apertado, mas eles acham que você foi para lá logo depois que eu saí da sua casa.

– O.k. Preciso que você me faça um favor.

– Diga.

– Primeiro, você tem de apanhar Chloe.

– Sua cachorra?

– Sim.

– Por quê?

– Antes de mais nada – eu disse –, ela precisa passear.

◆◆◆

Eric Wu falou pelo celular:

– Ele está ao telefone, mas meu colega não está conseguindo ouvir.

– Ele conseguiu driblar seu colega?

– Possivelmente.

– Talvez ele esteja desmarcando o encontro.

Wu não respondeu. Observou o Dr. Beck guardar o celular no bolso e começar a atravessar o parque.

– Temos um problema – informou Wu.

– O quê?

– Parece que ele está deixando o parque.

Fez-se silêncio do outro lado da linha. Wu esperou.

– Da outra vez, nós o perdemos de vista – observou Gandle. Wu não respondeu. – Não podemos arriscar, Eric. Pegue-o agora, descubra o que ele sabe e acabe com essa novela.

Eric fez um gesto com a cabeça na direção da caminhonete e pôs-se a caminhar em direção a Beck.

– Desta vez ele não escapa.

◆◆◆

Passei pela estátua de Garibaldi, no parque, desembainhando a espada. Por mais estranho que parecesse, eu tinha um destino em mente. Por enquanto, a visita a KillRoy estava fora de cogitação. Mas o PF na agenda de Elizabeth – Peter Flannery – era diferente. Ainda conseguiria chegar a seu escritório e conversar com ele. Não tinha nenhuma ideia do que descobriria. Mas estaria fazendo alguma coisa. Isso seria um ponto de partida.

Passei por um parque infantil à minha direita, mas havia poucas crianças. À minha esquerda, o George's Dog Park, uma ótima área para cachorros, estava cheio de cães que brincavam com seus donos. No palco do parque, dois homens faziam malabarismo. Passei por um grupo de estudantes sentados em um semicírculo. Um asiático de cabelos louros parafinados, forte como um touro, deslizou para a minha direita. Olhei para trás. O homem que estava lendo o jornal tinha ido embora.

Refleti a respeito.

Ele ficara lá quase todo o tempo em que eu estivera sentado. Agora, após várias horas, resolvera sair no exato momento em que eu também me levantei. Coincidência? Provavelmente.

Você será seguido...

Era isso que dissera o e-mail. Ele não disse *talvez*. Continuei andando e refleti mais um pouco a respeito. Impossível. O melhor detetive do mundo já teria me perdido de vista depois de tudo pelo que eu havia passado naquele dia.

O sujeito com o jornal não poderia estar me seguindo. Pelo menos, eu não era capaz de conceber isso.

Eles teriam conseguido interceptar meu e-mail?

Não conseguia imaginar como. Eu o tinha deletado. Ele nunca estivera gravado em meu computador.

Atravessei a Washington Square na direção oeste. Quando alcancei o meio-fio, senti a mão de alguém em meu ombro. Suave de início. Como um velho amigo me seguindo furtivamente. Virei para trás e tive tempo suficiente para ver que se tratava do rapaz asiático de cabelos parafinados.

Então ele apertou meu ombro.

31

OS DEDOS DELE SE ENTERRARAM NA FENDA da articulação como lanças.

A dor – uma dor lancinante – desceu por todo o meu lado esquerdo. Minhas pernas falharam. Tentei gritar ou lutar, mas não consegui me mexer. Uma caminhonete branca surgiu perto de nós. A porta se abriu. O cara asiático agarrou meu pescoço e o comprimiu dos dois lados, e meus olhos começaram a girar dentro das órbitas. Com a outra mão, ele se divertiu com minha espinha dorsal, e eu me inclinei para a frente. Senti-me desmoronar.

Ele me arrastou até a caminhonete. Mãos surgiram da parte traseira e me puxaram para dentro. Fui parar no frio chão de metal. Não havia bancos ali. A porta se fechou. A caminhonete voltou a se movimentar.

Todo o episódio – desde a mão tocando meu ombro até a caminhonete começando a andar – deve ter durado uns cinco segundos.

A Glock, pensei.

Tentei alcançá-la, mas alguém pulou sobre as minhas costas. Minhas mãos foram imobilizadas. Ouvi um estalido, e meu pulso direito foi algemado ao piso da caminhonete. Eles me viraram para cima, quase arrancando meu ombro da articulação. Eram dois. Conseguia vê-los agora. Dois homens, ambos brancos, de aproximadamente 30 anos de idade. Conseguia vê-los claramente. Até demais. Seria capaz de identificá-los. Eles deviam saber disso.

Isso não era bom.

Algemaram minha outra mão, de modo que fiquei preso de braços abertos ao piso da caminhonete. Depois eles se sentaram nas minhas pernas. Eu estava acorrentado e totalmente exposto.

– O que vocês querem? – perguntei.

Nenhum dos dois respondeu. A caminhonete parou bruscamente logo após virar a esquina. O asiático entrou, e a caminhonete voltou a andar. Ele se inclinou, olhando-me com aparente curiosidade.

– Por que você estava no parque? – perguntou.

Sua voz me surpreendeu. Esperava algo estrondoso ou ameaçador, mas seu tom era suave, agudo e estranhamente infantil.

– Quem é você? – perguntei.

Ele deu um murro na minha barriga com tanta força que tive certeza de que os nós de seus dedos chegaram a arranhar o piso do veículo. Tentei me encolher, mas as algemas e os homens sentados nas minhas pernas tornavam isso impossível. Ar. Tudo o que eu queria era ar. Achei que ia vomitar.

Você será seguido...

Todas as precauções – os e-mails sem assinatura, as palavras em código, os alertas –, todas elas faziam sentido agora. Elizabeth estava com medo. Eu ainda não tinha todas as respostas – diabos, eu mal tinha uma –, mas enfim entendi que suas comunicações cifradas eram resultado do medo. Medo de ser descoberta.

Descoberta por aqueles sujeitos.

Eu estava sufocando. Cada célula do meu corpo ansiava por oxigênio. Finalmente, o asiático gesticulou com a cabeça para os outros dois homens. Eles saíram de cima das minhas pernas. Encostei os joelhos no peito. Tentei inspirar algum ar, agitando-me feito um epiléptico. Após alguns instantes, minha respiração retornou. O asiático lentamente se ajoelhou mais perto de mim. Mantive meus olhos fixos nos dele. Pelo menos, tentei. Não era como olhar para os olhos de um ser humano ou mesmo de um animal. Aqueles olhos eram de algo inanimado. Se fosse possível olhar para os olhos de um arquivo, aquele seria seu aspecto.

Mas eu não pisquei.

Meu raptor também era jovem – não tinha muito mais de 20 anos, no máximo 25. Ele pôs a mão no lado de dentro do meu braço, logo acima do cotovelo.

– Por que você estava no parque? – voltou a perguntar com seu tom monótono.

– Gosto do parque – respondi.

Ele pressionou com força. Com apenas dois dedos. Suspirei. Os dedos afundaram na minha carne e atingiram um feixe de nervos. Meus olhos começaram a esbugalhar. Nunca havia sentido uma dor daquelas. Ela bloqueava todo o resto. Debati-me como um peixe agonizante no anzol. Tentei dar um pontapé, mas minhas pernas pareciam de borracha. Não conseguia respirar.

Ele era implacável.

Fiquei esperando ele soltar meu braço ou pelo menos atenuar a pressão. Em vão. Comecei a emitir pequenos gemidos. Mas ele prosseguiu, com uma expressão de tédio.

A caminhonete continuou rodando. Tentei me acostumar à dor, decompô-la em intervalos ou coisa semelhante. Mas não funcionou. Eu precisava de alívio. Pelo menos por um segundo. Ele tinha de dar um refresco. Mas permaneceu impassível. Continuou me fitando com aqueles olhos vazios. A pressão refletiu-se em minha cabeça. Eu não conseguia falar – mesmo que quisesse dizer o que ele queria saber, minha garganta estava bloqueada. E ele sabia disso.

Escapar da dor. Era tudo em que eu conseguia pensar. Como poderia escapar da dor? Todo o meu ser parecia se concentrar e convergir naquele feixe de nervos em meu braço. Meu corpo parecia estar em brasas, a pressão no crânio aumentando.

Com minha cabeça prestes a explodir, ele subitamente soltou meu braço. Voltei a suspirar, desta vez de alívio. Mas a trégua durou pouco. Sua mão começou a descer até a parte de baixo do meu abdome e parou.

– Por que você estava no parque?

Tentei pensar, inventar uma mentira plausível. Mas ele não me deu tempo. Apertou com força, e a dor voltou, ainda pior do que antes. Seu dedo pressionou meu fígado feito uma baioneta. Quase arranquei as algemas de tanto me contorcer. Minha boca se abriu num grito silencioso.

Minha cabeça se debatia. Foi aí que vi a parte posterior da cabeça do motorista. A caminhonete havia parado, talvez num sinal de trânsito. O motorista olhava para a frente – para a rua, suponho. Depois tudo aconteceu rápido demais.

Vi a cabeça do motorista virar em direção à janela da caminhonete, como se ele tivesse ouvido um barulho. Ele desabou como um pato num tiro ao alvo. As portas da frente se abriram.

– Mãos ao alto, agora!

Revólveres apareceram. Dois deles. Mirando as costas de meus algozes. O rapaz asiático me soltou. Caí para trás, incapaz de me mover.

Por trás dos revólveres, reconheci dois rostos familiares e quase gritei de alegria. Tyrese e Brutus.

Um dos homens brancos esboçou uma reação. Tyrese simplesmente atirou. O tórax do homem explodiu. Ele caiu para trás de olhos abertos. Morto. Não havia dúvida. Na frente, o motorista gemeu, começando a se recuperar. Brutus deu-lhe uma tremenda cotovelada no rosto. Ele ficou quieto novamente.

O outro homem branco estava com as mãos para cima. Meu torturador asiático não mudara de expressão. Ele observava como que à distância e não levantou nem abaixou as mãos. Brutus tomou o lugar do motorista e engatou a primeira marcha. Tyrese mantinha o revólver apontado para a cabeça do sujeito asiático.

– Solte as algemas – ordenou Tyrese.

O sujeito branco olhou para o asiático. Este fez um sinal de assentimento com a cabeça. O sujeito branco soltou minhas algemas. Tentei me sentar. Parecia que algo dentro de mim havia se estilhaçado e que os cacos penetravam nos tecidos.

– Você está bem? – perguntou Tyrese. Consegui fazer um gesto afirmativo com a cabeça. – Quer que eu acabe com eles?

Virei-me para o sujeito branco que ainda respirava.

– Quem contratou você?

Ele olhou para o jovem asiático. Fiz o mesmo.

– Quem contratou você? – perguntei.

O asiático enfim sorriu, mas isso não mudou seus olhos. E então, novamente, tudo aconteceu rápido demais.

Não cheguei a ver sua mão se projetando, mas no momento seguinte ele havia me agarrado pela nuca. Ele me atirou sem nenhuma dificuldade de encontro a Tyrese. Eu literalmente voei, minhas pernas chutando o ar como se aquilo pudesse retardar a queda. Tyrese me viu indo em sua direção, mas não conseguiu se esquivar. Aterrissei nele. Tentei me desvencilhar rapidamente, mas, no momento em que nos ajeitamos, o asiático havia fugido pela porta da caminhonete.

Ele sumiu.

– Merda de Bruce Lee cheio de esteroide – praguejou Tyrese. Concordei com um gesto de cabeça.

O motorista estava voltando a si. Brutus preparou o punho, mas Tyrese o deteve.

– Esses dois não devem saber de nada – disse ele.

– Eu sei.

– Podemos matá-los ou soltá-los – falou Tyrese, como se não houvesse muita diferença entre as duas alternativas, uma mera questão de cara ou coroa.

– Solte-os – respondi.

Brutus encontrou um quarteirão tranquilo, provavelmente no Bronx, não tenho certeza. O sujeito branco que ainda respirava saiu sozinho. Brutus arremessou o motorista e o homem morto para fora como se fossem lixo. Voltamos a rodar. Por alguns minutos, ninguém falou.

Tyrese entrelaçou as mãos atrás do pescoço e se reclinou:

– Que bom que a gente estava por perto, não é, doutor?

Fiz que sim com a cabeça diante daquela verdade incontestável.

32

OS VELHOS ARQUIVOS DE AUTÓPSIA eram mantidos em um enorme depósito em Layton, perto da fronteira de Nova Jersey com a Pensilvânia. O agente especial Nick Carlson chegou sozinho. Ele não gostava muito de depósitos. Eles lhe davam calafrios. Abertos 24 horas por dia, sem guardas, apenas uma ineficiente câmera de segurança na entrada... Só Deus sabe o que se esconde naqueles caixotes de cimento. Carlson sabia que muitos estavam cheios de drogas, dinheiro e todo tipo de contrabando. Aquilo não o incomodava muito. Mas ele lembrou que, alguns anos antes, um executivo do petróleo havia sido sequestrado e trancado numa caixa dentro de um daqueles depósitos. O executivo morrera sufocado. Carlson estava presente quando seu corpo foi encontrado. Desde então, ele imaginava pessoas *vivas* ali, naquele exato momento, os inexplicavelmente desaparecidos, a alguns metros de onde ele se encontrava, acorrentados na escuridão, lutando contra mordaças.

As pessoas costumam dizer que este é um mundo cão. Mas elas não têm ideia de até onde a maldade pode chegar.

Timothy Harper, o médico-legista do condado, saiu do que parecia ser uma garagem segurando um grande envelope marrom fechado com um cordão. Ele entregou a Carlson uma ficha de autópsia com o nome de Elizabeth Beck.

– O senhor tem que assinar que recebeu – disse Harper. Carlson assinou o formulário.

– Beck não disse por que queria ver a ficha? – perguntou Carlson.

– Ele falou que era um marido enlutado e algo sobre querer encerrar o caso, mas além disso... – Harper deu de ombros.

– Ele perguntou mais alguma coisa sobre o caso?

– Nada de importante.

– E algo que não fosse importante?

Harper refletiu por um momento.

– Perguntou se eu lembrava quem identificara o corpo.

– Você lembrava?

– De início, não.

– Quem a identificou?

– O pai. Depois ele me perguntou quanto tempo levou.

– Quanto tempo levou o quê?

– A identificação.

– Não estou entendendo.

– Confesso que também não entendi. Ele queria saber se o pai dela fez a identificação imediatamente ou se levou alguns minutos.

– Para que ele queria saber isso?

– Não tenho a menor ideia.

Carlson tentou encontrar alguma explicação, mas não lhe ocorreu nenhuma.

– Que resposta você deu?

– Falei a verdade, que eu não me lembrava. Suponho que ele tenha levado o tempo normal, senão eu lembraria.

– Alguma outra coisa?

– Não, nenhuma – disse ele. – Olhe, se não tiver mais perguntas, tenho dois rapazes que arrebentaram um Civic num poste telefônico esperando por mim.

Carlson segurou a ficha firmemente.

– Tudo bem – respondeu –, mais nenhuma pergunta. Mas e se eu precisar me comunicar com você?

– Estarei no escritório.

◆◆◆

PETER FLANNERY, ADVOGADO, estava gravado em letras douradas desbotadas no vidro áspero da porta. Havia um buraco no vidro, do tamanho de um punho. Alguém o havia remendado com fita isolante. A fita parecia velha.

Mantive a viseira do boné abaixada. Meu corpo doía por causa da tortura do sujeito asiático. Tinha ouvido meu nome no rádio: oficialmente eu era um homem procurado pela lei.

Difícil meter aquilo na cabeça. Estava numa tremenda fria, mas tudo parecia estranhamente remoto, como se estivesse acontecendo com alguém que eu conhecesse apenas vagamente. Eu, o sujeito em questão, nem estava esquentando a cabeça. Tinha apenas uma ideia fixa: encontrar Elizabeth. O resto era secundário.

Tyrese me acompanhava. Meia dúzia de pessoas estava espalhada na sala de espera. Duas usavam colares cervicais. Uma delas trazia uma gaiola com um pássaro. Não consegui entender para quê. Ninguém se deu o trabalho de erguer os olhos para nós, como se tivessem pesado os benefícios de desviar o olhar em nossa direção e decidido que não valia a pena.

A recepcionista usava uma peruca horrenda e olhou para nós como se fôssemos o cocô do cavalo do bandido.

Pedi para falar com Peter Flannery.

– Ele está com um cliente. – Ela não estava mascando chiclete, mas parecia.

Tyrese assumiu o controle. Como num passe de mágica, exibiu na mão um bolo de dinheiro mais grosso que o meu pulso.

– Diga que estamos oferecendo um adiantamento. – Depois, sorrindo, acrescentou: – Para você também, se deixar a gente falar com ele agora.

Dois minutos depois, fomos conduzidos ao santuário do Dr. Flannery. O escritório cheirava a charuto e lustra-móveis. Os móveis modulares haviam sido pintados de marrom, imitando carvalho e mogno. Não havia nenhum diploma universitário nas paredes, apenas aquelas bobagens que as pessoas ostentam para impressionar os trouxas. Um diploma comemorava o ingresso de Flannery na

Associação Internacional de Degustadores de Vinhos. Outro atestava, com grandes floreios, que ele participara de uma Conferência Jurídica em Long Island em 1996. Grande coisa. Fotos desbotadas pelo tempo mostravam um Flannery mais novo com o que me pareceram ser celebridades ou políticos locais, mas ninguém que eu reconhecesse. Atrás da escrivaninha, numa posição privilegiada, a foto, em moldura de madeira, de uma partida de golfe entre duas duplas.

– Por favor – disse Flannery com um grande aceno de mão –, sentem-se, senhores.

Eu me sentei. Tyrese permaneceu de pé, os braços cruzados, apoiando-se na parede atrás de mim.

– Então – disse Flannery –, o que posso fazer pelos senhores?

Peter Flannery tinha o aspecto de um atleta decadente. Seus cabelos, antes dourados, haviam se tornado ralos. Seus traços eram suaves. Trajava um terno de três peças feito de tecido sintético – fazia um bom tempo que eu não via um terno daqueles –, e o colete tinha até um relógio de bolso preso a uma falsa corrente de ouro.

– Gostaria de informações sobre um caso antigo – falei. Seus olhos ainda preservavam o azul-claro da juventude, e ele os dirigiu para mim. Na escrivaninha, vi uma foto de Flannery com uma mulher roliça e uma garota de uns 14 anos. Todos sorriam, mas tinham os olhos semicerrados, como se estivessem prestes a receber um soco.

– Um caso antigo? – repetiu ele.

– Minha esposa visitou o senhor oito anos atrás. Preciso saber o motivo da visita.

Os olhos de Flannery se voltaram na direção de Tyrese. Ele continuava de braços cruzados e de óculos escuros.

– Não estou entendendo. Foi um caso de divórcio?

– Não – respondi.

– Então...? – Ele levantou as mãos e fez um gesto como quem diz que gostaria de ajudar, mas infelizmente não podia. – O contato entre advogado e cliente é confidencial. Não posso fazer nada.

– Não creio que ela fosse uma cliente.

– O senhor está me confundindo, senhor... – Ele esperou que eu dissesse meu nome.

– Beck. E é "doutor", não "senhor".

Seu queixo duplo afrouxou diante do meu nome. Ele já poderia ter ouvido o noticiário, mas achei isso pouco provável.

– O nome de minha esposa era Elizabeth.
Flannery se manteve calado.
– O senhor se lembra dela, não lembra?
Ele olhou novamente para Tyrese.
– Ela era sua cliente, Dr. Flannery?
Ele pigarreou:
– Não – ele respondeu. – Ela não era minha cliente.
– Mas o senhor se lembra de ter estado com ela?
Flannery se mexeu na cadeira.
– Sim.
– Que foi que vocês discutiram?
– Isso já faz muito tempo, Dr. Beck.
– O senhor está dizendo que não se lembra?
Ele não respondeu diretamente.
– Sua esposa foi assassinada, não foi? Lembro-me de ter visto algo a respeito no telejornal.
Tentei evitar que ele desviasse o assunto.
– Ela veio aqui para quê, Dr. Flannery?
– Sou advogado – disse ele, estufando o peito.
– Mas não dela.
– Mesmo assim – falou, tentando assumiu o controle da situação –, o meu tempo custa dinheiro. – Ele tossiu, cobrindo a boca com a mão. – Os senhores disseram algo sobre um adiantamento.
Olhei por trás do ombro, e vi que Tyrese já entrara em ação. O rolo de dinheiro estava visível e ele brincava com as notas. Atirou três cédulas de 100 dólares sobre a escrivaninha, olhou firme para Flannery por trás dos óculos escuros e, em seguida, voltou ao lugar anterior.
Flannery olhou para o dinheiro, mas não o tocou. Ele juntou as pontas dos dedos das duas mãos e, depois, as palmas.
– Suponha que eu me recuse a contar.
– Não vejo nenhum motivo para isso – eu disse. – Seu contato com ela não se enquadra na regra da confidencialidade, certo?
– Não é disso que estou falando – disse Flannery. Seus olhos penetraram os meus, e ele hesitou. – O senhor amava sua esposa, Dr. Beck?
– Muito.
– O senhor se casou de novo?
– Não – respondi. E depois perguntei: – O que uma coisa tem a ver com a outra?

Ele se reclinou.

– Vá embora – disse ele. – Pegue seu dinheiro e vá.

– Isto é importante, Dr. Flannery.

– Não vejo como. Ela está morta há oito anos. O assassino foi condenado à morte.

– O que o senhor está com medo de me contar?

Flannery não respondeu de imediato. Tyrese voltou a se desgrudar da parede. Ele se aproximou da escrivaninha. Flannery o observou por alguns instantes e depois me surpreendeu com um suspiro cansado.

– Faça-me um favor – pediu ele a Tyrese. – Pare com essa encenação, tá? Eu já enfrentei psicóticos diante dos quais você não passa de uma Mary Poppins.

Parecia que Tyrese ia reagir, mas isso de nada adiantaria. Chamei-o. Ele olhou para mim. Fiz um gesto negativo com a cabeça. Tyrese voltou para trás. Flannery estava tentando ganhar coragem para falar. Deixei. Eu podia esperar.

– Quer mesmo saber? – me perguntou ele após um momento.

– Quero.

– Isso não vai trazer sua esposa de volta.

– Talvez traga – retruquei.

Minha observação despertou sua atenção. Ele me olhou com uma expressão séria, mas algo havia se atenuado.

– Por favor – pedi.

Ele virou a cadeira de lado e inclinou-a para trás, olhando as venezianas, que haviam se tornado amarelas e ásperas. Entrelaçou as mãos e deixou-as repousar sobre a barriga.

– Eu era defensor público naquela época – começou ele. – Sabe o que é isso?

– O senhor defendia os necessitados – respondi.

– Mais ou menos isso. Resumindo, quem pode pagar contrata um advogado. Quem não pode tem direito a um defensor como eu.

Fiz um gesto afirmativo com a cabeça, mas ele continuava fitando as venezianas.

– De qualquer modo, fui designado para trabalhar no julgamento de um dos homicídios mais famosos do estado.

Senti um frio no estômago.

– De quem? – perguntei.

– De Brandon Scope. O filho do bilionário. O senhor se lembra desse caso?

O terror me paralisou. Eu mal conseguia respirar. Não era de admirar que o nome de Flannery me parecesse familiar. Brandon Scope. Quase neguei com um gesto da cabeça, não por não me lembrar do caso, mas porque queria que ele proferisse qualquer coisa menos aquele nome.

Para deixar as coisas claras, os jornais da época tinham dito que Brandon Scope, 33 anos, fora roubado e assassinado. Isso havia acontecido oito anos atrás. Sim, oito anos. Talvez dois meses antes da morte de Elizabeth. Ele levou dois tiros, e seu corpo foi abandonado perto de um conjunto habitacional no Harlem. O dinheiro havia sumido. A mídia deu ampla cobertura ao caso. Ela divulgou exaustivamente a obra de caridade de Brandon Scope. Falou sobre como ele ajudava os meninos de rua, preferindo lidar com os pobres a administrar o conglomerado multinacional do pai, essas coisas. Foi um desses assassinatos que "chocam a nação" e produzem muitas acusações e sentimento de culpa. Uma fundação de caridade foi criada em memória do jovem Scope. Minha irmã, Linda, a dirige. É incrível o bem que ela pratica lá.

– Eu me lembro – respondi tranquilamente.

– Lembra que prenderam um suspeito?

– Um morador de rua – respondi. – Um dos rapazes que ele ajudava, certo?

– Sim. Eles prenderam Helio Gonzalez, então com 22 anos. Morador de um conjunto habitacional no Harlem. Sua ficha policial era tão comprida quanto o currículo de um astro da Galeria da Fama. Assalto à mão armada, incêndio criminoso, agressão, um bandido da pesada esse tal de Gonzalez.

Minha boca estava seca.

– As acusações não acabaram sendo retiradas? – perguntei.

– Sim. Não havia muitas provas. Foram encontradas impressões digitais de Gonzalez na cena do crime, mas muitas outras também. Havia fios do cabelo de Scope e até uma mancha de sangue do seu tipo sanguíneo na residência de Gonzalez. Mas Scope estivera no prédio antes. Poderíamos ter facilmente alegado que foi assim que o material chegou lá. Apesar disso, havia indícios suficientes para a prisão preventiva, e os tiras tinham certeza de que descobririam mais provas.

– Mas o que aconteceu? – perguntei.

Flannery continuava sem olhar para mim. Aquilo me desagradou. Flannery era o tipo do cara que vivia num mundo de sapatos lustrosos e contatos visuais. Eu conhecia aquele tipo de gente. Não queria nada com eles, mas os conhecia.

– A polícia conseguiu calcular a hora da morte – continuou ele. – Os legistas mediram a temperatura do fígado. Scope foi morto às 11 horas da noite. Há uma margem de erro de meia hora, mas não muito além disso.

– Não compreendo – eu disse. – O que isso tem a ver com a minha esposa?

Ele juntou as pontas dos dedos novamente.

– Sei que sua esposa lidava com os pobres também – prosseguiu Flannery. – Por sinal, trabalhava junto com a vítima, no mesmo escritório.

Eu não tinha ideia do rumo que aquela história tomaria, mas sabia que não estava gostando nem um pouco daquilo. Por alguns segundos, perguntei-me se Flannery não teria razão, se eu realmente deveria ouvir o que ele tinha a dizer ou simplesmente me levantar da cadeira e esquecer tudo aquilo. Mas acabei dizendo:

– E aí?

– É muita generosidade – disse ele, balançando discretamente a cabeça – lidar com os destituídos.

– Que bom que o senhor pensa assim.

– Foi por isso que resolvi estudar direito. Para ajudar os pobres.

Engoli em seco e me endireitei na cadeira.

– O senhor se importaria em dizer o que minha esposa tem a ver com tudo isso?

– Ela livrou a cara dele.

– De quem?

– Do meu cliente. Helio Gonzalez. Sua esposa livrou a cara dele.

Fiz uma cara séria.

– Como assim?

– Ela arrumou um álibi para ele.

Meu coração parou. Meus pulmões também. Quase dei um soco no peito para que meu mecanismo interior voltasse a funcionar.

– Como? – perguntei. – Como foi que ela arrumou um álibi para ele?

– Simples – ele respondeu. – Dizendo que ela e Helio estavam juntos durante o período em questão.

Minha mente começou a se debater, à deriva no oceano, sem nenhum salva-vida por perto.

– Não vi nada sobre isso nos jornais – observei.

– Isso foi abafado.

– Por quê?

– A pedido de sua esposa. E também porque a promotoria pública não queria que a prisão injusta de Gonzalez fosse ainda mais divulgada. Assim, tudo foi feito com o máximo de discrição. Além disso, houve problemas com o depoimento de sua esposa.

– Que problemas?

– Ela faltou com a verdade de início.

Minha mente voltou a se debater, a afundar, a voltar à superfície.

– O que você está dizendo?

– Sua esposa alegou que na hora do crime ela estava dando orientação profissional a Gonzalez na instituição de caridade. Ninguém acreditou naquilo.

– Por que não?

Ele fez uma cara cética.

– Orientação profissional às 11 da noite? É brincadeira!

Concordei tristemente com a cabeça.

– Assim, como advogado do Sr. Gonzalez, lembrei à sua esposa que a polícia investigaria o álibi dado por ela. Que, por exemplo, as salas de orientação tinham câmeras de segurança e que as entradas e saídas eram filmadas. Foi então que ela resolveu confessar tudo.

Ele parou.

– Continue – pedi.

– É óbvio, não é?

– Conte mesmo assim.

Flannery deu de ombros.

– Ela queria se poupar e poupar o senhor, suponho, do constrangimento. Por isso insistiu no segredo. Ela havia estado na casa de Gonzalez, Dr. Beck. Eles estavam tendo um caso havia dois meses.

Não reagi. Ninguém falou nada. À distância, ouvi uma ave guinchar. Provavelmente o pássaro na sala de espera. Levantei-me. Tyrese deu um passo para trás.

– Obrigado pela atenção – agradeci com a voz mais calma do mundo.

Flannery balançou a cabeça, de olho nas venezianas.

– Mas isso não é verdade – acrescentei.

Ele não respondeu. Nem eu esperava que respondesse.

33

CARLSON ESTAVA SENTADO NO CARRO. Sua gravata permanecia meticulosamente ajeitada. O paletó estava em um cabide de madeira, pendurado no gancho do assento traseiro. O ar-condicionado estava no máximo. Carlson leu o envelope da autópsia: Elizabeth Beck, Ficha 94-87002. Seus dedos desataram o cordão. O envelope se abriu. Carlson espalhou o conteúdo no banco do carona.

O que o Dr. Beck queria ver?

Stone já dera a resposta óbvia: Beck queria saber se havia algo que pudesse incriminá-lo. Isso se enquadrava em suas teorias iniciais, e foi Carlson, afinal, quem começou a questionar o cenário oficialmente aceito sobre a morte de Elizabeth Beck. Ele foi o primeiro a acreditar que o assassinato não fora o que parecera ser – que, na verdade, fora o Dr. David Beck, o marido, quem planejara a morte da esposa.

Por que ele teria deixado de aceitar essa versão?

Carlson havia examinado cuidadosamente os furos que surgiram nessa teoria, mas Stone também conseguira contorná-los de modo convincente. Todo caso tem seus furos. Carlson sabia disso. Todo caso tem incoerências. Se não tivesse, ele seria capaz de apostar 10 contra 1 que a polícia deixara escapar algum detalhe.

Por que ele agora duvidava da culpa de Beck?

A razão talvez fosse o fato de o caso estar se tornando óbvio demais, com todas as provas subitamente se alinhando e cooperando com sua teoria. Ou talvez suas dúvidas se baseassem em algo duvidoso como a "intuição", embora Carlson nunca tivesse sido defensor ardoroso desse aspecto do trabalho investigativo. A intuição era muitas vezes um meio de aparar arestas, uma técnica atraente de substituir provas e fatos concretos por algo mais evasivo e volúvel. Os piores investigadores que Carlson conhecia baseavam-se na intuição.

Ele pegou a primeira folha. Informações gerais. Elizabeth Parker Beck. Seu endereço, data de nascimento (tinha 25 anos quando morreu), do sexo feminino, cor branca, 1,70m de altura, 45 quilos. Magra. O exame externo revelara que o *rigor mortis* tinha se instalado. Havia bolhas na pele e secreção de líquidos nos orifícios. Isso indicava que a morte ocorrera mais de três dias antes. A *causa mortis* fora uma facada no peito. O mecanismo da morte fora a perda de sangue e uma forte hemorragia na aorta direita. Havia também cortes nas mãos e nos dedos, teoricamente porque ela tentara se defender do ataque.

Carlson pegou o caderno e a caneta e escreveu: *Ferimentos defensivos?!?!* Depois sublinhou várias vezes essas palavras. Ferimentos defensivos. Aquele não era o estilo de KillRoy. Ele torturava suas vítimas. Ele as amarrava com uma corda, fazia o que bem entendesse e, quando se cansava, as matava.

Por que haveria ferimentos de faca em suas mãos?

Carlson continuou lendo. Ele examinou a cor dos cabelos e dos olhos e, depois, na metade da segunda folha, encontrou outro fato chocante.

Elizabeth Beck havia sido marcada a ferro *post mortem*. Carlson releu aquilo. Depois anotou em seu caderno a expressão *post mortem*. Aquilo não fazia sentido. KillRoy sempre marcava suas vítimas enquanto estavam vivas. No julgamento comentou-se muito sobre como ele gostava do cheiro de carne chamuscada, como ele vibrava com os gritos das vítimas enquanto as queimava.

Primeiro os ferimentos defensivos. Agora aquele fato. Alguma coisa estava errada.

Carlson tirou os óculos e fechou os olhos. Que confusão, pensou. Isso o incomodava. Furos lógicos eram esperados, mas aqueles já estavam virando rombos. Por um lado, a autópsia confirmava sua hipótese original, de que a morte de Elizabeth Beck havia sido encenada para parecer que fora obra de KillRoy.

Mas, mesmo que isso fosse verdade, a teoria estava desvinculada da outra parte.

Ele tentou analisar os fatos passo a passo. Primeiro, por que a ânsia de Beck em ver aquela ficha? À primeira vista, a resposta agora parecia óbvia. Quem quer que examinasse aqueles resultados perceberia que havia uma grande chance de KillRoy não ter matado Elizabeth Beck. Mas aquilo não era uma certeza. *Serial killers*, apesar do que costumamos ler, não são pessoas metódicas. KillRoy poderia ter mudado seu *modus operandi* ou buscado diversificá-lo. Mesmo assim, o que Carlson leu ali era suficiente para fazer alguém refletir.

Mas tudo aquilo apontava apenas para uma grande pergunta: por que ninguém percebera aquelas incoerências antes?

Carlson examinou as possibilidades. KillRoy nunca fora processado pelo assassinato de Elizabeth Beck. As razões agora estavam bem claras. Talvez os investigadores suspeitassem da verdade. Talvez eles percebessem que o assassinato de Elizabeth Beck não se enquadrava, mas revelar esse fato apenas ajudaria a defesa de KillRoy. O problema de processar um *serial killer* é que você atira uma rede tão grande que algo acaba escapando. Tudo o que a defesa precisa fazer é selecionar um caso, encontrar discrepâncias em um dos assassinatos e, pronto, os outros casos são contaminados por associação. Portanto, sem uma confissão, raramente se processa alguém por todos os crimes de uma só vez. Isso se faz passo a passo. Os investigadores, percebendo esse risco, provavelmente preferiram deixar para lá a morte de Elizabeth Beck.

Mas havia grandes problemas com esse cenário também.

O pai e o tio de Elizabeth Beck – dois homens que trabalhavam como agentes da lei – haviam visto o corpo. Era quase certo que tivessem lido aquele laudo de autópsia. Eles não teriam percebido as inconsistências? Teriam deixado que o verdadeiro assassino ficasse à solta somente para assegurar a condenação de KillRoy? Carlson duvidava.

Continuou examinando a ficha e topou com outro fato estarrecedor. O ar condicionado do carro agora o estava incomodando, o frio chegando aos ossos. Carlson abriu uma janela e tirou a chave da ignição. No alto da folha, lia-se: Exame Toxicológico. De acordo com os exames, haviam sido encontradas cocaína e heroína na corrente sanguínea de Elizabeth Beck. Além disso, foram detectados vestígios dessas drogas no cabelo e nos tecidos, indicando que seu consumo era mais do que ocasional.

Aquilo se encaixava?

Estava pensando a respeito quando o celular tocou. Ele atendeu.

– Carlson.

– Encontramos uma coisa – disse Stone.

Carlson pousou a ficha.

– O quê?

– Beck. Ele comprou uma passagem para Londres com embarque no Aeroporto JFK. O voo partirá em duas horas.

– Estou a caminho.

◆◆◆

Tyrese pôs a mão no meu ombro enquanto caminhávamos.

– Bandidos – ele disse pela enésima vez. – Não se pode confiar neles.

Nem me dei o trabalho de responder.

De início, surpreendi-me com a rapidez com que Tyrese conseguira localizar Helio Gonzalez, mas logo me dei conta de que a rede de comunicação dos marginais era tão desenvolvida como qualquer outra. Peça a um corretor da Morgan Stanley que localize um colega da Goldman Sachs, e ele fará isso em minutos. Peça-me para encaminhar um paciente a qualquer outro médico do estado, e bastará um telefonema. Por que com os bandidos haveria de ser diferente?

Helio acabara de cumprir uma pena de quatro anos no norte do estado por assalto à mão armada. Ele tinha ar de quem acabara de sair da prisão. Óculos escuros, lenço na cabeça, uma camiseta branca sob uma camisa de flanela apenas com o botão superior abotoado para parecer uma capa ou asas de morcego. As mangas estavam arregaçadas, revelando toscas tatuagens de prisão, gravadas no antebraço, e os músculos de prisioneiro. Há algo de inconfundível nos músculos de um presidiário, uma qualidade contida, marmórea, diferente daqueles mais inflados das academias de ginástica.

Sentamos em uns degraus no corredor de algum prédio do Queens. Não sei exatamente onde. Um ritmo latino ribombava, penetrando em meu peito. Mulheres de cabelos escuros saracoteavam com vestidos tomara que caia excessivamente justos e curtos. Tyrese fez um sinal com a cabeça. Voltei-me para Helio. Ele deu um sorriso forçado. Olhei-o de cima a baixo, e uma palavra não parava de pipocar no meu cérebro: escória. Uma escória inatingível, insensível. Bastava olhar para ele para saber que continuaria deixando um rastro de destruição atrás de si. A pergunta era: quanta? Percebi que aquela visão não era caridosa. Percebi também que, a julgar pelas aparências, o mesmo se poderia dizer de Tyrese. Não importava. Elizabeth pode ter acreditado na redenção dos que haviam sido embrutecidos ou moralmente anestesiados pelas ruas. Eu continuava tentando acreditar.

– Há oito anos, você foi preso pelo assassinato de Brandon Scope – falei. – Sei que você foi solto, e não quero causar problema. Mas preciso da verdade.

Helio retirou os óculos escuros e lançou um olhar para Tyrese.

– Você trouxe um tira?

– Não sou tira – esclareci. – Sou o marido de Elizabeth Beck.

Queria obter alguma reação, mas não consegui.

– A mulher que arrumou o álibi para você.

– Eu sei quem ela é.

– Ela esteve com você naquela noite?

Helio não teve pressa.

– Sim – ele respondeu calmamente, sorrindo para mim com dentes amarelados. – Ela esteve comigo a noite inteira.

– Você está mentindo – reagi.

– Que é isso, mano? – Helio olhou para trás, para Tyrese.

– Preciso saber a verdade – falei.

– Você acha que eu matei o tal Scope?

– Sei que não foi você.

Aquilo o surpreendeu.

– Que diabo está acontecendo aqui? – perguntou ele.

– Preciso que você confirme uma coisa para mim.

Helio aguardou.

– Você esteve com a minha mulher naquela noite, sim ou não?

– O que você quer que eu diga, cara?

– A verdade.

– E se a verdade for que ela esteve comigo a noite toda?

– Esta não é a verdade – falei.

– Por que você tem tanta certeza?

Tyrese interveio.

– Diga ao cara o que ele quer saber.

Helio continuou sem pressa nenhuma.

– Ela falou a verdade quando disse que esteve comigo. Eu transei com ela, certo? Sinto muito, mano, mas foi o que aconteceu. A gente vinha transando todas as noites.

Olhei para Tyrese.

– Deixe-nos a sós por alguns segundos, o.k.?

Tyrese assentiu com a cabeça, levantou-se e foi até o carro. Apoiou-se na porta, os braços cruzados, Brutus do lado. Voltei a olhar para Helio.

– Onde foi que você conheceu minha mulher?

– No centro de recuperação.

– Ela tentou ajudar você?

Ele deu de ombros, mas sem olhar para mim.

– Você conhecia Brandon Scope?

Uma centelha do que poderia ter sido medo cruzou seu rosto.

– Estou indo, cara.

– A conversa é só entre a gente, Helio. Não tem erro.

– Você quer que eu fique sem meu álibi?

– Positivo.

– Por que eu faria isso?

– Porque alguém está matando todas as pessoas ligadas ao caso de Brandon Scope. Na noite passada, a melhor amiga de minha mulher foi morta em seu estúdio. Eles me agarraram hoje, mas Tyrese me salvou. Também querem matar minha mulher.

– Pensei que ela já estivesse morta.

– É uma longa história, Helio. Mas está tudo vindo à tona novamente. Se eu não descobrir o que aconteceu de verdade, vamos todos virar presunto.

Eu não sabia se aquilo era verdade ou exagero. Nem me importava.

– Onde você esteve naquela noite? – pressionei.

– Com ela.

– Posso provar que vocês não estiveram juntos – argumentei.

– O quê?

– Minha mulher estava em Atlantic City. Tenho guardadas as antigas contas do seu cartão de crédito. Posso provar. Posso detonar seu álibi, Helio. E é o que farei. Sei que você não matou Brandon Scope. Mas me ajude. Deixarei que eles executem você pelo crime se não me contar a verdade.

Um blefe. Um enorme blefe. Mas percebi que tinha acertado no alvo.

– Diga a verdade e você continuará livre – prometi.

– Eu não matei aquele sujeito, cara, juro.

– Sei disso – repeti.

Ele refletiu por um instante.

– Não sei por que ela fez aquilo, certo?

Concordei com a cabeça, tentando encorajá-lo a continuar falando.

– Eu assaltei uma casa em Fort Lee naquela noite. Portanto, eu não tinha álibi. Pensei que seria preso por isso. Ela livrou a minha cara.

– Você perguntou a ela por que fez isso?

Ele negou com a cabeça.

– Deixei o barco correr. Meu advogado contou o que ela tinha dito no depoimento. Eu confirmei tudo. Só sei que, logo depois, fui solto.

– Você chegou a ver minha esposa de novo?

– Não. – Ele ergueu o olhar para mim. – Como é que você tem tanta certeza de que sua mulher não estava transando comigo?

– Conheço minha mulher.

Ele sorriu.

– Você acha que ela jamais o trairia?

Eu não respondi.

Helio se levantou.

– Diga a Tyrese que ele está me devendo essa.

Ele deu uma risada, virou-se e foi embora.

34

NADA DE BAGAGEM. UM TÍQUETE ELETRÔNICO para que ela pudesse fazer o check-in por meio de uma máquina, e não com uma pessoa. Elizabeth ficou em um terminal vizinho, de olho no quadro de partidas, esperando que o sinal de Confirmado no letreiro ao lado de seu voo mudasse para Embarque.

Sentou-se numa cadeira de plástico e olhou para a pista de decolagem. Uma TV barulhenta transmitia a programação da CNN: "A seguir, *Headline Sports.*" Ela esvaziou a mente. Cinco anos antes, passara um período em uma aldeia próxima a Goa, na Índia. Embora fosse um verdadeiro fim de mundo, o lugar tinha certa fama por causa de um iogue centenário que vivia lá. Ela passara algum tempo com o iogue. Ele tentara lhe ensinar técnicas de meditação, respiração *pranayama* e purificação mental. Mas nada daquilo realmente funcionara. Havia momentos em que ela conseguia afundar na escuridão. Na maior parte das vezes, porém, onde quer que ela mergulhasse, lá estava Beck.

Refletiu sobre o próximo lance. Realmente não havia escolha. Sua sobrevivência estava em jogo. Sobreviver significava fugir. Havia feito uma grande bobagem e agora estava fugindo de novo, deixando que os outros a desfizessem.

Mas que outra opção havia? Eles estavam em sua cola. Embora ela tivesse tomado o maior cuidado, eles ainda a observavam. Oito anos depois.

Uma criancinha abriu caminho até a janela e, com a palma das mãos, bateu alegremente no vidro laminado, provocando um ruído surdo. O pai, contrariado, foi atrás dela e a agarrou com um sorriso amarelo.

Ela observou a cena, e sua mente mergulhou naquelas inúteis suposições do tipo o-que-poderia-ter-acontecido-se... Um casal de velhinhos estava sentado à direita, conversando amigavelmente sobre trivialidades. Na adolescência, ela e Beck observavam o Sr. e a Sra. Steinberg passearem de braços dados por Downing Place, todas as noites sem falta, muitos anos depois de seus filhos terem crescido e deixado o ninho. A vida deles seria assim, Beck prometera. A Sra. Steinberg morreu aos 82 anos. O Sr. Steinberg, que surpreendentemente gozava de perfeita saúde, acompanhou-a quatro meses depois. Dizem que isso é comum entre os velhinhos, quando – parafraseando Bruce Springsteen – dois corações se tornam um. Quando um morre, o outro vai atrás. Seria assim com ela e David? Eles não haviam convivido por 61 anos como os Steinberg, mas, pensando em termos relativos – levando em conta que nossa memória praticamente só começa aos 5 anos, lembrando que ela e Beck haviam sido inseparáveis desde os 7 anos, que cada um deles mal conseguia ter alguma recordação que não incluísse o outro, pensando no tempo que passaram juntos não apenas em termos de anos, mas de porcentagem da vida –, eles tinham ultrapassado os Steinberg.

Ela se voltou novamente para o quadro de partidas. Ao lado do voo 174 da British Airways, a palavra Embarque começou a piscar.

Estava na hora...

◆◆◆

Carlson e Stone, junto com seus colegas Dimonte e Krinsky, consultavam a gerente de reservas da British Airways.

– Ele não apareceu – informou a gerente de reservas, uma mulher de uniforme azul e branco, lenço no pescoço, uma bela pronúncia e um crachá escrito Emily.

Dimonte praguejou. Krinsky não ligou. Aquilo não era nenhuma surpresa. Beck havia conseguido se esquivar de uma caçada humana o dia inteiro. Ele não seria burro de tentar embarcar num voo usando seu nome verdadeiro.

– Beco sem saída – disse Dimonte.

Carlson, que ainda estava com a ficha da autópsia, perguntou a Emily:

– Qual dos funcionários entende mais de computador?

– Eu – respondeu ela, com um sorriso confiante.

– Por favor, mostre-me a reserva – pediu Carlson. Emily atendeu ao pedido.

– É possível saber quando ele reservou a passagem?

– Três dias atrás.

Dimonte não se conteve:

– Beck planejou a fuga. Filho da mãe.

Carlson negou com a cabeça.

– Não é verdade.

– Como é que você sabe?

– Nossa hipótese foi que ele matou Rebecca Schayes como queima de arquivo – explicou Carlson. – Mas, se você vai fugir do país, por que se preocupar? Por que se arriscar a esperar três dias e ainda por cima cometer outro assassinato?

Dessa vez foi Stone quem fez um sinal negativo com a cabeça.

– Você está imaginando coisas, Nick.

– Está faltando uma peça no quebra-cabeça – insistiu Carlson. – Por que ele decidiria fugir de uma hora para outra?

– Porque estávamos atrás dele, ora.

– Não estávamos atrás dele há três dias.

– Talvez ele soubesse que era uma questão de tempo.

Carlson franziu ainda mais o cenho.

Dimonte se voltou para Krinsky:

– Isto é uma perda de tempo. Vamos cair fora daqui.

Ele olhou para Carlson.

– Então vamos deixar uns guardas aqui, por precaução.

Carlson concordou com um gesto mecânico da cabeça. Quando Dimonte e Krinsky partiram, ele perguntou a Emily:

– Ele ia viajar com mais alguém?

Emily apertou algumas teclas.

– Foi uma reserva individual.

– Como foi que ele reservou? Pessoalmente? Pelo telefone? Através de uma agência de viagens?

Ela apertou as teclas novamente.

– Não foi por uma agência de viagens, com certeza. Senão a reserva estaria indicando o pagamento de uma comissão. A reserva foi feita diretamente com a British Airways.

Aquilo não ajudava em nada.

– Como foi que ele pagou?

– Cartão de crédito.

– Pode me dizer o número?

Ela forneceu o número a Carlson, que o repassou para Stone. Este negou com a cabeça.

– Não é nenhum dos cartões dele. Pelo menos, nenhum dos que conhecemos.

– Confira – pediu Carlson.

Stone já estava com o celular na mão. Ele concordou com a cabeça e discou.

Carlson coçou o queixo.

– Você disse que ele reservou a passagem três dias atrás.

– Isso mesmo.

– Sabe a que horas ele fez a reserva?

– É fácil. Está aqui no computador. 18h14.

Carlson balançou a cabeça.

– Ótimo, maravilha! Pode me dizer se alguma outra pessoa fez uma reserva mais ou menos na mesma hora?

Emily pensou a respeito.

– Nunca tentei fazer isso – respondeu ela. – Um momento, deixe-me ver uma coisa. – Ela digitou algo e aguardou. Depois digitou mais um pouco e aguardou. – O computador não classifica por data de reserva.

– Mas as informações estão aí?

– Sim. Só um minuto! – Seus dedos começaram a digitar novamente. – Posso colocar as informações numa planilha. Podemos colocar 50 reservas por tela. Assim fica mais rápido.

O primeiro grupo de 50 mostrava um casal que fizera as reservas no mesmo dia, mas horas antes. O segundo grupo não tinha ninguém. No terceiro grupo, porém, bingo!

– Lisa Sherman – anunciou Emily. – O bilhete foi reservado no mesmo dia, oito minutos mais tarde.

Aquilo em si não significava nada, é claro, mas Carlson sentiu os pelos da nuca se eriçarem.

– Que interessante! – acrescentou Emily.

– O quê?

– O lugar.

– O que tem?

– Ela reservou o lugar ao lado de David Beck. Fila 16, assentos E e F.

Ele sentiu um choque.

– Ela passou pelo check-in?

Nova digitação. A tela sumiu. Outra apareceu.

– Sim. Já deve estar embarcando.

◆◆◆

Elizabeth ajustou a alça da bolsa e se levantou. Seu passo era apressado, sua cabeça estava erguida. Ainda tinha os óculos, a peruca e a prótese, para parecer com a foto de Lisa Sherman no passaporte.

Faltavam ainda quatro portões quando ela ouviu um fragmento do noticiário da CNN. Parou bruscamente. Um homem manobrando uma enorme mala com rodinhas chocou-se com ela. Ele fez um gesto agressivo, como se tivesse sido fechado no trânsito. Ela o ignorou e manteve os olhos na tela.

A âncora estava dando a notícia. No canto direito da tela, uma fotografia de sua velha amiga Rebecca Schayes lado a lado com uma imagem de... Beck!

Ela se aproximou rapidamente da TV. Sob as imagens, em letras cor de sangue, as palavras *Morte na câmara escura.*

– David Beck é suspeito do assassinato. Mas será este o único crime que ele cometeu? Jack Turner, da CNN, tem mais informações.

A âncora desapareceu. Em seu lugar, dois homens com jaquetas da polícia de Nova York transportavam uma maca com um corpo dentro de um saco preto. Ela reconheceu imediatamente o prédio e quase suspirou. Oito anos. Oito anos haviam se passado, mas o estúdio de Rebecca continuava no mesmo local.

Uma voz masculina, presumivelmente de Jack Turner, começou o relato:

– O assassinato de uma das mais badaladas fotógrafas de moda de Nova York é um caso sinistro. Rebecca Schayes foi encontrada morta, em sua câmara escura, com dois tiros na cabeça dados à queima-roupa. – Por alguns instantes, a tela exibiu uma fotografia de Rebecca sorridente. – O suspeito é um velho amigo, Dr. David Beck, pediatra em uma clínica da cidade. – A imagem de Beck, sem sorriso, encheu a tela. Ela quase desabou. – O Dr. Beck quase foi preso hoje de manhã após atacar um policial. Ele continua foragido e supõe-se que esteja armado. Quem tiver alguma informação sobre seu paradeiro... – Um número de telefone apareceu em letras amarelas. Jack Turner leu o número antes de continuar. – Mas o que torna este caso ainda mais sinistro são as informações de nossa fonte no FBI. Supostamente, o Dr. Beck está ligado ao assassinato de dois homens cujos corpos foram recentemente descobertos na Pensilvânia, não longe de onde a família dele tinha uma casa de veraneio. E o pior de tudo: o Dr. David Beck também é suspeito da morte, oito anos atrás, de sua esposa, Elizabeth.

Uma fotografia de mulher que ela mal reconhecia apareceu. De repente se sentiu indefesa, encurralada. Sua imagem desapareceu e a âncora retornou:

– Jack, não se acreditava que Elizabeth Beck tinha sido vítima do *serial killer* Elroy "KillRoy" Kellerton?

– Correto, Terese. As autoridades evitam comentar o caso e negam que haja uma nova versão para o crime. Mas os relatos que estamos recebendo vêm de fontes inteiramente confiáveis.

– A polícia já sabe o motivo dos crimes, Jack?

– Ainda não sabemos. Tem-se especulado que pode ter havido um triângulo amoroso. A senhora Schayes era casada com Gary Lamont, que prefere não dar entrevistas. Mas, por enquanto, isso não passa de conjectura.

Ainda de olho na tela da TV, ela sentiu as lágrimas começarem a brotar.

– O Dr. Beck continua foragido?

– Sim, Terese. A polícia está pedindo a colaboração do público, mas adverte que ninguém deve se aproximar do criminoso por conta própria.

Seguiu-se uma conversa fiada.

Ela se afastou da TV. Rebecca. Meu Deus, não era possível! E ainda por cima havia se casado. Provavelmente havia escolhido vestido e louça e feito todas aquelas frescuras de que elas costumavam debochar. Como? Como foi que Rebecca se envolvera com aquilo tudo? Ela não sabia de nada. E por que a mataram?

Depois o pensamento voltou a martelar em sua cabeça: "O que foi que eu fiz?"

Ela havia voltado. Eles haviam começado a procurar por ela.

Como é que eles poderiam descobri-la? Simples. Observando as pessoas mais próximas a ela. Loucura ela voltar e pôr em risco todos aqueles com quem se importava. Ela havia feito uma grande besteira. E agora sua amiga estava morta.

– Voo 174 da British Airways partindo para Londres. Última chamada.

Não havia tempo para se martirizar. Pense. O que fazer? As pessoas queridas estão em perigo. Beck – de repente ela se lembrou do seu disfarce idiota – estava fugindo. Havia gente poderosa contra ele. Se estavam tentando enquadrá-lo por assassinato – e isso parecia bem óbvio àquela altura –, ele não teria nenhuma chance.

Ela não podia simplesmente se mandar. Ainda não. Não enquanto não tivesse certeza de que Beck estava em segurança.

Deu meia-volta e procurou uma porta de saída.

◆◆◆

Quando Peter Flannery finalmente viu o noticiário sobre a caçada a David Beck, pegou o telefone e ligou para um amigo na promotoria pública.

– Quem está à frente do caso de Beck? – perguntou Flannery.

– Fein.

"Uma besta quadrada", pensou Flannery.

– Eu vi o cara hoje.

– David Beck?

– Sim – respondeu Flannery. – Ele me fez uma visita.

– Por quê?

Flannery cortou o barato do amigo.

– Acho melhor você me pôr em contato com Fein.

35

QUANDO ANOITECEU, TYRESE ARRUMOU um quarto no apartamento do primo de Latisha para mim. Não passava por nossa cabeça que a polícia pudesse descobrir minha ligação com Tyrese, mas por que arriscar?

Tyrese tinha um laptop. Chequei meu e-mail na esperança de encontrar uma mensagem de meu misterioso remetente. Não achei nada na conta do trabalho. Nada na conta pessoal. Tentei a nova conta no Bigfoot. Nada ali também.

Tyrese parecia intrigado depois que deixamos o escritório de Flannery.

– Posso fazer uma pergunta, doutor?

– Vá em frente – respondi.

– Quando aquele advogado falou sobre o sujeito assassinado...

– Brandon Scope – acrescentei.

– Sim, ele mesmo. Pareceu que você tinha levado um choque elétrico.

Ele percebera minha reação.

– Quer saber por quê?

Tyrese fez um gesto de indiferença.

– Conheci Brandon Scope. Ele e minha mulher trabalhavam juntos no escritório de uma fundação de caridade no centro. Meu pai era da mesma cidade que o pai de Scope e trabalhou para ele. Na verdade, meu pai estava encarregado de administrar o patrimônio da família.

– É mesmo? – Tyrese observou. – Que mais?

– Isso não basta?

Tyrese esperou. Voltei-me em sua direção. Ele manteve os olhos firmes e, por um momento, pensei que ele fosse penetrar nos recônditos mais sombrios da minha alma. Felizmente, o momento passou. Tyrese disse:

– Então, o que você quer fazer agora?

– Dar uns telefonemas – respondi. – Tem certeza que eles não vão me rastrear?

– Acho difícil. Mas quer saber de uma coisa? Vamos fazer as chamadas de outro celular clonado. Fica mais difícil rastrear.

Concordei. Tyrese providenciou o telefone e depois saiu andando em direção à porta.

– Vou dar uma olhada em TJ. Volto em uma hora.

– Tyrese?

Ele olhou para trás. Eu queria agradecer, mas de alguma maneira aquilo não parecia certo. Tyrese compreendeu.

– Preciso que você fique vivo, doutor. Pelo meu filho, tá sabendo?

Respondi que sim com um movimento de cabeça. Ele saiu.

Consultei o relógio antes de ligar para o celular de Shauna. Ela atendeu ao primeiro toque.

– Alô?

– Como está Chloe? – perguntei.

– Vai bem.

– Quantos quilômetros vocês andaram?

– No mínimo três. Devem ter sido uns quatro ou cinco. – Senti-me aliviado. – Então qual será nosso próximo...

Sorri e desliguei. Disquei outro número.

Hester Crimstein atendeu como se estivesse arrancando um pedaço do fone.

– Alô?

– É Beck – falei rapidamente. – Eles estão escutando ou existe algum tipo de proteção entre advogado e cliente?

Houve uma estranha hesitação.

– Não tem perigo – informou ela.

– Eu tive uma razão para fugir – comecei.

– Como culpa?

– O quê?

Outra hesitação.

– Desculpe, Beck. Fiz uma grande besteira. Quando você saiu correndo, perdi o controle. Eu disse algumas besteiras para Shauna e desisti de ser sua advogada.

– Eu não fui informado disso – repliquei. – Preciso de você, Hester.

– Não vou ajudá-lo a fugir.

– Não quero mais fugir. Quero me entregar. Mas sob certas condições.

– Você não está em posição de impor condições, Beck. Você vai direto em cana. Pode esquecer a fiança.

– Suponha que eu tenha provas de que não matei Rebecca Schayes.

Outra hesitação.

– Você consegue isso?

– Sim.

– Que tipo de provas?

– Um álibi sólido.

– Fornecido por quem?

– Bem – respondi –, é aí que a coisa fica interessante.

◆◆◆

O agente especial Carlson pegou o celular.

– Alô!

– Tem outra coisa – disse Stone.

– O quê?

– Beck visitou um advogado barato chamado Flannery poucas horas atrás. Um negro meio suspeito estava com ele.

Carlson fez uma cara pensativa.

– Pensei que Hester Crimstein fosse a advogada dele.

– Ele não estava procurando representação legal. Ele queria saber sobre um caso antigo.

– Qual caso?

– Um marginal chamado Gonzalez foi preso por matar Brandon Scope oito anos atrás. Elizabeth Beck arranjou um senhor álibi para o cara. Beck queria saber tudo a respeito.

Carlson se sentiu atordoado. Como era possível...?

– Alguma outra coisa?

– Só isso – respondeu Stone. – Diga, onde você está?

– Falo com você mais tarde, Tom. – Carlson desligou e discou outro número. Uma voz atendeu.

– Centro Nacional de Rastreamento.

– Fazendo serão, Donna?

– Estava pensando em ir para casa, Nick. O que você quer?

– Um baita de um favor.

– Não – respondeu ela. Depois, com um grande suspiro: – O quê?

– Vocês ainda têm aquele 38 que encontramos no cofre de Sarah Goodhart?

– Quer que eu faça o que com ele?

Ele disse o que queria. Quando terminou, ela perguntou:

– Você está brincando?

– Você me conhece bem, Donna. Sou uma pessoa séria.

– Não é verdade. – Ela suspirou. – Vou fazer a solicitação, mas não dá para ser hoje à noite.

– Obrigado, Donna. Você é 10.

◆◆◆

Quando Shauna entrou na portaria do prédio, uma voz a chamou.

– Desculpe. Senhorita Shauna?

Ela olhou para o homem de gel no cabelo e usando um terno caro.

– E o senhor é...?

– Agente especial Nick Carlson.

– Boa noite.

– Sabemos que ele ligou para você.

Shauna pôs a mão na boca fingindo bocejar.

– Vocês devem estar orgulhosos.

– A senhorita já deve ter ouvido dizer que dar cobertura a fugitivos é crime.

– Pare de me assustar – disse ela num tom exageradamente monótono –, senão vou acabar fazendo xixi nas calças.

– Acha que estou blefando?

Ela levantou os braços, juntando os pulsos.

– Prenda-me, bonitão. – Ela olhou para trás dele. – Vocês não costumam andar em duplas?

– Estou sozinho.

– Dá para perceber. Posso subir agora?

Carlson ajeitou cuidadosamente os óculos.

– Não acredito que o Dr. Beck tenha matado alguém.

As palavras fizeram com que ela parasse.

– Não me interprete mal. Há uma série de indícios de que ele cometeu o crime. Meus colegas estão convencidos de que ele é culpado. Ele está sendo procurado por toda parte.

– Sim – disse Shauna com certo tom de desconfiança. – Mas você acha que a coisa não é bem assim.

– Acho que existe algo mais.

– O quê, por exemplo?

– Achei que a senhorita pudesse me informar.

– E se eu suspeitar que isso é um truque?

Carlson deu de ombros.

– Aí não posso fazer nada.

Ela refletiu um pouco.

– Não importa – disse ela. – Eu não sei de nada.

– Sabe onde ele está escondido?

– Não.

– E se soubesse?

– Eu não diria. Mas você já sabe disso.

– Sei – confirmou Carlson. – Já vi que não vai me dizer nada sobre aquela história de passear com o cachorro.

Ela confirmou com um aceno de cabeça.

– Mas logo, logo você descobrirá.

– Ele vai acabar se ferrando. Ele atacou um guarda. A polícia toda está atrás dele.

Shauna manteve o olhar firme.

– Não há nada que eu possa fazer a respeito.

– É verdade.

– Posso fazer uma pergunta?

– À vontade – respondeu Carlson.

– Por que você não acha que ele seja culpado?

– Não sei direito. São vários detalhes – Carlson inclinou a cabeça. – Sabia que Beck reservou lugar num voo para Londres?

Shauna percorreu a portaria com os olhos, tentando ganhar alguns segundos. Um homem entrou e sorriu amistosamente para ela, que o ignorou.

– Duvido – disse ela.

– Estou vindo agora do aeroporto – continuou Carlson. – A passagem foi reservada três dias atrás. Claro que ele não apareceu. Mas o estranho foi que o cartão de crédito usado na compra do bilhete estava em nome de Laura Mills. Este nome lhe diz alguma coisa?

– Deveria dizer?

– Provavelmente não. Ainda estamos investigando, mas aparentemente é um pseudônimo.

– De quem?

Carlson fez um gesto indicando que não sabia.

– Conhece Lisa Sherman?

– Não. Onde é que ela entra nessa história?

– Ela fez uma reserva no mesmo voo para Londres. Na verdade, deveria sentar-se ao lado de Beck.

– Ela também não apareceu?

– Não exatamente. Ela passou pelo check-in. Mas, na chamada final, não embarcou. Estranho, não é?

– Nem sei o que pensar – disse Shauna.

– Infelizmente, ninguém conseguiu nos fornecer um documento de Lisa Sherman. Ela não despachou nenhuma bagagem e usou um tíquete eletrônico. Fizemos uma checagem. Adivinhe o que encontramos.

Shauna fez cara de quem não tinha a menor ideia.

– Nada – respondeu Carlson. – Parece ser outro pseudônimo. Já ouviu falar de Brandon Scope?

Shauna perdeu a espontaneidade.

– Que diabo é isso?

– O Dr. Beck, acompanhado de um homem negro, visitou um advogado chamado Peter Flannery hoje. Flannery defendeu um suspeito do assassinato de Brandon Scope. O Dr. Beck fez perguntas a respeito do caso e sobre o papel de Elizabeth na soltura do suspeito. Tem alguma ideia do motivo?

Shauna começou a mexer na bolsa.

– Procurando alguma coisa?

– Um cigarro. Tem um para me dar?

– Infelizmente, não.

– Droga. – Ela parou e o encarou. – Por que está me contando tudo isso?

– Tenho quatro cadáveres. Quero saber o que está acontecendo.

– Quatro?

– Rebecca Schayes, Melvin Bartola, Robert Wolf... estes são os dois homens que encontramos no lago. E Elizabeth Beck.

– KillRoy matou Elizabeth.

Carlson negou com a cabeça.

– Qual a razão de tanta certeza?

Ele mostrou o envelope marrom.

– Esta, por exemplo.

– O que é isso?

– A ficha da autópsia.

Shauna engoliu em seco. O medo a percorreu, causando formigamento nos dedos. A prova final, de uma forma ou de outra. Ela fez o máximo de esforço para manter a voz firme.

– Posso dar uma olhada?

– Por quê?

Ela não respondeu. Carlson continuou:

– Mais importante, por que Beck estava tão ansioso para ver isto?

– Não sei o que você está querendo dizer – reagiu ela, mas as palavras soaram vazias em seus próprios ouvidos e, com certeza, nos dele.

– Elizabeth Beck usava drogas? – perguntou Carlson.

A pergunta foi totalmente inesperada.

– Elizabeth? Nunca.

– Tem certeza?

– Absoluta. Ela ajudava dependentes de drogas. Fazia parte de seu treinamento.

– Conheço um monte de tiras da brigada antiprostituição que adoram passar umas horas com uma puta.

– Ela não era disso. Elizabeth não era nenhuma santinha, mas drogas? Nem pensar.

Ele mostrou o envelope marrom novamente.

– O exame toxicológico constatou cocaína e heroína em seu sangue.

– Então Kellerton a forçou a tomar.

– Não – disse Carlson.

– Por que tanta certeza?

– Há outros exames, Shauna. De tecidos e cabelos. Eles mostram um padrão de uso regular de pelo menos alguns meses.

Shauna sentiu as pernas tremerem. Ela se recostou numa parede.

– Olhe, Carlson, pare de me enrolar. Deixe eu ver o relatório, certo?

Carlson parecia estar avaliando o pedido.

– O que você acha disso? – sugeriu ele. – Eu deixo você ver qualquer folha do laudo. Qualquer informação. E você me conta o que sabe.

– Que negócio é esse, Carlson?

– Boa noite, Shauna.

– Pare, pare, espere um segundo! – Ela pensou nos estranhos e-mails. Pensou em Beck fugindo dos guardas. Pensou no assassinato de Rebecca Schayes e no laudo toxicológico que não podia ser verdade. De repente, sua convincente demonstração da manipulação de imagens digitais já não parecia tão convincente assim.

– Uma fotografia – ela disse. – Deixe eu ver uma fotografia da vítima.

Carlson sorriu.

– Agora a coisa está ficando interessante.

– Por quê?

– Não há nenhuma fotografia aqui.

– Mas eu pensei...

– Também não entendo – interrompeu Carlson. – Liguei para o Dr. Harper. Ele foi o médico-legista deste caso. Estou vendo se ele consegue descobrir quem mais teve acesso ao laudo. Ele está verificando para mim.

– Você acha que alguém roubou as fotografias?

Carlson deu de ombros.

– Vamos lá, Shauna. Conte para mim o que está acontecendo.

Ela quase contou. Quase falou sobre os e-mails e o link da câmera de rua. Mas Beck tinha sido firme. O homem, apesar de toda a sua ladainha, podia ser o inimigo.

– Posso ver o resto do laudo?

Ele o entregou lentamente a Shauna. Não vou ficar me fazendo de indiferente, ela pensou, e, dando um passo à frente, arrancou o laudo da mão do agente. Ela rasgou o envelope e achou a primeira folha. Enquanto seus olhos desciam pela página, começou a sentir um frio no estômago. Ela viu a altura e o peso do corpo e conteve um grito.

– O que foi? – perguntou Carlson.

Ela não respondeu.

Um celular soou. Carlson tirou-o do bolso da calça.

– Carlson.

– É Tim Harper.

– Você encontrou o protocolo antigo?

– Sim.

– Alguém mais pediu para ver o laudo da autópsia de Elizabeth Beck?

– Três anos atrás – respondeu Harper. – Logo após ter sido guardado no arquivo morto. Uma pessoa pediu para vê-lo.

– Quem?

– O pai da vítima. Ele também é policial. O nome dele é Hoyt Parker.

36

LARRY GANDLE ESTAVA SENTADO DIANTE de Griffin Scope. Estavam ao ar livre, no pórtico do jardim atrás da mansão dos Scope. A noite já caía, cobrindo de sombras os gramados bem cuidados. Grilos cantavam uma melodia quase bonita, como se os ricos pudessem manipular até aquilo. Uma tilintante música de piano escapava pelas portas de vidro corrediças. As lâmpadas de dentro da casa proporcionavam um grau rigorosamente calculado de iluminação, projetando agradáveis sombras vermelhas e amarelas.

Ambos os homens vestiam calças cáqui. Larry usava uma camisa polo. Griffin ostentava uma bata de seda de seu alfaiate de Hong Kong. Larry aguardava com um copo de cerveja na mão. Ele observava o homem mais velho, cuja silhueta lembrava a figura na moeda de cobre de 1 centavo de dólar, sentado de frente para seu vasto quintal, o nariz ligeiramente inclinado para cima, as pernas cruzadas. Sua mão direita pendia do braço da cadeira, uma bebida marrom-amarelada rodopiando na taça de conhaque.

– Você não tem nenhuma ideia de onde ele esteja? – perguntou Griffin.

– Nenhuma.

– E esses dois negões que o salvaram?

– Não tenho a menor ideia de como eles se envolveram. Mas Wu está investigando.

Griffin bebericou um gole de seu drinque. Fazia um calor opressivo.

– Você realmente acredita que ela ainda esteja viva?

Larry estava pronto para começar uma longa narrativa, fornecendo provas a favor e contra, mostrando todas as opções e possibilidades. Mas simplesmente disse:

– Acredito.

Griffin cerrou os olhos:

– Lembra-se do dia em que seu primeiro filho nasceu?

– Lembro.

– Você ficou na sala de parto?

– Fiquei, sim.

– No meu tempo a gente não tinha esse costume – disse Griffin. – O pai ficava andando de um lado para outro em uma sala de espera cheia de revistas velhas. Lembro quando a enfermeira veio me chamar. Ela me conduziu por um corredor e ainda me recordo que, ao virar no final, vi Allison segurando Brandon. Foi a sensação mais estranha que já tive, Larry. Algo brotou dentro de mim dando a impressão de que eu ia explodir. Foi uma sensação intensa demais, esmagadora demais. Não dava para analisar ou compreender. Suponho que todos os pais experimentem algo semelhante.

Ele parou. Larry olhou para ele. Lágrimas desciam pela face do velho homem, brilhando à luz tênue. Larry permaneceu calado.

– Talvez os sentimentos mais óbvios naquele dia tenham sido alegria e apreensão. Apreensão no sentido de que eu passara a ser responsável por aquele pequeno ser. Mas havia algo mais. Eu não conseguia definir exatamente. Não naquele momento. Não até Brandon ir pela primeira vez para a escola.

Algo queimou na garganta de Griffin. Ele tossiu um pouco, e Larry pôde ver mais lágrimas. A música do piano soava mais suave agora. Os grilos se aquietaram, como se também escutassem.

– Esperamos juntos pelo ônibus escolar. Eu segurava a mão dele. Brandon tinha 5 anos. Ele olhou para mim, como as crianças costumam fazer nessa idade. Ele vestia uma calça marrom que já estava manchada de grama no joelho. Lembro-me do ônibus amarelo parando e do som da porta ao se abrir. Então, Brandon largou minha mão e começou a subir os degraus. Senti vontade de ir lá, pegá-lo de volta e levá-lo para casa, mas fiquei ali, parado, congelado. Ele entrou no ônibus, eu ouvi aquele barulho de novo e a porta se fechou. Brandon sentou perto da janela. Dava para ver seu rostinho. Ele deu tchau para mim. Eu também dei tchau e, quando o ônibus se afastou, disse a mim mesmo: "Ali vai todo o meu mundo." Aquele ônibus amarelo com suas frágeis laterais de metal e um motorista que eu nunca vira mais gordo transportavam aquilo que era tudo para mim. Naquele momento, compreendi o que eu havia sentido no dia que ele nasceu. Terror. Não apenas apreensão. Puro terror. Você pode ter medo da doença, da velhice ou da morte. Mas não havia nada como aquela pontinha de terror nas minhas entranhas enquanto eu observava o ônibus se afastar. Dá para entender?

Larry concordou com a cabeça.

– Acho que sim.

– Naquele momento, eu soube que, por mais que me desdobrasse, algo ruim podia acontecer com ele. Nem sempre eu estaria ao seu lado para aparar os golpes. Eu pensava nisso constantemente. Acho que todos nós pensamos. Mas quando aquilo aconteceu, quando... – Ele parou e, enfim, encarou Larry Gandle. – Continuo tentando trazê-lo de volta. Tento negociar com Deus, oferecendo mundos e fundos se Ele concordar em trazer Brandon de volta. Claro que isso não vai acontecer. Eu entendo. Mas agora você vem aqui e diz para mim que, enquanto meu filho, todo o meu mundo, apodrece na terra... ela está viva. – Ele balançou vigorosamente a cabeça. – Não posso aceitar isso, Larry. Entende o que eu digo?

– Entendo – ele respondeu.

– Não consegui protegê-lo uma vez. Não vou falhar de novo.

Griffin Scope voltou-se novamente para seu jardim. Tomou outro gole do drinque. Larry Gandle entendeu. Ele se levantou e foi andando em direção às sombras.

◆◆◆

Às 10 horas da noite, Carlson chegou à porta da frente do nº 28 da Goodhart Road. Apesar da hora avançada, ele não se preocupou. Tinha visto luzes no térreo e a luminosidade trêmula de uma televisão. Mas, mesmo que não tivesse visto, Carlson tinha preocupações mais importantes do que o sono tranquilo dos outros.

Estava prestes a tocar a campainha quando a porta se abriu. Hoyt Parker surgiu. Por um momento, os dois homens ficaram parados, dois boxeadores encarando-se no centro do ringue, enquanto o juiz reiterava instruções inúteis sobre golpes baixos e socos nos intervalos.

Carlson foi direto ao assunto:

– Por acaso sua filha usava drogas?

Hoyt Parker não pareceu muito abalado com a pergunta.

– Por que você quer saber?

– Posso entrar?

– Minha mulher está dormindo – informou Hoyt, saindo para a rua e fechando a porta. – Importa-se de conversar aqui fora?

– Tudo bem.

Hoyt cruzou os braços e ficou balançando o corpo para a frente e para trás por um momento. Tratava-se de um sujeito robusto, de calça jeans e com uma camiseta que devia ter sido bem mais confortável quando ele pesava cinco quilos menos. Carlson sabia que Hoyt Parker era um tira veterano. Armadilhas e sutilezas não funcionariam com ele.

– Você vai responder à minha pergunta? – indagou Carlson.

– Você vai me dizer por que quer saber? – replicou Hoyt.

Carlson decidiu mudar de tática.

– Por que você retirou as fotos do relatório da autópsia de sua filha?

– O que leva você a pensar que eu as retirei? – Não havia nele nenhum tom de indignação ou hipocrisia.

– Vi o laudo da autópsia hoje – revelou Carlson.

– Por quê?

– Como assim por quê?

– Minha filha está morta há oito anos. O assassino está na cadeia. E você resolve examinar o laudo da autópsia justo hoje. Gostaria de saber por quê.

Aquela conversa não estava levando a lugar nenhum, então Carlson decidiu ceder um pouquinho, baixar a guarda, deixar o oponente mais à vontade e ver no que ia dar.

– Seu genro visitou ontem o médico-legista de Sussex. Ele pediu para ver a ficha da esposa. Eu estava tentando descobrir por quê.

– Ele viu o laudo da autópsia?

– Não – respondeu Carlson. – Você sabe por que ele está tão ansioso para ver isso?

– Não tenho a menor ideia.

– Mas você pareceu preocupado.

– Como você, acho a conduta suspeita.

– Mais do que isso – disse Carlson. – Você queria saber se ele chegou a ter acesso ao laudo. Por quê?

Hoyt não respondeu.

– Vai me dizer o que fez com as fotografias da autópsia?

– Não sei do que você está falando – respondeu Hoyt em tom seco.

– Você foi a única pessoa que solicitou o laudo.

– E o que isso prova?

– As fotografias estavam lá quando você examinou a ficha?

Os olhos de Hoyt tremularam, mas ele não demorou.

– Sim – ele disse. – Estavam lá.

Carlson não pôde conter o sorriso.

– Boa resposta. – Hoyt não caíra na armadilha. – Porque, se você respondesse que não, eu estranharia o fato de você não ter dado queixa naquela ocasião, não é mesmo?

– Você é desconfiado, agente Carlson.

– Pois é. Alguma ideia de onde essas fotos estão agora?

– Provavelmente na ficha errada.

– É possível. Você não parece muito perturbado com isso.

– Minha filha está morta. O caso está encerrado. O que poderia me perturbar agora?

Aquilo era uma perda de tempo. Ou talvez não fosse. Carlson não estava obtendo muitas informações, mas a conduta de Hoyt era eloquente.

– Então você ainda acha que KillRoy matou sua filha?

– Sem dúvida.

Carlson exibiu o laudo da autópsia.

– Mesmo depois de ter lido isto?

– Sim.

– O fato de tantos ferimentos serem *post mortem* não o preocupa?

– Pelo contrário, me conforta. Significa que minha filha sofreu menos.

– Não é isso o que quero dizer. Estou falando em termos das provas contra Kellerton.

– Não vejo nada nessa ficha que contradiga aquela conclusão.

– O laudo não é compatível com os outros assassinatos.

– Discordo – afirmou Hoyt. – O que não pareceu compatível foi a força de minha filha.

– Não sei se estou entendendo.

– Sei que Kellerton gostava de torturar suas vítimas – disse Hoyt. – E sei que ele costumava marcá-las com ferro em brasa enquanto ainda estavam vivas.

Mas nossa teoria é que Elizabeth tentou escapar ou, pelo menos, reagiu. Achamos que ela prendeu a mão dele. Ele teve de subjugá-la e, com isso, acabou matando-a. Isso explica os ferimentos de faca nas mãos dela e por que ela foi marcada *post mortem*.

– Entendo. – Um gancho de esquerda inesperado. Carlson tentou manter o domínio. Fazia sentido. Mesmo as menores vítimas podem dar um trabalhão. Essa explicação tornava maravilhosamente coerentes todas as aparentes incoerências. Mas ainda havia problemas. – Então, como é que você explica o exame toxicológico?

– Irrelevante – respondeu Hoyt. – É como perguntar a uma vítima de estupro sobre seu histórico sexual. Não importa se minha filha era ou não viciada em crack.

– Ela era o quê?

– É irrelevante – ele repetiu.

– Nada é irrelevante numa investigação de homicídio. Você sabe disso.

Hoyt tornou-se mais agressivo.

– Tome cuidado – disse.

– Está me ameaçando?

– De forma alguma. Só estou avisando que, depois de tudo pelo que minha filha passou, você não tem o direito de denegri-la.

Os dois ficaram ali, parados. O último sino havia soado. Eles agora aguardavam uma decisão que seria insatisfatória qualquer que fosse a inclinação dos juízes.

– Assunto encerrado? – disse Hoyt.

Carlson concordou com a cabeça e deu um passo para trás. Parker fez menção de abrir a porta.

– Hoyt?

Hoyt olhou para trás.

– Para que não haja nenhum mal-entendido – disse Carlson. – Não acredito numa única palavra que você disse. Está claro?

– Como água – respondeu Hoyt.

37

QUANDO SHAUNA CHEGOU AO APARTAMENTO, desabou no seu canto favorito do sofá. Linda sentou-se ao seu lado e fez sinal para que Shauna se deitasse em seu colo. A modelo fechou os olhos enquanto Linda acariciava seus cabelos.

– Mark está bem? – perguntou Shauna.
– Sim – respondeu Linda. – Você se importa de me dizer onde esteve?
– É uma longa história.
– Estou sentada aqui o dia inteiro esperando notícias do meu irmão.
– Ele telefonou para mim – contou Shauna.
– O quê?
– Ele está em segurança.
– Graças a Deus.
– E não matou Rebecca.
– Eu sei disso.
Shauna virou a cabeça para olhar para cima. Linda estava piscando os olhos.
– Ele vai ficar bem – disse Shauna.
Linda assentiu com a cabeça e virou o rosto para o outro lado.
– Que foi?
– Fui eu que tirei aquelas fotos – revelou Linda.
Shauna sentou-se.
– Elizabeth veio ao meu escritório. Ela estava bastante machucada. Sugeri que fosse ao hospital. Ela não quis. Só queria fazer um registro daquilo.
– Não foi um acidente de carro?
Linda negou com a cabeça.
– Quem a machucou?
– Ela me fez prometer que não contaria.
– Oito anos atrás – disse Shauna. – Conte.
– Não é tão simples assim.
– Claro que não. – Shauna hesitou. – Afinal, por que ela procuraria você? E como você pôde pensar em proteger... – Sua voz falhou. Ela lançou um olhar duro para Linda. Linda não se acovardou, mas Shauna pensou no que Carlson havia contado. – ... Brandon Scope – disse Shauna pausadamente.
Linda não respondeu.
– Foi ele quem bateu nela. Meu Deus, não é de surpreender que ela tenha procurado você. Ela queria manter segredo. Rebecca ou eu a teríamos obrigado a ir à polícia. Mas você, não.
– Ela me fez prometer – disse Linda.
– E você simplesmente concordou?
– O que eu deveria fazer?
– Obrigá-la a ir à polícia.
– Nem todo mundo é tão corajoso e forte como você, Shauna.
– Não me venha com essa conversa mole.

– Ela não queria ir – insistiu Linda. – Disse que precisava de mais tempo. Que não tinha provas suficientes ainda.

– Provas de quê?

– Da agressão dele, suponho. Sei lá. Ela não me deu ouvidos. Eu não podia forçá-la.

– Você acha que eu acredito nessa história?

– O que está insinuando?

– Você trabalhava numa instituição de caridade financiada pela família de Brandon e dirigida por ele – disse Shauna. – O que aconteceria se viesse à tona que ele espancou uma mulher?

– Elizabeth me fez prometer.

– E você nem hesitou em manter o bico calado, certo? Você queria proteger a sua maldita instituição de caridade.

– Não é justo...

– Ela era mais importante que o bem-estar de Elizabeth.

– Você tem ideia do bem que fazemos? – gritou Linda. – Sabe quantas pessoas ajudamos?

– À custa do sangue de Elizabeth Beck – revidou Shauna.

Linda deu-lhe um tapa na cara. O tapa doeu. Elas se encararam, respirando com dificuldade.

– Ela não me deixou denunciar Brandon. Talvez eu tenha sido fraca. Sei lá. Mas não ouse dizer uma coisa dessas.

– E quando Elizabeth foi raptada no lago você não achou que estava na hora de abrir a boca?

– Achei que o crime pudesse estar relacionado ao espancamento. Procurei o pai de Elizabeth e contei a ele tudo o que sabia.

– O que ele disse?

– Ele agradeceu e disse que já sabia de tudo. Também pediu que eu não contasse nada a ninguém, porque a situação era delicada. E quando ficou claro que KillRoy era o assassino...

– Você decidiu ficar calada.

– Brandon Scope estava morto. De que adiantaria jogar seu nome na lama?

O telefone tocou. Linda esticou o braço para ele, atendeu, fez uma pausa e depois entregou-o a Shauna.

– Para você.

Shauna não olhou para ela ao pegar o fone.

– Alô?

– Venha até o meu escritório – disse Hester Crimstein.

– Depois de tudo aquilo?

– Não sou muito boa em pedir desculpas, Shauna. Portanto, vamos concordar que eu sou uma grandessíssima idiota. Agora mexa-se. Pegue um táxi e venha para cá. Temos um homem inocente para salvar.

◆◆◆

O promotor assistente Lance Fein entrou feito um furacão na sala de reuniões de Crimstein, com cara de quem se mantinha acordado à base de anfetaminas. Os dois detetives de homicídios, Dimonte e Krinsky, iam atrás. Os três tinham os rostos tensos como cordas de piano.

Hester e Shauna estavam de pé do outro lado da mesa.

– Cavalheiros – disse Hester com um aceno –, tomem seus lugares.

Fein a encarou e depois olhou indignado para Shauna:

– Não estou aqui para brincadeiras.

– Não, o senhor já brinca bastante na privacidade do seu lar – debochou Hester. – Sente-se.

– Se vocês sabem onde ele está...

– Sente-se, Lance. Você está me dando dor de cabeça.

Todos se sentaram. Dimonte colocou as botas de pele de cobra sobre a mesa. Com as duas mãos, Hester empurrou-as para fora, sem deixar de sorrir.

– Estamos aqui, cavalheiros, com um único objetivo: salvar nossas carreiras. Portanto, vamos direto ao assunto.

– Gostaria de saber...

– Silêncio, Lance. Quem fala aqui sou eu. Seu papel é escutar e talvez concordar com a cabeça e dizer coisas como "Sim, senhora" e "Obrigado". Senão vai acabar se dando mal.

Lance Fein a encarou:

– É você quem está ajudando um fugitivo a escapar da justiça, Hester.

– Resolveu dar uma de durão agora? Preste atenção, porque eu não estou a fim de ficar repetindo. Vou lhe fazer um favor, Lance. Não vou deixar que você fique parecendo um completo idiota nessa história. Idiota, todo mundo já viu que você é, mas, se me ouvir com atenção, não parecerá um completo idiota. Está entendendo? Em primeiro lugar, sei que vocês já têm uma hora definida para a morte de Rebecca Schayes. Meia-noite, talvez meia hora antes ou depois. Até aqui alguma dúvida?

– E daí?

Hester olhou para Shauna.

– Quer contar para ele?

– Não, conte você.

– Mas foi você quem fez o trabalho pesado.

Fein reclamou:

– Pare de enrolar, Crimstein.

A porta atrás deles se abriu. A secretária de Hester entregou a ela umas folhas de papel e uma pequena fita cassete.

– Obrigada, Cheryl.

– Tudo bem.

– Pode ir para casa. Chegue mais tarde amanhã.

– Obrigada.

Cheryl foi embora. Hester apanhou os óculos de leitura e começou a ler as páginas.

– Estou começando a me cansar, Hester.

– Gosta de cachorros, Lance?

– O quê?

– Cachorros. Eu particularmente não sou muito fã deles. Mas este aqui... Shauna, cadê aquela fotografia?

– Aqui. – Shauna levantou uma grande fotografia de Chloe para que todos vissem. – É uma collie.

– Não é bonitinha, Lance?

Lance Fein se levantou. Krinsky fez o mesmo. Dimonte não se mexeu.

– Agora chega!

– Se você for embora – ameaçou Hester –, este cachorro vai mijar na sua carreira como se fosse um poste.

– Que diabo você está falando?

Ela entregou duas das folhas a Fein.

– Este cachorro é a prova de que Beck não matou Rebecca. Ele esteve num cibercafé ontem à noite. Ele foi com o cachorro, que, naturalmente, teve de ficar do lado de fora. Aqui estão quatro depoimentos de testemunhas afirmando que viram Beck. Ele alugou um computador lá. Mais precisamente de meia-noite e quatro até meia-noite e vinte e três, de acordo com os registros de faturamento. – Ela riu. – Aqui, rapazes. Há cópias para todos vocês.

– Você acha que eu vou acreditar numa coisa dessas?

– Em vez de se precipitar, escute até que eu tenha acabado.

Hester jogou uma das cópias para Krinsky e outra para Dimonte. Krinsky a apanhou e pediu para dar um telefonema.

– Tudo bem – disse Crimstein. – De preferência, a cobrar. – Ela olhou para ele com um sorriso afetado. – Eu agradeço.

Fein leu a folha, e seu rosto foi ficando acinzentado.

– Pensando em estender um pouco o intervalo da hora provável da morte? – perguntou Hester. – À vontade, mas sabe da maior? Nós também mexemos nossos pauzinhos. Ele está coberto.

Fein estava realmente tremendo nas bases. Ele pareceu ter engolido um baita palavrão.

– Pois bem, Lance – disse Hester Crimstein num falso tom de compaixão. – Você deveria estar me agradecendo.

– Por quê?

– Pense em como eu poderia ter passado você para trás. Imagine só, você diante de todas aquelas câmeras, toda aquela deliciosa cobertura da mídia, pronto para anunciar a prisão de um vil assassino. Você põe sua melhor gravata, faz aquele belo discurso sobre manter as ruas seguras, sobre o esforço de sua equipe para capturar a fera, embora o mérito na verdade tenha sido seu. Os flashes começam a espocar. Você sorri e fala com os repórteres na maior intimidade, enquanto sonha com sua grande escrivaninha de carvalho na mansão do governador... E aí, pimba, eu corto o seu barato. Divulgo para a mídia este álibi incontestável. Imagine com que cara de palerma que você ficaria, Lance. Você tem de me agradecer de joelhos.

Os olhos de Fein soltaram faíscas.

– Mas ele agrediu um policial.

– Não é verdade, Lance. Veja como eu posso distorcer toda a história. O fato é que você, o promotor público assistente Lance Fein, chegou à conclusão errada. Você perseguiu um homem inocente com suas tropas de choque. Mais do que um homem inocente, um médico que, em vez de enriquecer no setor privado, prefere cuidar dos menos favorecidos. – Ela relaxou, sorrindo. – E tem mais: enquanto dezenas de policiais armados até os dentes e pagos com nossos impostos caçam esse homem inocente, um guarda jovem, forte e cheio de adrenalina consegue encurralá-lo num beco e começa a espancá-lo. Não tem mais ninguém ali, e o guarda resolve fazer justiça com as próprias mãos. A pobre vítima, o Dr. David Beck, que ainda por cima é viúvo, agiu em legítima defesa.

– E alguém vai acreditar nisso?

– Claro que vai. Não quero parecer atrevida, mas é mais fácil acreditarem em mim do que em você. E você ainda não me ouviu filosofando sobre os excessos da promotoria pública, sem falar que, no afã de agarrar o Dr. David Beck, um herói para os menos favorecidos, a polícia forjou falsos indícios em sua residência.

– Forjou indícios? – Fein estava enfurecido. – Você pirou?

– Veja bem, Lance, sabemos que o Dr. David Beck não poderia ter cometido o crime. Temos um álibi indiscutível, que é o depoimento de quatro testemunhas independentes e imparciais, e estamos correndo atrás de mais testemunhas. Então como foi que todos aqueles indícios foram parar lá? Foi você, Fein, e suas tropas de choque. Mark Fuhrman* parecerá Mahatma Gandhi quando eu acabar com a alegria de vocês.

As mãos de Fein se fecharam. Ele fez uma pausa e tentou se controlar.

– O.k. – disse ele lentamente. – Supondo que o álibi seja comprovado...

– Ele será.

– *Supondo* que seja, o que você quer?

– Uma ótima pergunta. Você está num dilema, Lance. Se você prender meu cliente, parecerá um idiota. Se cancelar o mandado de prisão, parecerá um idiota também. Não sei se existe alguma saída. – Hester Crimstein levantou-se e andou de um lado para outro como se estivesse procurando uma solução. – Examinei o assunto, refleti a respeito e acho que encontrei uma maneira de minimizar o dano. Quer saber?

Fein lançou-lhe um novo olhar furioso:

– Pode dizer.

– Uma coisa inteligente você fez nesta trapalhada toda. Uma única coisa, mas talvez seja o suficiente. Você se manteve longe da mídia. Também seria bastante constrangedor tentar explicar como poderiam ter deixado esse médico escapar. Mas isso é bom. É claro que informações de fontes anônimas vazaram para a imprensa. Preste atenção no que você deve fazer, Lance. Você convoca uma entrevista coletiva. Diz que as informações vazadas são falsas, que o Dr. Beck está sendo procurado como uma testemunha essencial, mais nada. Você não suspeita dele nesse crime. Na verdade, você está certo de que ele não o cometeu, mas soube que ele foi uma das últimas pessoas a ver a vítima com vida e queria falar com ele.

– Essa história não vai colar.

– Vai colar direitinho. Talvez surjam algumas dúvidas, mas vai acabar colando. Eu vou ajudar, Lance. Estou em dívida com você porque meu cliente fugiu. Então eu, a inimiga da promotoria pública, vou dar uma força. Vou dizer para a mídia que você cooperou conosco, que garantiu que os direitos de meu cliente fossem respeitados, que o Dr. Beck e eu apoiamos plenamente sua investigação e que gostaríamos de colaborar com você.

Fein se manteve calado.

---

* Detetive de Los Angeles acusado de forjar indícios e usar termos racistas no caso de O. J. Simpson. (N. do T.)

– É como eu já disse antes, Lance. Posso distorcer a história a seu favor ou contra você.

– O que você quer em troca?

– Você vai retirar todas essas acusações idiotas de agressão e resistência.

– Sem chances.

Hester apontou o caminho da porta.

– Então vejo você nas páginas das charges.

Os ombros de Fein despencaram e ele falou em voz branda:

– Se nós concordarmos, seu cliente vai cooperar? Ele responderá a todas as minhas perguntas?

– Por favor, Lance, não tente fingir que está em condições de negociar. Eu propus um trato. Aceite ou terá de enfrentar a imprensa. Você escolhe. O tempo está se esgotando. – Ela balançou o dedo indicador de um lado para o outro e fez um som de tique-taque.

Fein olhou para Dimonte, que mascou seu palito com mais força. Krinsky parou de falar ao telefone e fez um sinal afirmativo para Fein. Fein, por sua vez, olhou para Hester e sinalizou que sim.

– Então, como vamos fazer?

38

ACORDEI, LEVANTEI A CABEÇA E QUASE GRITEI. Meus músculos estavam totalmente doloridos. Sentia dores em partes do corpo que eu nem sabia que tinha. Tentei jogar as pernas para fora da cama. Foi uma má ideia. Uma péssima ideia. Lentidão: era esta a ordem do dia.

Minhas pernas doíam mais do que o resto, lembrando-me de que, apesar da quase maratona do dia anterior, eu estava fora de forma. Tentei me levantar da cama. Nos pontos sensíveis que o sujeito asiático tinha atacado eu sentia como se suturas tivessem se rompido. Meu corpo ansiava por um analgésico, mas eu não tinha nenhum comigo.

Olhei as horas. Seis da manhã. Precisava telefonar para Hester.

Ela atendeu no primeiro toque.

– Funcionou – disse ela. – Você está livre.

Senti um alívio moderado.

– O que você vai fazer? – perguntou a advogada.

Era uma boa pergunta.

– Não sei direito.

– Espere um segundo. – Ouvi outra voz no fundo. – Shauna quer falar com você.

Ouvi um ruído do fone sendo passado para outra pessoa, e então Shauna disse:

– Precisamos conversar.

Embora Shauna não fosse dada a afabilidades ou sutilezas desnecessárias, ainda assim ela parecia atipicamente tensa e talvez até – difícil imaginar – assustada. Meu coração disparou.

– O que é?

– Não dá para falar por telefone.

– Posso estar na sua casa daqui a uma hora.

– Ainda não contei para Linda sobre... Você sabe.

– Talvez esteja na hora de contar – falei.

– O.k. – Depois ela acrescentou, com uma ternura surpreendente: – Te amo, Beck.

– Eu também te amo.

Cheio de dores nas pernas, fui andando a duras penas até o chuveiro, apoiando-me nos móveis para me manter de pé. Fiquei sob a ducha até a água quente acabar. Aquilo ajudou a aliviar a dor, mas só um pouco.

Tyrese me arranjou um conjunto esportivo de um tecido violeta aveludado. Só faltou o medalhão de ouro.

– Aonde é que você vai? – perguntou.

– À casa da minha irmã, primeiro.

– E depois?

– Acho que vou trabalhar.

Tyrese fez um sinal negativo com a cabeça.

– O quê? – perguntei.

– Você ainda corre perigo.

– Será?

– Bruce Lee vai querer ir à forra.

Pensei a respeito. Ele tinha razão. Mesmo que eu quisesse, não podia simplesmente ir para casa e esperar que Elizabeth voltasse a entrar em contato. Em primeiro lugar, minha vida mudara, a tranquilidade era coisa do passado. Mas, além disso, os homens daquela caminhonete não iam esquecer o ocorrido e deixar que eu seguisse normalmente meu caminho.

– Vou lhe dar cobertura, doutor. Brutus também. Até essa história acabar.

Eu estava prestes a dizer algo corajoso como “Não posso exigir isso de você” ou “Você tem sua própria vida para cuidar”, mas, pensando bem, se eles não estivessem me protegendo, estariam vendendo drogas. Tyrese queria ajudar – talvez até precisasse ajudar – e, convenhamos, eu precisava dele. Eu poderia alertá-lo, lembrá-lo do perigo, mas ele entendia dessas coisas bem melhor do que eu. Assim, no final, simplesmente aceitei a oferta com um gesto de cabeça.

◆◆◆

Carlson recebeu a ligação do Centro Nacional de Rastreamento mais cedo do que esperava.

– Já conseguimos – disse Donna.

– Como?

– Já ouviu falar do IBIS, Sistema de Identificação de Balística?

– Sim, alguma coisa. – Ele sabia que se tratava de um novo programa de computador usado pela Divisão de Álcool, Tabaco e Armas de Fogo para armazenar dados referentes a balas e projéteis. Ele fazia parte do Programa Cessar-fogo.

– Nem precisamos mais da bala original – continuou ela. – Eles só tiveram que enviar as imagens escaneadas. Conseguimos digitalizá-las e analisá-las direto na tela.

– E aí?

– Você estava certo, Nick. Há uma correlação.

Carlson desligou e fez outra chamada. Quando o homem na outra extremidade atendeu, ele perguntou:

– Onde está o Dr. Beck?

39

BRUTUS JUNTOU-SE A NÓS NA CALÇADA. Eu lhe dei bom-dia.

Ele não disse nada. Eu ainda não o tinha ouvido falar. Acomodei-me no banco traseiro. Tyrese sentou-se ao meu lado e sorriu. Na noite anterior ele matara um homem. É bem verdade que foi para salvar minha vida, mas, pela sua despreocupação, talvez nem se lembrasse de ter apertado o gatilho. Melhor do que qualquer um, eu deveria entender o que se passava com ele, mas não entendia. Não sou muito adepto de princípios morais absolutos. Eu vejo os matizes. Faço concessões. Elizabeth tinha uma visão mais clara de sua bússola moral. Ela teria ficado horrorizada com a perda de uma vida. Para ela, não teria importado que o homem estivesse tentando me sequestrar, torturar e provavelmente matar. Ou talvez importasse. Eu já nem sei mais. A dura verdade é que eu não sabia tudo sobre ela. E ela certamente não sabia tudo sobre mim.

Minha formação médica me programou para nunca fazer esse tipo de seleção moral. É uma simples regra de triagem: o paciente com ferimentos mais graves é tratado primeiro. Não importa quem seja ou o que fez. Você trata os casos mais graves primeiro. Uma bela teoria, e entendo sua necessidade. Mas se, digamos, meu sobrinho Mark fosse trazido ao hospital com uma punhalada e o pedófilo que o ferira chegasse ao mesmo tempo com uma bala na cabeça, não há dúvida sobre quem eu trataria primeiro. Você faz a escolha, e no fundo você sabe que nesse caso a decisão é fácil.

Você pode argumentar que estou pisando em terreno muito escorregadio. Concordo com você, embora eu possa replicar que a maior parte da vida é dessa forma. O problema quando você aceita conviver com esses matizes são as repercussões – não apenas as teóricas, que mancham sua alma, mas as concretas, a destruição imprevisível que tais escolhas deixam para trás. Eu me perguntava o que teria acontecido se eu tivesse falado a verdade desde o início. Esse pensamento me pareceu bastante assustador.

– Está calado, doutor.

– É.

Brutus me deixou diante do apartamento de Linda e Shauna, na Riverside Drive.

– Estaremos ali na esquina – disse Tyrese. – Se precisar de alguma coisa, você sabe meu telefone.

– Certo.

– Está levando a Glock?

– Sim.

Tyrese pôs a mão no meu ombro.

– Não dá mole para eles, doutor – recomendou. – Qualquer coisa, mete bala.

Não havia matizes aqui.

Saltei do carro. Mães e babás caminhavam tranquilamente manobrando complicados carrinhos de bebê, com encosto regulável, musiquinha, alguns para mais de um bebê, além de carregarem fraldas, toalhas, papinhas, suco (para os irmãos mais velhos), mudas de roupa, mamadeiras e até kits de primeiros socorros. Eu conhecia tudo aquilo graças à minha própria prática pediátrica (depender da saúde pública não impede que as mães comprem carrinhos de bebê de última geração) e achei aquele espetáculo de prosaica normalidade coexistindo no mesmo espaço do meu recente suplício uma espécie de elixir.

Olhei para o prédio. Linda e Shauna estavam na porta e vieram correndo em minha direção. Linda chegou primeiro. Ela me abraçou. Eu retribuí o abraço. A sensação foi agradável.

– Você está bem? – ela quis saber.

– Estou ótimo – respondi.

Minhas respostas tranquilizadoras não impediram Linda de repetir a pergunta várias vezes de diversas maneiras. Shauna se aproximou. Olhei para ela por sobre o ombro de minha irmã. Shauna enxugava as lágrimas. Sorri para ela.

Continuamos aos beijos e abraços na subida do elevador. Shauna estava menos efusiva do que de hábito, permanecendo um tanto distante. Um observador de fora poderia alegar que aquilo fazia sentido, que Shauna estava dando espaço aos irmãos naquele emocionante reencontro. Esse observador não saberia distinguir Shauna de Cher. Shauna era maravilhosamente coerente. Ela era estourada, exigente, engraçada, bondosa e fiel até debaixo d'água. Ela nunca usava disfarces ou pretextos. Se você consultasse o verbete "inibido" em um dicionário de antônimos, daria de cara com a imagem exuberante dela. Shauna encarava a vida. Ela não retrocederia se fosse agredida na boca com um cano de chumbo.

Algo dentro de mim começou a latejar.

Quando chegamos ao apartamento, Linda e Shauna trocaram um olhar. O braço de Linda me largou.

– Shauna quer falar com você em particular primeiro – disse ela. – Estarei na cozinha. Quer um sanduíche?

– Sim, obrigado – respondi.

Linda me beijou e me deu um último abraço, como se quisesse se certificar de que eu ainda estava ali em carne e osso. Ela deixou rapidamente o aposento. Olhei para Shauna. Ela manteve a distância. Fiz com as mãos um gesto de "O que houve?".

– Por que você fugiu? – perguntou Shauna.

– Recebi outro e-mail – respondi.

– Na conta do Bigfoot?

– Sim.

– Por que o e-mail demorou tanto para chegar?

– Ela estava usando um código – respondi. – Levei algum tempo até decifrar.

– Que tipo de código?

Expliquei sobre a Bat Lady e o filme *Teenage Sex Poodles*.

Quando terminei, ela disse:

– Foi por isso que você entrou no cibercafé? Você decifrou a charada durante o passeio com Chloe?

– Sim.

– O que o e-mail dizia exatamente?

Eu não conseguia entender por que Shauna estava fazendo todas aquelas perguntas. Além de todas as características que eu já mencionei, ela era uma pessoa que se atinha estritamente ao panorama geral. Detalhes não eram o seu forte; ao seu ver, eles apenas turvavam e confundiam.

– Ela pediu que eu a encontrasse ontem às cinco da tarde no Washington Square Park – expliquei. – Avisou que eu seria seguido. Depois disse que, independentemente do que acontecesse, ela me amava.

– Por isso você fugiu? – perguntou. – Para não perder o encontro?

Respondi que sim com um movimento da cabeça.

– Hester disse que eu só conseguiria a fiança depois da meia-noite.

– Você chegou ao parque a tempo?

– Sim.

Shauna se aproximou mais de mim.

– E...?

– Ela não apareceu.

– E você ainda está convencido de que foi Elizabeth quem enviou o e-mail?

– Não há outra explicação – respondi.

Ela sorriu quando eu disse isso.

– O que foi? – perguntei.

– Lembra-se da minha amiga Wendy Petino?

– Sua colega modelo – respondi. – A excentricidade em pessoa.

Shauna riu da minha descrição.

– Certa vez, ela me levou para jantar com seu – ela fez um sinal de aspas com os dedos – guru espiritual. Ela dizia que ele conseguia ler pensamentos e prever o futuro e todas essas coisas. Ele a estava ajudando a se comunicar com a falecida mãe. A mãe de Wendy se suicidou quando ela tinha 6 anos.

Deixei que ela prosseguisse, sem interromper com o óbvio "aonde você quer chegar com isso?". Shauna estava demorando, mas eu sabia que acabaria chegando a algum lugar.

– Aí acabamos de jantar. O garçom serviu o café. O guru de Wendy, que se chamava Omay ou algo parecido, olhou para mim com aqueles olhos brilhantes e inquisidores, você conhece esse tipo, e começou a dizer que sentia que talvez eu fosse uma cética e que estava precisando me abrir. Você me conhece. Eu disse a ele que tudo aquilo era bobagem e que ele devia parar de arrancar dinheiro da minha amiga. Omay não ficou zangado, é claro, o que realmente me contrariou. De qualquer modo, ele me entregou um pequeno cartão e pediu que eu escrevesse qualquer coisa nele. Algo significativo sobre a minha vida, um namoro, as iniciais de uma pessoa querida, o que eu bem entendesse. Examinei o cartão. Parecia um papel normal, mas, mesmo assim, perguntei se podia usar meu próprio cartão. Ele disse para eu ficar à vontade. Apanhei um cartão de visita e o virei. Ele me entregou uma caneta, mas novamente decidi usar a minha. Sei lá se a dele tinha algum truque, tudo é possível. Ele disse que não havia problema. Então escrevi seu nome: Beck, apenas. Ele pegou o cartão. Observei a mão dele para ver se não daria uma virada rápida ou algo assim, mas ele apenas passou o cartão para Wendy, pedindo-lhe que o segurasse. Pegou minha mão, fechou os olhos e começou a tremer como se estivesse tendo um ataque, e juro que senti algo me percorrer. Depois abriu os olhos e perguntou: "Quem é Beck?"

Shauna se sentou no sofá. Fiz o mesmo.

– Sei que as pessoas são ágeis com as mãos e essas coisas, mas eu estava lá. Eu o observei de perto. E quase caí. Omay tinha habilidades especiais. Como você diz, não havia outra explicação. Wendy estava sentada com aquele sorriso satisfeito estampado no rosto. Eu estava perplexa.

– Ele pesquisou sua vida – eu aventei. – Sabia da nossa amizade.

– Desculpe, mas não seria mais lógico eu escrever o nome do meu próprio filho ou de Linda? Como ele ia adivinhar que escolheria o seu?

Shauna tinha razão.

– Então você agora acredita em esoterismo?

– Quase, Beck. Eu disse que quase caí. O velho Omay estava certo. Sou uma cética. Talvez tudo indicasse que ele era paranormal, só que eu sabia que não era. Porque não existe essa coisa de paranormalidade, assim como não existem fantasmas. – Ela parou. Nem um pouco sutil, minha cara Shauna. – Resolvi pesquisar o fenômeno – ela prosseguiu. – O bom de ser uma modelo famosa é que você pode ligar para quase todo mundo e ser atendida. Então telefonei para um ilusionista que eu havia visto na Broadway alguns anos antes. Ele ouviu a história e riu. Perguntei qual a graça. Ele perguntou: "O guru fez aquilo depois do jantar?" Fiquei surpresa. Que diabo tinha o jantar a ver com aquilo? Mas eu disse: "Sim, como foi que soube?" Ele perguntou se tomamos café. De novo, respondi que sim. Ele tomou café puro? Outra vez respondi que sim. – Shauna sorria agora. – Sabe como ele fez aquilo, Beck?

Fiz que não com a cabeça:

– Não tenho a menor ideia.

– Quando ele entregou o cartão para Wendy, passou-o sobre a xícara de café. O café puro, Beck, reflete como um espelho. Foi assim que ele viu o que eu havia escrito. Tudo não passou de um simples truque. Passar o cartão sobre a xícara de café preto é como passá-lo sobre um espelho. E eu quase acreditei. Entende o que estou querendo dizer?

– Claro – respondi. – Você acha que sou tão ingênuo como a excêntrica Wendy.

– Sim e não. Veja bem, Omay joga com a vontade das pessoas, Beck. Wendy cai porque quer acreditar em toda aquela encenação.

– E eu quero acreditar que Elizabeth está viva?

– Mais do que um homem agonizante no deserto quer encontrar um oásis – completou ela. – Mas não é isso o que eu quero dizer.

– O que é, então?

– Aprendi que o fato de você não conseguir ver nenhuma outra explicação não significa que ela não exista. Significa apenas que você não consegue enxergá-la.

Reclinei-me no sofá e cruzei as pernas. Observei-a. Ela desviou o olhar de mim, algo que nunca fazia.

– O que está acontecendo, Shauna?

Ela não me encarou.

– O que você diz não faz sentido – falei.

– Acho que fui bastante clara...

– Você sabe o que eu estou querendo dizer. Você está estranha. Ao telefone, disse que precisava falar comigo. A sós. E para quê? Para me dizer que minha esposa no final das contas está mesmo morta? – Fiz um gesto de reprovação com a cabeça. – Eu não aceito isso.

Shauna não reagiu.

– Fale – pedi.

Ela voltou a me encarar.

– Estou assustada – ela disse num tom de voz que fez os pelos de minha nuca se eriçarem.

– Por quê?

A resposta não veio de imediato. Eu conseguia ouvir Linda na cozinha, o tinido de pratos e copos, o som da geladeira se abrindo.

– Essa longa história que acabo de contar – continuou Shauna por fim – serve tanto para mim quanto para você.

– Eu não entendo.

– Eu vi algo... – Sua voz se extinguiu. Ela respirou fundo e tentou de novo. – Eu vi algo que minha mente racional não consegue explicar. Como na história de Omay. Sei que tem que haver outra explicação, mas não consigo encontrar. – Suas mãos começaram a se mexer, os dedos tocando nervosamente os botões, puxando fios imaginários da roupa. Foi aí que ela admitiu: – Começo a acreditar em você, Beck. Acho que talvez Elizabeth ainda esteja viva.

Meu coração saltou até a garganta. Ela se levantou rapidamente.

– Vou preparar um coquetel. Aceita?

Respondi que não com a cabeça. Ela pareceu surpresa.

– Tem certeza de que não quer...

– Diga o que você viu, Shauna.

– A ficha da autópsia.

Quase caí para trás. Levei algum tempo até recuperar a voz.

– Como?

– Conhece Nick Carlson, do FBI?

– Ele me interrogou – respondi.

– Ele acha que você é inocente.

– Não foi essa a impressão que tive.

– Mas agora ele acha. Quando todos aqueles indícios começaram a apontar para você, ele achou que estava tudo certinho demais.

– Ele disse isso a você?

– Sim.

– E você acreditou nele?

– Sei que parece ingênuo, mas, sim, acreditei.

Eu confiava no julgamento de Shauna. Se ela dizia que Carlson estava sendo sincero, ou ele era um perfeito mentiroso ou ele havia descoberto a verdade.

– Continuo não entendendo – disse. – O que isso tem a ver com a autópsia?

– Carlson me procurou. Ele queria saber o que você estava tramando. Eu não contei. Mas ele estava rastreando seus movimentos. Ele sabia que você tinha solicitado a ficha da autópsia de Elizabeth. Ele queria saber por quê. Por isso, ligou para o escritório do médico-legista e conseguiu a ficha. Ele a trouxe até aqui para ver se eu poderia elucidar alguma coisa.

– Ele mostrou o laudo a você?

Ela fez que sim com a cabeça. Minha garganta estava seca.

– Você viu as fotos da autópsia?

– Não havia nenhuma, Beck.

– O quê?

– Carlson acha que alguém as roubou.

– Quem?

Ela deu de ombros.

– A única pessoa que pediu para ver a ficha foi o pai de Elizabeth.

Hoyt. O cerco se fechava em torno dele. Olhei para ela.

– Você chegou a ver o laudo?

Desta vez Shauna hesitou antes de assentir.

– E...?

– Diz que Elizabeth usava drogas, Beck. Não apenas que havia drogas no organismo. Ele disse que o laudo mostrava que o consumo vinha de longa data.

– Impossível – falei.

– Talvez sim, talvez não. Só isso não seria suficiente para me convencer. As pessoas conseguem esconder o consumo de drogas. Não é provável, mas ela estar viva também não é. Talvez os testes estivessem errados ou incompletos. Podia haver alguma explicação.

Molhei os lábios com a língua.

– Então o que havia de errado?

– A altura e o peso – disse Shauna. – No laudo constava que Elizabeth tinha 1,70m e pesava 45 quilos.

Outro soco na barriga. Minha esposa media 1,62m e pesava cerca de 50 quilos.

– Totalmente errado – eu disse.

– Totalmente.

– Ela está viva, Shauna.

– Talvez – admitiu ela, seu olhar se voltando para a cozinha. – Mas tem mais.

Shauna se virou e chamou Linda. Esta apareceu à porta e permaneceu ali. Ela parecia subitamente pequena. Esfregou as mãos e as enxugou no avental. Observei minha irmã, intrigado.

– O que está acontecendo? – perguntei.

Linda começou a falar. Ela contou sobre as fotografias: Elizabeth pedira que Linda as guardasse e mantivesse segredo sobre Brandon Scope, o que ela fez de bom grado. Linda não dourou a pílula nem ofereceu justificativas, mas talvez não tivesse obrigação de fazê-lo. Ela se manteve de pé, contou toda a história e esperou pela pancada inevitável. Eu ouvi de cabeça baixa. Não consegui encará-la, mas a perdoei facilmente. Todos temos nossos pontos fracos, sem exceção. Queria abraçá-la e dizer que eu entendia, mas não consegui. Quando ela terminou, fiz um simples sinal de sim com a cabeça e agradeci:

– Obrigado por me contar.

Minhas palavras eram um sinal de que ela já podia se retirar. Linda entendeu. Shauna e eu permanecemos sentados em silêncio por quase um minuto.

– Beck?

– O pai de Elizabeth está mentindo para mim – eu disse.

Ela assentiu com a cabeça.

– Preciso ter uma conversa com ele.

– Ele está escondendo alguma coisa.

Realmente, pensei.

– Será que desta vez vai ser diferente?

Dei um tapinha distraído na pistola Glock em minha cintura.

– Talvez – respondi.

◆◆◆

Carlson me saudou no corredor:

– Dr. Beck?

Do outro lado da cidade, naquele mesmo momento, a promotoria pública dava uma entrevista coletiva à imprensa. Os repórteres mostraram-se naturalmente céticos diante da explicação enrolada de Fein (em relação a mim), e houve muita retratação e atribuição de culpa e todo esse tipo de coisa. Mas aquilo parecia confundir ainda mais a questão. E a confusão ajuda. A confusão leva a extensas reconstituições, explicações, exposições e a vários outros "ões". A imprensa e seu público preferem uma narrativa mais simples.

A sorte de Fein foi que, por coincidência, a promotoria pública aproveitou aquela mesma entrevista coletiva para divulgar denúncias contra vários membros da administração municipal, junto com a insinuação de que os "tentáculos da corrupção" – a expressão foi deles – poderiam chegar ao escritório do prefeito. A mídia, uma entidade cuja atenção coletiva parece a de uma criança de 2 anos, imediatamente se concentrou nesse novo brinquedo reluzente, chutando o antigo para debaixo da cama.

Carlson avançou na minha direção.

– Gostaria de lhe fazer algumas perguntas.

– Agora não – respondi.

– Seu pai tinha um revólver – ele afirmou.

Suas palavras me grudaram ao chão.

– O quê?

– Stephen Beck, seu pai, adquiriu um Smith and Wesson calibre 38. O registro mostrou que ele o comprou alguns meses antes de morrer.

– O que isso tem a ver com o caso?

– Suponho que você herdou o revólver. Estou certo?

– Recuso-me a falar com você.

Apertei o botão do elevador.

– Ele está em nossas mãos – ele revelou.

Virei-me, espantado.

– Estava no cofre de Sarah Goodhart. Junto com as fotos.

Não consegui acreditar no que ouvia.

– Por que você não falou isso antes?

Carlson deu um sorriso maroto.

– O.k., fui o culpado – eu disse em tom de zombaria. Depois, fazendo questão de me afastar, acrescentei: – Não sei o que isso tem a ver com o caso.

– Claro que sabe.

Apertei o botão do elevador outra vez.

– Você se encontrou com Peter Flannery – continuou Carlson. – Você perguntou sobre a morte de Brandon Scope. Gostaria de saber por quê.

Mantive o botão do elevador pressionado.

– Você fez alguma coisa com o elevador?

– Sim. Por que você foi ver Peter Flannery?

Minha mente fez umas deduções rápidas. Uma ideia – algo perigoso, na melhor das hipóteses – me ocorreu. Shauna confiava naquele homem. Talvez eu também pudesse confiar. Pelo menos, um pouquinho. O suficiente.

– Porque eu e você temos as mesmas suspeitas – respondi.

– Como assim?

– Ambos queremos saber se KillRoy realmente matou minha mulher.

Carlson cruzou os braços.

– E o que Peter Flannery tem a ver com isso?

– Você estava rastreando meus movimentos, certo?

– Certo.

– Decidi fazer o mesmo com os movimentos de Elizabeth, a partir de oito anos atrás. As iniciais e o telefone de Flannery estavam em sua agenda.

– Entendo – disse Carlson. – E o que você descobriu com o Dr. Flannery?

– Nada – menti. – Aquilo não me levou a nada.

– Acho que não foi bem assim – Carlson retrucou.

– O que o leva a dizer isso?

– Sabe como funcionam os exames de balística?

– Eu vi na TV.

– Em termos simples, cada revólver deixa uma marca própria na bala que dispara. Arranhões, fendas específicas daquele revólver. Como impressões digitais.

– Eu sei de tudo isso.

– Após sua visita ao escritório de Flannery, solicitei um exame de balística do 38 que encontramos no cofre de Sarah Goodhart. Adivinhe o que descobri.

Fiz um gesto de que não sabia, mas era mentira.

Carlson fez uma pausa antes de dizer:

– O revólver de seu pai, aquele que você herdou, matou Brandon Scope.

A porta do prédio se abriu, e uma mãe e seu filho adolescente entraram na portaria. O rapaz se queixava de alguma coisa. Os lábios da mãe estavam cerrados, sua cabeça ereta numa posição de eu-não-quero-nem-saber. Eles se dirigiram o elevador. Carlson disse algo num walkie-talkie. Ambos nos afastamos da porta, nossos olhos imóveis, em um desafio silencioso.

– Agente Carlson, acha que eu sou um assassino?

– Quer saber a verdade? – ele devolveu. – Já nem sei direito.

Achei sua resposta curiosa.

– Você deve estar ciente de que eu não sou obrigado a falar com você. Na verdade, posso ligar para Hester Crimstein agora e melar tudo o que você está tentando fazer aqui.

Ele se irritou, mas não se deu o trabalho de contestar o que eu dissera.

– Aonde você quer chegar?

– Me dê duas horas.

– Para quê?

– Duas horas – repeti.

Ele refletiu a respeito.

– Sob uma condição.

– Qual?

– Diga quem é Lisa Sherman.

Aquilo realmente me intrigou.

– Não conheço esse nome.

– Você e ela iam pegar um avião para fora do país ontem à noite.

Elizabeth.

– Não sei do que você está falando – eu disse. O elevador chegou. A porta se abriu. A mãe de lábios cerrados e seu filho adolescente entraram. Ela olhou para nós. Fiz um sinal para que segurasse a porta.

– Duas horas – repeti.

Carlson fez um sinal relutante de sim com a cabeça. Pulei para dentro do elevador.

40

– VOCÊ ESTÁ ATRASADA! – O FOTÓGRAFO, um homem baixinho com um falso sotaque francês, gritou para Shauna. – E está parecendo... *comment dit-on?*... um espantalho.

– Sem essa, Frédéric – reagiu Shauna, sem saber nem se importar se aquele era seu nome. – De onde você é? Do Brooklyn?

Ele levantou as mãos.

– Desse jeito não posso trabalhar.

Aretha Feldman, a agente de Shauna, acudiu.

– Não se preocupe, François. Nosso maquiador vai dar um jeito. Ela sempre chega assim, meio despenteada. Voltaremos já. – Aretha agarrou com força o cotovelo de Shauna, mas sem perder o sorriso. Depois disse baixinho para Shauna: – Que diabos aconteceu com você?

– Eu não preciso desse sujeito.

– Não dê uma de estrela para cima de mim.

– Tive uma noite terrível.

– Sente-se na cadeira de maquiagem.

O maquiador suspirou horrorizado quando viu Shauna.

– Que bolsas são essas sob os seus olhos? – ele reclamou. – Vai posar para uma campanha de bolsas de viagem?

– Rá, rá, rá, não tem graça nenhuma. – Shauna aproximou-se da cadeira.

– Ah! – exclamou Aretha. – Chegou isso para você.

Aretha segurava um envelope. Shauna olhou para ele assustada.

– Que negócio é esse?

– Sei lá. Um mensageiro o entregou uns 10 minutos atrás. Disse que era urgente.

Aretha passou o envelope para Shauna. Ela o pegou e virou com um movimento brusco. Reconheceu a letra familiar na frente do envelope – apenas a palavra "Shauna" – e sentiu um frio na barriga.

Ainda olhando para a caligrafia, Shauna disse:

– Me dê um segundo.

– Agora não dá...

– Um segundinho.

O maquiador e a agente se afastaram um pouco. Shauna abriu o envelope. Um cartão branco com a mesma letra familiar caiu lá de dentro. Shauna o apanhou. A nota era breve: "Vá até o banheiro feminino."

Shauna tentou manter a respiração regular. Ela se levantou.

– Algum problema? – perguntou Aretha.

– Preciso fazer xixi – respondeu Shauna, ela mesma se surpreendendo com a calma em sua voz. – Onde é o toalete?

– No fim do corredor, à esquerda.

– Volto já, já.

Dois minutos depois, Shauna empurrou a porta do banheiro. Ela não se abriu. Ela bateu.

– Sou eu – ela disse. E aguardou.

Alguns segundos depois, ela ouviu a fechadura se abrir. Mais silêncio. Shauna respirou fundo e voltou a empurrar a porta. Desta vez, ela abriu. Shauna entrou e estacou, petrificada. À sua frente, de pé diante do compartimento da privada, um fantasma.

Shauna conteve um grito.

A peruca morena, a perda de peso, os óculos com armação de metal, nada disso alterava o óbvio.

– Elizabeth...

– Tranque a porta, Shauna.

Shauna obedeceu sem pestanejar. Depois, deu um passo em direção à velha amiga. Elizabeth retrocedeu.

– Por favor, temos pouco tempo.

Pela primeira vez na vida, Shauna ficou sem palavras.

– Você tem de convencer Beck de que estou morta – disse Elizabeth.

– É tarde demais para isso.

Seu olhar percorreu o banheiro como se procurasse uma saída por onde fugir.

– Cometi um erro ao voltar. Um erro terrível. Não posso ficar. Você tem que dizer para ele...

– Vimos o laudo da autópsia, Elizabeth – disse Shauna. – Não dá mais para colocar o gênio de volta na lâmpada.

Os olhos de Elizabeth se fecharam.

Shauna disse:

– Que diabos aconteceu?

– Foi um erro vir aqui.

– Você já disse isso.

Elizabeth começou a morder o lábio inferior. Em seguida:

– Tenho de ir.

– Não dá – disse Shauna.

– O quê?

– Não dá para você fugir de novo.

– Se eu ficar, ele morrerá.

– Ele já está morto – disse Shauna.

– Você não está entendendo.

– Nem quero entender. Se você deixá-lo de novo, ele não sobreviverá. Estou esperando há oito anos que ele supere o trauma. É isso o que deveria acontecer. As feridas cicatrizam. A vida continua. Mas não para Beck. – Ela deu um passo na direção de Elizabeth. – Não posso deixar você fugir de novo.

Havia lágrimas nos olhos das duas.

– Não quero saber por que você partiu – disse Shauna, aproximando-se de Elizabeth. – O que importa é que você está de volta.

– Não posso ficar – ela disse num sussurro.

– Você precisa.

– Mesmo que isso signifique a morte dele?

– Sim – respondeu Shauna sem hesitação. – Mesmo assim. E você sabe que o que estou dizendo é verdade. Por isso você está aqui. Você sabe que não pode partir de novo. E sabe que não vou deixar.

Shauna deu outro passo à frente.

– Estou cansada de fugir – disse Elizabeth.

– Eu sei.

– Não sei mais o que fazer.

– Nem eu. Mas fugir não é uma opção desta vez. Explique a ele, Elizabeth. Faça-o entender.

Elizabeth ergueu a cabeça.

– Sabe o quanto eu o amo?

– Sim – respondeu Shauna –, eu sei.

– Não posso deixar que ele seja prejudicado.

Shauna disse:

– Tarde demais.

Elas estavam agora a poucos centímetros de distância. Shauna quis estender os braços e abraçá-la, mas permaneceu parada.

– Você tem como entrar em contato com ele? – perguntou Elizabeth.

– Sim, ele me deu o número de um celular...

– Diga para ele "Golfinho". Vou encontrá-lo lá esta noite.

– Não sei nem o que isso significa.

Elizabeth deslizou rapidamente por ela, olhou para fora da porta do banheiro e saiu.

– Ele vai entender – ela esclareceu. Em seguida, sumiu.

41

COMO DE HÁBITO, TYRESE E EU NOS sentamos no banco de trás. O céu da manhã estava cinzento, cor de lápide. Mostrei a Brutus onde virar depois que atravessamos a Ponte George Washington. Escondido atrás dos óculos escuros, Tyrese examinou meu rosto. Enfim, perguntou:

– Aonde estamos indo?

– Para a casa dos meus sogros.

Tyrese esperou que eu continuasse.

– Ele é policial – acrescentei.

– Qual é o nome dele?

– Hoyt Parker.

Brutus sorriu. Tyrese também.

– Você o conhece?

– Nunca trabalhei com o cara pessoalmente, mas já ouvi o nome.

– O que você quer dizer com "trabalhei com o cara"?

Tyrese fez um gesto como se quisesse dizer "não seja tão curioso". Atravessamos o limite do município. Como se não bastassem as várias experiências surreais dos últimos três dias, agora eu rodava pela minha antiga vizinhança com dois traficantes em um carro de vidros escuros. Dei a Brutus mais algumas orientações antes de chegarmos à casa de dois andares da Goodhart Road. Saltei. Brutus e Tyrese partiram. Dirigi-me à porta e toquei a campainha. As nuvens escureceram ainda mais. Um raio riscou o céu. Voltei a apertar a campainha. Sentia uma dor pontiaguda no braço. Todo o meu corpo doía graças à combinação da tortura e do esforço exagerado no dia anterior. Por um momento, me perguntei o que teria acontecido se Tyrese e Brutus não tivessem aparecido. Mas logo afastei esse pensamento. Enfim, ouvi Hoyt perguntar:

– Quem é?

– Beck – respondi.

– Está aberta.

Estendi o braço em direção à maçaneta. Minha mão parou poucos centímetros antes de tocar no latão. Estranho. Eu tinha ido lá inúmeras vezes na vida, mas não me lembrava de Hoyt perguntar quem era. Ele era o tipo de homem que preferia o confronto direto. Hoyt Parker não era de se esconder. Ele não tinha medo de nada e fazia questão de mostrar isso. Você tocava a campainha e ele abria a porta e encarava você.

Olhei para trás. Tyrese e Brutus tinham ido embora – não convinha ficar de bobeira diante da casa de um tira num bairro de brancos.

– Beck?

Eu não tinha outra opção. Pensei na Glock. Ao tocar com a mão esquerda na maçaneta, aproximei a mão direita do quadril. Seguro morreu de velho. Virei a maçaneta e empurrei a porta. Enfiei a cabeça pela abertura.

– Estou na cozinha – gritou Hoyt.

Entrei na casa e fechei a porta. A sala cheirava a desinfetante de limão, um desses produtos que você insere num aparelhinho e coloca na tomada.

– Quer comer alguma coisa? – perguntou Hoyt.

Eu continuava sem conseguir vê-lo.

– Não, obrigado.

Atravessei o tapete felpudo em direção à cozinha. Vi as velhas fotografias sobre o consolo da lareira, mas dessa vez não estremeci. Quando meus pés atingiram o linóleo, percorri a cozinha com os olhos. Vazia. Eu ia virar para trás quando senti o frio metal na têmpora. Hoyt me deu um safanão no pescoço.

– Você está armado, Beck?

Não me movi nem falei nada.

Com o revólver ainda apontado, Hoyt largou meu pescoço e me apalpou. Ele encontrou a Glock, apanhou-a e atirou-a sobre o linóleo.

– Quem trouxe você aqui?

– Uns amigos – consegui dizer.

– Que tipo de amigos?

– Que palhaçada é essa, Hoyt?

Ele recuou. Virei para trás. O revólver estava apontado para o meu peito. O cano parecia enorme, como uma boca gigante pronta para me engolir. Difícil deixar de olhar para aquele túnel frio e escuro.

– Você veio aqui para me matar? – perguntou Hoyt.

– O quê? Não. – Forcei-me a olhar para cima. Hoyt tinha a barba por fazer. Seus olhos estavam vermelhos, seu corpo oscilava. Muita bebida.

– Onde está a Sra. Parker? – perguntei.

– Ela está segura. – Uma resposta estranha. – Mandei-a embora.

– Por quê?

– Acho que você sabe.

Talvez eu soubesse. Ou estivesse começando a saber.

– Por que eu o agrediria, Hoyt?

Ele manteve o revólver apontado para o meu peito.

– Você sempre carrega um revólver escondido, Beck? Eu poderia mandar você para a cadeia por isso.

– Você já me fez coisas piores – respondi.

Seu rosto adquiriu um ar de tristeza. Um discreto gemido escapou-lhe dos lábios.

– De quem foi o corpo que cremamos, Hoyt?

– Você não sabe?

– Sei que Elizabeth continua viva – falei.

Seus ombros desabaram, mas o revólver continuou apontado. A mão que empunhava a arma pareceu tensa por um momento, como se ele fosse atirar. Pensei em me jogar ao chão, mas isso não me protegeria por muito tempo.

– Sente-se – ele disse, o tom de voz calmo.

– Shauna viu o laudo da autópsia. Sabemos que não foi Elizabeth quem foi para o necrotério.

– Sente-se – ele repetiu, levantando um pouco o revólver, e acredito que teria atirado se eu não obedecesse. Ele me conduziu de volta à sala de estar. Sentei-me no sofá que testemunhara tantos momentos memoráveis, mas agora tinha a sensação de que eles seriam meras chamas de isqueiro diante do fogaréu que estava prestes a engolir aquele recinto.

Hoyt sentou-se à minha frente. O revólver continuava apontado para o meu peito. Em momento algum ele deixou a mão repousar. Aquilo devia fazer parte de seu treinamento, pensei. Dava para ver que ele estava exausto. Parecia um balão com um furinho, esvaziando-se quase imperceptivelmente.

– O que aconteceu? – perguntei.

Ele não respondeu à minha pergunta.

– O que leva você a pensar que ela esteja viva?

Parei. Eu teria cometido um erro? Seria possível que ele não soubesse de nada? Rapidamente cheguei à conclusão que não. Ele viu o corpo no necrotério. Foi ele quem o identificou. Ele tinha de estar envolvido. Mas aí me lembrei do e-mail.

Não conte a ninguém.

Teria sido um erro ir até lá?

Não. Aquela mensagem havia sido enviada antes de toda aquela confusão – em outras circunstâncias. Eu tinha de tomar uma decisão agora. Eu tinha de forçar a barra, agir.

– Você a viu? – perguntou ele.

– Não.

– Onde ela está?

– Não sei – respondi.

Hoyt subitamente ergueu a cabeça. Fez um sinal com o dedo indicador sobre os lábios para que eu fizesse silêncio. Ele se levantou e rastejou até a janela. As venezianas estavam todas fechadas. Ele espiou pelo lado.

Levantei-me.

– Sente-se.

– Atire em mim, Hoyt.

Ele olhou para mim.

– Ela está em apuros – eu disse.

– E você acha que pode ajudá-la? – Seu tom era de escárnio. – Salvei a vida de vocês dois naquela noite. O que você fez?

Senti algo contrair-se no meu tórax.

– Recebi uma pancada e perdi a consciência – eu disse.

– Certo.

– Você... – Eu estava tendo dificuldade em enunciar a frase. – Você nos salvou?

– Sente-se.

– Se você sabe onde ela está...

– Se eu soubesse... não estaríamos tendo esta conversa – ele concluiu.

Dei outro passo em sua direção. Depois mais outro. Ele apontou o revólver para mim. Eu não parei. Avancei até a boca da arma pressionar meu esterno.

– Você vai me dizer – exigi – ou então vai me matar.

– Você está disposto a correr esse risco?

Olhei-o direto nos olhos, encarando-o talvez pela primeira vez em nosso longo relacionamento. Algo mudara entre nós, embora eu não soubesse ao certo o quê. Resignação por parte dele, talvez, sei lá. Mas me mantive firme.

– Você tem alguma ideia da falta que sinto da sua filha?

– Sente-se, David.

– Não enquanto...

– Eu vou lhe contar tudo – disse ele calmamente. – Sente-se.

Continuei a encará-lo enquanto retrocedia até o sofá, onde me acomodei. Ele pousou o revólver na mesinha de canto.

– Aceita um drinque?

– Não.

– Em seu lugar, eu aceitaria.

– Mais tarde.

Ele deu de ombros e caminhou até o bar, um móvel velho, bambo e meio cafona, daqueles que têm uma tampa que você puxa para baixo. As garrafas estavam bagunçadas, jogadas de qualquer maneira umas contra as outras, e era óbvio que aquela não era a primeira vez que ele se servia naquele dia. Ele levou algum tempo despejando a bebida no copo. Tive ímpetos de apressá-lo, mas eu já estava cansado de tanto estresse. Ele precisava daquilo, pensei. Estava reunindo seus pensamentos, organizando-os, checando os ângulos. Era compreensível.

Segurou o copo com as duas mãos e afundou na cadeira.

– Nunca gostei muito de você – confessou. – Nada pessoal. Você vem de uma boa família. Seu pai era um sujeito legal, e sua mãe, bem, ela fez o melhor que pôde. – Uma das mãos dele segurava a bebida enquanto a outra ajeitava o cabelo. – Mas eu achava que seu relacionamento com minha filha era... – ele olhou para cima, perscrutando o teto em busca das palavras –... um empecilho ao crescimento dela. Agora... bem, agora percebo como vocês tiveram sorte.

A sala agora parecia mais fria. Procurei não me mexer, acalmar minha respiração, evitar qualquer coisa que pudesse perturbá-lo.

– Começarei pela noite no lago – disse. – Quando eles a sequestraram.

– Quem a sequestrou?

Ele baixou o olhar para o copo.

– Não interrompa – pediu. – Escute.

Concordei com a cabeça, mas ele não percebeu. Ele estava fitando a bebida, literalmente procurando respostas no fundo de um copo.

– Você sabe quem a sequestrou – respondeu –, ou já deveria saber. Os dois homens cujos corpos foram encontrados lá.

Seu olhar subitamente percorreu o aposento. Ele agarrou o revólver e levantou-se, olhando novamente pela janela. Tive vontade de perguntar o que ele esperava ver lá fora, mas não quis interrompê-lo novamente.

– Meu irmão e eu chegamos ao lago bem tarde. Quase tarde demais. Resolvemos interceptá-los quando estavam saindo com Elizabeth, na estrada de terra. Você sabe, onde ficam aquelas duas pedras.

Ele olhou para a janela, depois de volta para mim. Eu conhecia as duas pedras. Elas ficavam na estrada de terra a uns 800 metros do lago Charmaine. Eram ambas enormes, redondas, quase do mesmo tamanho e perfeitamente posicionadas em lados opostos da estrada. Havia um sem-número de lendas sobre como elas foram parar ali.

– Nós nos escondemos atrás delas, Ken e eu. Quando eles se aproximaram, atirei num pneu. Eles pararam para ver o que tinha acontecido. Quando saltaram do carro, atirei na cabeça dos dois.

Depois de olhar mais uma vez pela janela, Hoyt voltou para a cadeira. Ele posou novamente o revólver e fitou mais um pouco sua bebida. Eu contive minha língua e aguardei.

– Griffin Scope contratou aqueles dois homens – continuou. – Eles deveriam interrogar Elizabeth e depois matá-la. Ken e eu ficamos sabendo do plano e partimos para o lago para detê-los. – Ele levantou a mão como que para silenciar uma pergunta minha, embora eu não ousasse abrir a boca. – Os comos e os porquês não importam. Griffin Scope mandou matar Elizabeth. Isto é tudo o que você precisa saber. E ele não ia parar só porque seus dois capangas estavam mortos. Tinha muitos outros à disposição. Ele é como um daqueles monstros lendários de que você corta uma cabeça e nascem duas novas. – Ele olhou para mim. – Você não consegue derrotar alguém tão poderoso assim, Beck.

Ele bebeu um longo gole. Fiquei calado.

– Quero que você volte àquela noite e se coloque no nosso lugar – ele continuou, aproximando-se e tentando me envolver. – Dois homens jazem mortos naquela estrada de terra. Um dos homens mais poderosos do mundo os contratou para matar você. Ele não tem o menor escrúpulo em assassinar um inocente para atingir você. O que você pode fazer? Suponha que decida ir à polícia. O que diria? Um homem como Scope não deixa pistas, e, mesmo que deixasse, ele tem mais tiras e juízes no bolso do que os fios de cabelo na minha cabeça. Nós estaríamos fritos. Então eu lhe pergunto, Beck. Você está lá. Você tem dois homens mortos no chão. Você sabe que a coisa não ficará daquele jeito. O que você faz?

Encarei a pergunta como mera figura de retórica.

– Apresentei os fatos a Elizabeth assim como estou apresentando a você. Eu disse que Scope faria de tudo para matá-la. Se ela fugisse ou se escondesse, ele simplesmente nos torturaria até que a entregássemos. Ou ele iria atrás da minha esposa. Ou da sua irmã. Ele faria qualquer coisa para encontrar Elizabeth e matá-la. – Ele se inclinou mais para perto de mim. – Entendeu agora? Viu que não tínhamos outra saída?

Concordei com a cabeça, porque de repente tudo ficou claro.

– Você tinha de fazer com que eles pensassem que ela estava morta.

Ele sorriu. Eu estava todo arrepiado.

– Eu tinha algum dinheiro guardado na poupança. Meu irmão Ken também. Além disso, tínhamos contatos. Elizabeth entrou para a clandestinidade. Nós a mandamos para fora do país. Ela cortou os cabelos, aprendeu a usar disfarces. Talvez isso tudo tenha sido até exagero. Ninguém realmente estava atrás dela. Nos últimos oito anos, ela andou por vários países do Terceiro Mundo trabalhando para a Cruz Vermelha, a Unicef ou qualquer organização que tivesse uma vaga para ela.

Aguardei. Havia muita coisa que ele ainda não tinha contado, mas continuei calado. Deixei que aquelas revelações se infiltrassem em meu ser e me abalassem. Elizabeth. Ela continuava viva. Ela estivera viva nos últimos oito anos. Ela estivera respirando, vivendo, trabalhando... Era mais do que eu podia processar, um daqueles problemas matemáticos imposssíveis de resolver, que fazem o computador pirar.

– Você deve estar se perguntando sobre o corpo no necrotério.

Fiz que sim com a cabeça.

– Foi muito simples. O tempo todo recebemos cadáveres de indigentes. Eles ficam guardados na patologia durante algum tempo. Aí nós os enterramos numa cova comum em Roosevelt Island. O que eu fiz? Fiquei esperando por um cadáver de feições caucasianas, mais ou menos parecido com Elizabeth. Levou mais tempo do que eu esperava. A garota devia ser uma prostituta esfaqueada pelo gigolô, mas claro que nunca saberemos direito. Também não podíamos deixar a morte de Elizabeth sem explicação. Era preciso encontrar um autor. Escolhemos KillRoy. Todo mundo sabia que KillRoy marcava o rosto das vítimas com a letra K. Fizemos isso no cadáver. Restou o problema da identificação. Pensamos em queimá-la para que ficasse irreconhecível, mas havia a questão da arcada dentária e essas coisas. Então resolvemos correr um risco. O cabelo combinava. O tom da pele e a idade eram quase iguais. Abandonamos o corpo numa cidadezinha com um pequeno necrotério. Nós mesmos demos o telefonema anônimo para a polícia. Tomamos a precaução de chegar ao necrotério ao mesmo tempo que o corpo. Então tudo que tive de fazer foi identificar Elizabeth com cara de choro. A grande maioria das vítimas de homicídio é identificada por um membro da família. Foi o que fiz, e Ken confirmou. Quem questionaria isso? Por que um pai e um tio mentiriam?

– Vocês correram um tremendo risco – falei.

– Mas que outra opção nós tínhamos?

– Tinha de haver outra maneira.

Ele se inclinou para mais perto ainda. Dava para sentir seu hálito. As rugas flácidas em torno dos olhos estavam caídas.

– Pense bem, Beck, você está naquela estrada de terra com dois corpos... Agora que está aqui tranquilo, você pode analisar friamente. Diga: o que deveríamos ter feito?

Eu não tinha resposta.

– Havia outros problemas também – acrescentou Hoyt, relaxando um pouco. – Jamais tivemos certeza absoluta de que o pessoal de Scope sossegaria. Felizmente, os dois bandidos iam deixar o país após o assassinato. Encontramos passagens de avião para Buenos Aires nos bolsos deles. Eram dois vagabundos, tipos pouco confiáveis. Isso tudo ajudou. O pessoal de Scope acreditou que tudo tivesse dado certo, mas continuaram de marcação cerrada sobre nós. Não por achar que ela ainda estivesse viva, mas por medo de que ela pudesse ter nos entregado algum material incriminador.

– Que material incriminador?

Ele ignorou a pergunta.

– Sua casa, seu telefone, provavelmente seu consultório, eles grampearam tudo nos últimos oito anos. Eu também fui vítima.

Isso explicava os e-mails cautelosos. Deixei meus olhos vagarem pelo aposento.

– Fiz uma varredura aqui ontem – disse ele. – A casa está livre.

Quando ele silenciou por uns momentos, arrisquei uma pergunta:

– Por que Elizabeth resolveu voltar agora?

– Porque ela é louca – respondeu, e pela primeira vez senti raiva em sua voz. Dei-lhe um tempo. Ele se acalmou, e as manchas vermelhas em seu rosto começaram a desaparecer. – Os dois corpos foram enterrados – ele disse, tranquilamente.

– E o que aconteceu depois?

– Elizabeth acompanhou as notícias pela internet. Quando soube que os corpos haviam sido descobertos, ela temeu, assim como eu, que os Scope pudessem descobrir a verdade.

– Que ela ainda estava viva?

– Sim.

– Mas, se ela estava no exterior, seria quase impossível descobri-la.

– Foi o que eu disse a ela. Mas ela sabia que nada os deteria. Eles viriam atrás de mim. Ou da mãe dela. Ou de você. Mas... – ele parou de novo e abaixou a cabeça –... não sei se isso foi realmente a razão da decisão dela.

– Como assim?

– Às vezes penso que ela queria que isso acontecesse. – Ele se concentrou na bebida, agitou o gelo. – Ela queria voltar para você, David. Acho que os corpos foram só uma desculpa.

Novamente aguardei. Ele bebeu mais um gole e deu outra olhada pela janela.

– Sua vez – ele disse para mim.

– De quê?

– Quero algumas respostas agora – exigiu. – Por exemplo, como foi que ela entrou em contato com você? Como você escapou da polícia? Onde você acha que ela está?

Hesitei, mas por pouco tempo. Eu não tinha muitas opções.

– Elizabeth entrou em contato por e-mails anônimos. Ela falou num código que só eu poderia entender.

– Que tipo de código?

– Ela fez referência a coisas do nosso passado.

Hoyt assentiu com a cabeça.

– Ela sabia que eles poderiam estar espreitando.

– Sim. – Mudei de posição no sofá. – O que você sabe sobre o pessoal de Griffin Scope? – perguntei.

Ele pareceu confuso.

– Pessoal?

– Por acaso um asiático trabalha para ele?

O pouco de cor que restava no rosto de Hoyt desapareceu por completo. Ele me olhou espantado, como tivesse visto uma assombração.

– Eric Wu – disse ele num tom abafado.

– Esbarrei com o Sr. Wu ontem.

– Impossível – ele disse.

– Por quê?

– Você não teria sobrevivido.

– Tive sorte. – Contei a ele a história. Ele quase chorou.

– Se Wu encontrou Elizabeth antes de encontrar você... – Ele fechou os olhos, expulsando a imagem da mente.

– Ele não a encontrou.

– Como você pode ter tanta certeza?

– Wu queria saber por que eu estava no parque. Se ele já a tivesse encontrado, por que se incomodaria com aquilo?

Ele fez um lento sinal afirmativo com a cabeça. Terminou seu drinque e voltou a encher o copo.

– Mas eles agora sabem que ela está viva – observou. – Isso significa que virão atrás de nós.

– Então nós reagiremos – respondi, demonstrando muito mais bravura do que na verdade sentia.

– Você não ouviu o que eu disse há pouco? O monstro lendário não para de criar novas cabeças.

– Mas, no final, o herói sempre derrota o monstro.

Ele zombou da minha bravata. Aliás, bem que eu merecia. Mantive os olhos nele.

– Você tem que me contar o resto – pedi.

– Não é importante.

– É algo relacionado à morte de Brandon Scope, não é?

Ele negou com a cabeça, sem muita convicção.

– Sei que Elizabeth forneceu um álibi a Helio Gonzalez – afirmei.

– Isso não é importante, Beck. Confie em mim.

– Já fiz isso antes e me ferrei – retruquei.

Ele tomou mais um gole.

– Elizabeth mantinha um cofre sob o nome de Sarah Goodhart – continuei. – Foi lá que encontraram aquelas fotos.

– Eu sei – disse Hoyt. – Estávamos com pressa naquela noite. Eu não sabia que ela já tinha dado a chave a eles. Esvaziamos seus bolsos, mas não revistei os sapatos. Nem importava, aliás. Eu não tinha nenhuma intenção de que eles jamais fossem encontrados.

– Ela deixou algo mais no cofre além das fotografias – acrescentei.

Hoyt pousou cuidadosamente seu drinque sobre a mesinha.

– O velho revólver do meu pai estava lá também. Um 38. Lembra-se dele?

Hoyt olhou para longe, e sua voz ficou subitamente suave.

– Smith and Wesson. Eu o ajudei a escolhê-lo.

Senti que começava a tremer novamente.

– Você sabia que Brandon Scope foi morto com aquela arma?

Ele apertou os olhos, como uma criança que tenta expulsar um sonho ruim.

– Diga-me o que aconteceu, Hoyt.

– Você sabe o que aconteceu.

Eu não conseguia parar de tremer.

– Diga mesmo assim.

Cada palavra saiu como um golpe duro.

– Elizabeth atirou em Brandon Scope.

Neguei com um movimento de cabeça. Sabia que aquilo não era verdade.

– Ela estava trabalhando com ele naquela obra de caridade. Foi apenas uma questão de tempo até ela descobrir a verdade: que aquela droga de instituição não passava de uma fachada para todo tipo de contravenção... drogas, prostituição, sei lá mais o quê.

– Ela nunca me contou.

– Ela não contou a ninguém, Beck. Mas Brandon descobriu. Ele deu umas porradas nela para que ficasse com medo. Eu não sabia disso. Ela me contou a mesma história do acidente de carro.

– Ela não o matou – insisti.

– Foi em legítima defesa. Como ela não parava de investigar, Brandon entrou na casa de vocês armado com uma faca. Ele chegou até ela... e ela atirou nele. Para se defender.

Eu não conseguia parar de negar com a cabeça.

– Ela telefonou para mim, aos prantos. Peguei o carro e fui até a casa de vocês. Quando cheguei – ele fez uma pausa para recuperar o fôlego –, ele já estava morto. Elizabeth estava com o revólver. Ela queria que eu chamasse a polícia. Eu disse que não ia adiantar. Legítima defesa ou não, Griffin Scope acabaria conseguindo matá-la, ou coisa pior. Pedi a ela que me desse algumas horas. Ela estava tremendo, mas acabou concordando.

– Você removeu o corpo – eu disse.

Ele concordou.

– Eu sabia do caso de Gonzalez. O bandido estava iniciando uma vida de crimes. Conheço bem aquele tipo. Ele já se safara de uma condenação por homicídio graças a uma brecha na lei. Ninguém melhor do que ele para levar a culpa.

A história estava ficando clara.

– Mas Elizabeth não deixou isso acontecer.

– Eu não contava com isso – ele prosseguiu. – Ela soube pelo noticiário da prisão dele, e aí resolveu inventar aquele álibi. Para salvar Gonzalez de uma – Hoyt fez um sarcástico sinal de aspas com os dedos – grande injustiça. – Ele fez um gesto de desaprovação com a cabeça. – Para quê? Se ela tivesse deixado o patife ser enquadrado, seria o fim daquela novela toda.

– O pessoal de Scope descobriu que ela havia forjado o álibi. – falei.

– Alguém da polícia deixou vazar a informação, sim. Então eles começaram a averiguar e descobriram tudo sobre a investigação que ela estava fazendo sobre Brandon Scope. O resto está na cara.

– Então o ataque naquela noite no lago – deduzi – foi pura vingança.

Ele refletiu por instantes.

– Em parte, sim. Mas eles também estavam tratando de abafar a verdade sobre Brandon Scope. Ele era um herói morto. Preservar aquela imagem era muito importante para o pai.

E, pensei, para minha irmã.

– Ainda não entendi por que ela manteve aquele revólver no cofre.

– Aquilo era uma prova – ele disse.

– De quê?

– De que ela matara Brandon Scope. E de que havia feito isso em legítima defesa. Não importava o que acontecesse, Elizabeth não queria que outra pessoa fosse culpada pelo que ela fez. Ingenuidade, não lhe parece?

Não me parecia. Permaneci sentado, tentando me acostumar àquela nova versão dos fatos. Não consegui. Porque aquela não era toda a verdade. Eu sabia disso melhor do que ninguém. Olhei para meu sogro, a pele flácida, os cabelos cada vez mais ralos, o vigor declinante, o porte ainda impressionante, mas em processo de erosão. Hoyt achava que sabia o que realmente acontecera com sua filha. Mas ele não tinha ideia de como estava errado.

Ouvi um trovão. A chuva atingiu as janelas como pequenos socos.

– Você devia ter me contado – falei.

Ele negou com a cabeça, desta vez mais enfático:

– E o que você teria feito, Beck? Ido atrás dela? Fugido junto com ela? Eles teriam descoberto a verdade e matado todos nós. Eles estavam vigiando você. Aliás, ainda estão. Nós não contamos a ninguém. Nem mesmo para a mãe de Elizabeth. Se quiser uma prova de que fizemos a coisa certa, é só prestar atenção. Oito anos se passaram. Bastou ela enviar alguns e-mails anônimos para você, e veja o que aconteceu.

Uma porta de carro bateu. Hoyt correu em direção à janela como um tigre. Ele voltou a espiar.

– O mesmo carro em que você chegou. Com dois negões lá dentro.

– Eles vieram me buscar.

– Tem certeza de que não trabalham para Scope?

– Tenho. – Naquele exato momento, meu celular tocou. Eu atendi.

– Tudo bem? – perguntou Tyrese.

– Sim.

– Tem certeza?

– Por quê?

– Você confia nesse tira?

– Sei lá.

– Vamos nessa, doutor.

Eu disse a Hoyt que tinha de ir. Ele parecia esgotado demais para se importar. Apanhei de volta a Glock e corri até a porta. Tyrese e Brutus estavam me esperando. A chuva havia diminuído um pouco, mas nenhum de nós parecia se importar.

– Tem uma ligação para você. Vá para lá.

– Por quê?

– É pessoal – explicou Tyrese. – Não quero ouvir.

– Confio em você.

– Faça o que eu digo, cara.

Afastei-me até uma distância em que Tyrese não pudesse me ouvir. Atrás de mim, vi a veneziana se abrir. Hoyt olhou para fora. Olhei de volta para Tyrese. Ele gesticulou para que eu pusesse o telefone no ouvido. Obedeci. Houve silêncio e depois Tyrese disse:

– Tudo bem, vai fundo.

A voz que ouvi foi de Shauna.

– Eu a vi.

Fiquei petrificado.

– Ela disse para você encontrá-la esta noite no Golfinho.

Eu entendi. O telefone ficou mudo. Voltei para perto de Tyrese e Brutus.

– Preciso ir a um lugar sozinho. Não posso ser seguido.

Tyrese olhou para Brutus.

– Entre – disse Tyrese.

42

BRUTUS DIRIGIU FEITO UM LOUCO. Pegou a contramão diversas vezes, fez vários cavalos de pau. Da pista da direita, ele cortava todos os carros e avançava o sinal para dobrar à esquerda. Estávamos indo em tempo recorde.

Um trem partiria da estação de Iselin em direção a Port Jevis em 20 minutos. Eu poderia alugar um carro quando chegasse lá. Quando chegamos à estação, Brutus permaneceu no carro. Tyrese me acompanhou até a bilheteria.

– Você falou para eu fugir e não voltar – disse Tyrese.

– Isso mesmo.

– Talvez – ele disse – você deva fazer o mesmo.

Estendi-lhe a mão para me despedir. Tyrese a ignorou e me abraçou com força.

– Obrigado – agradeci brandamente.

Ele me soltou, ajeitou o paletó sobre os ombros e ajustou os óculos escuros.

– Quando precisar de mim...

Sem me dar chance de dizer qualquer coisa, voltou para o carro. O trem chegou e partiu no horário. Escolhi um lugar vazio e desabei. Tentei esvaziar a mente. Não consegui. Olhei ao redor. O vagão estava mais ou menos vazio. Duas colegiais com enormes mochilas tagarelavam usando diversas gírias. Deixei meus olhos vagarem pelo local. Vi que alguém tinha deixado um jornal – mais especificamente, um tabloide – no assento.

Fui até lá e o peguei. A manchete era sobre uma jovem atriz que tinha sido presa por roubar mercadorias em uma loja. Folheei as páginas, procurando pelos quadrinhos ou esportes – qualquer coisa que me distraísse. Mas meus olhos foram atraídos por uma foto... minha! O homem procurado. Estranho quão sinistro eu parecia na foto escurecida, como um terrorista do Oriente Médio.

Foi então que vi aquilo. E meu mundo, já de cabeça para baixo, sofreu um novo abalo.

Eu não estava realmente lendo o artigo. Meus olhos estavam apenas escaneando a página. Mas eu vi os nomes. Pela primeira vez. Os nomes dos homens encontrados mortos perto do lago. Um deles era familiar.

Melvin Bartola.

Não era possível.

Abandonei o jornal e saí correndo, abrindo aquelas portas deslizantes até encontrar um condutor, dois vagões adiante.

– Qual é a próxima parada? – perguntei.

– Ridgemont, Nova Jersey.
– Há alguma biblioteca perto da estação?
– Como vou saber?
Saltei lá mesmo assim.

◆◆◆

Eric Wu flexionou os dedos. Com um breve e firme empurrão, forçou a porta.

Não foi preciso muito tempo para identificar os dois negros que haviam ajudado o Dr. Beck a escapar. Larry Gandle tinha amigos na polícia. Wu descreveu os homens, e a polícia mostrou os arquivos com fotos de criminosos. Horas depois, Wu reconheceu a imagem de um brutamontes chamado Brutus Cornwall. Os policiais deram alguns telefonemas e descobriram que Brutus trabalhava para um traficante chamado Tyrese Barton.

Simples.

A corrente da porta se soltou. A porta se abriu e Latisha ergueu o olhar, surpresa. Ela ia gritar, mas Wu foi mais rápido. Ele colocou a mão sobre sua boca e levou os lábios até seu ouvido. Ele estava acompanhado de outro homem contratado por Gandle.

– Shhhh – sussurrou Wu quase gentilmente.

No chão, TJ brincava com seus carrinhos. Ouvindo o barulho, levantou a cabeça e murmurou:

– Mamãe?

Eric Wu sorriu para ele. Soltou Latisha e se ajoelhou. Latisha tentou detê-lo, mas o outro homem a segurou. Wu repousou a enorme mão sobre a cabeça do menino. Acariciou o cabelo de TJ, ao mesmo tempo que perguntou a Latisha:

– Sabe como posso encontrar Tyrese?

◆◆◆

Depois que saltei do trem, peguei um táxi até uma locadora de carros. O atendente me explicou como chegar à biblioteca. Levei uns três minutos para chegar lá. A biblioteca de Ridgemont ficava num prédio moderno, com tijolos neocoloniais, janelas panorâmicas, estantes de faia, sacadas e uma cafeteria. No balcão de consultas do segundo andar, encontrei uma bibliotecária e perguntei a ela se podia usar a internet.

– Tem identidade? – ela perguntou.

Eu tinha. Ela olhou o documento.

– É preciso ser morador do município.

– Por favor – implorei. – É muito importante.

Eu esperava ouvir um "não" inflexível, mas ela cedeu.

– Quanto tempo o senhor acha que vai demorar?

– Uns minutinhos.

– Aquele computador ali – ela apontou para um terminal atrás de mim – é o nosso terminal expresso. Qualquer um pode usá-lo durante 10 minutos.

Agradeci e corri até o terminal. Fiz uma busca no Yahoo e localizei o site do *New Jersey Journal*, o principal jornal dos condados de Bergen e Passaic. Eu sabia a data exata de que precisava: 12 de janeiro, 12 anos atrás. Encontrei a janela de pesquisa e digitei a informação.

O site tinha apenas os arquivos dos últimos seis anos.

Droga!

Voltei correndo até o balcão da bibliotecária.

– Preciso encontrar um artigo de 12 anos atrás do *New Jersey Journal* – eu falei.

– Não estava no site da internet?

Neguei com a cabeça.

– Microfilme – disse ela, apoiando-se na lateral da cadeira para se levantar. – Que mês?

– Janeiro.

Era uma mulher robusta, e seu caminhar foi penoso. Ela encontrou o rolo na gaveta de um arquivo e me ajudou a inserir a fita na máquina. Sentei-me.

– Boa sorte – ela disse.

Mexi no botão como se fosse o acelerador de uma motocicleta nova. O microfilme emitiu um som agudo ao passar pelo mecanismo. A cada poucos segundos, eu parava para ver onde estava. Levei menos de dois minutos para encontrar a data certa. O artigo estava na página três.

Assim que vi a manchete, senti um nó na garganta.

Às vezes eu jurava ouvir o cantar dos pneus, embora estivesse dormindo na minha cama a muitos quilômetros da cena do acidente. Aquilo ainda doía – talvez não tanto quanto a noite em que perdi Elizabeth, mas foi meu primeiro encontro com a morte e a tragédia, e a primeira vez você nunca esquece. Doze anos depois, ainda me lembrava dos mínimos detalhes daquela noite, embora ela costume retornar como um tornado vertiginoso: a campainha tocando antes de o sol raiar, os policiais de fisionomia grave à porta, Hoyt junto com eles, as palavras brandas e cuidadosas, nossa recusa inicial em aceitar a realidade, a lenta compreensão da tragédia, o rosto desesperado de Linda, minhas próprias lágrimas incessantes, minha mãe ainda não aceitando, tentando me acalmar, dizendo para eu parar de chorar, sua lucidez já abalada desmoronando, falando para eu parar de agir como um bebê, dizendo insistentemente que tudo ficaria bem, depois subitamente aproximando-se de mim, espantada com o volume das minhas lágrimas – lágrimas assim só mesmo no rosto de um bebê, não no de um rapaz crescido como você –, tocando uma lágrima, esfregando-a entre o polegar e o indicador – pare de chorar, David! –, ficando zangada porque eu não parava de soluçar, depois gritando para eu parar, até Linda e Hoyt a silenciarem e alguém lhe dar um sedativo, não pela primeira nem pela última vez. Tudo voltou num jorro horrendo. Li o artigo e senti o impacto atirar-me em uma direção totalmente nova:

CARRO DESABA NO BARRANCO
Um morto, causa desconhecida

Ontem, por volta das três da madrugada, um Ford Taurus conduzido por Stephen Beck, de Green River, Nova Jersey, caiu de uma ponte em Mahwah, perto da divisa com o estado de Nova York. A pista estava escorregadia por causa de uma tempestade de neve, mas as autoridades ainda não descobriram a causa do acidente. A única testemunha do ocorrido, Melvin Bartola, um motorista de caminhão de Cheyenne, Wyoming...

Parei de ler. Suicídio ou acidente, as pessoas se perguntavam. Agora eu sabia que não era nenhum dos dois.

◆◆◆

– O que há de errado? – perguntou Brutus.

– Sei lá, cara. – Depois, pensando a respeito, Tyrese acrescentou: – Eu não quero voltar.

Brutus não respondeu. Tyrese observou seu velho amigo. Eles haviam se conhecido na terceira série da escola. Naquela época, Brutus era tão calado como agora. Provavelmente ocupado demais apanhando duas vezes por dia – em casa e na escola –, até descobrir que a única maneira de sobreviver era tornar-se o pior filho da puta do quarteirão. Aos 11 anos, passou a ir à escola armado. Aos 14, matou pela primeira vez.

– Você não está cansado disso, Brutus?

Brutus deu de ombros.

– Sabemos demais.

A verdade jazia ali, pesada, imóvel, determinada.

O telefone celular de Tyrese tocou. Ele atendeu e disse:

– Oi.

– Alô, Tyrese.

Tyrese não reconheceu a voz estranha.

– Quem é?

– Nós nos conhecemos ontem. Numa caminhonete branca.

O sangue de Tyrese gelou. Bruce Lee, ele pensou. Cacete.

– O que você quer?

– Tem alguém aqui que quer mandar um oi.

Houve um breve silêncio, e em seguida TJ balbuciou:

– Papai?

Tyrese arrancou os óculos escuros. Seu corpo enrijeceu.

– TJ? Você está bem?

Mas Eric Wu estava de volta à linha.

– Estamos atrás do Dr. Beck, Tyrese. TJ e eu esperamos que você nos ajude a encontrá-lo.

– Não sei onde ele está.

– Que pena.

– Juro por Deus, eu não sei.

– Entendo – disse Wu. Em seguida: – Aguarde um momento, Tyrese. Quero que você ouça uma coisa.

43

O VENTO SOPRAVA, AS ÁRVORES DANÇAVAM, o laranja-purpúreo do pôr do sol começava a dar lugar a um azul-acinzentado. Assustou-me como o ar noturno dava exatamente a mesma sensação de oito anos atrás, a última vez em que me aventurara naquele terreno sagrado.

Perguntei-me se ocorreria ao pessoal de Griffin Scope ficar de olho no lago Charmaine. Mas, se Elizabeth marcara ali, era porque ela sabia que não havia perigo. Ela sabia que a propriedade tinha abrigado uma colônia de férias antes de o meu avô comprá-la. A pista de Elizabeth – Golfinho – era o nome de uma cabana onde dormiam os rapazes mais velhos e que ficava mais para dentro da floresta, um local que raramente ousávamos visitar.

O carro alugado subiu o que um dia havia sido a entrada de serviço da colônia, embora ela agora mal existisse. Da estrada principal não dava para vê-la, o capim alto a ocultava como a entrada da Batcaverna. Minha família a havia fechado com uma corrente, por precaução, com uma placa que dizia "Entrada Proibida". A corrente e a placa continuavam ali, mas os anos de abandono eram visíveis. Parei o carro, desenganchei a corrente e enrolei-a em volta da árvore.

Voltei ao banco do motorista e subi de carro até o refeitório da antiga colônia de férias. Pouca coisa restava. Ainda dava para ver os vestígios enferrujados de antigos fogões. Havia algumas panelas e caçarolas no solo, mas a maioria havia sido enterrada com os anos. Saltei do carro e aspirei o aroma doce da folhagem. Tentei não pensar em meu pai, mas na clareira, quando consegui divisar o lago lá embaixo, a maneira como o prateado da lua cintilava na superfície ondulada, voltei a ouvir o velho fantasma e me perguntei se desta vez ele não clamava por justiça.

Subi pela trilha, embora ela quase não existisse mais. Estranho que Elizabeth escolhesse aquele lugar para o encontro. Lembrei-me de como ela não gostava de brincar nas ruínas da antiga colônia de férias. Linda e eu, por outro lado, adorávamos esbarrar em sacos de dormir ou latas recém-esvaziadas, imaginando que tipo de preguiçoso as abandonara ali e se ele ainda estaria por perto. Elizabeth, bem mais medrosa que nós dois, não se interessava por aquelas brincadeiras. Lugares estranhos e incerteza a assustavam.

Levei 10 minutos para andar até lá. A cabana ainda estava em bom estado. O teto e as paredes continuavam de pé, embora os degraus de madeira que subiam até a porta estivessem reduzidos a lascas. A placa onde estava escrito Golfinho permanecia lá, pendurada num prego. Videiras, musgo e uma mistura de vegetação cujo nome eu ignorava não haviam encontrado um obstáculo naquela estrutura; eles penetravam nela, cercavam-na, metiam-se por buracos e janelas, consumiam a cabana, fazendo com que ela agora parecesse parte natural da paisagem.

– Você voltou – disse uma voz, surpreendendo-me.

Uma voz masculina.

Reagi sem pensar. Saltei para o lado, atirei-me ao chão, rolei, apanhei a Glock e mirei. O homem simplesmente levantou as mãos para o alto. Examinei-o, mantendo a pistola apontada para ele. Não era quem eu esperava. A barba espessa parecia um ninho de pintarroxos após o ataque de um corvo. Os cabelos, compridos e emaranhados. As roupas, uma camuflagem esfarrapada. Por um momento, pensei que estivesse de volta à cidade, diante de mais um morador de rua. Mas não era nada disso. O homem se erguia reto e firme. Ele me olhou nos olhos.

– Quem é você? – perguntei.

– Faz muito tempo, David.

– Eu não o conheço.

– É verdade. Mas eu o conheço. – Ele apontou com a cabeça para a cabana atrás de mim. – Você e sua irmã. Eu costumava observar vocês brincarem aqui.

– Não entendo.

Ele sorriu. Seus dentes – ele ainda tinha todos – eram de um branco ofuscante em contraste com a barba.

– Sou o bicho-papão.

À distância, ouvi uma família de gansos grasnar ao descer voando à superfície do lago.

– O que você quer? – perguntei.

– Absolutamente nada – respondeu ele, ainda sorrindo. – Posso abaixar as mãos?

Concordei, com um movimento de cabeça. Ele deixou as mãos caírem. Eu abaixei o revólver, mas o mantive engatilhado. Refleti sobre o que ele dissera e perguntei:

– Há quanto tempo você se esconde aqui?

– Eu me escondo aqui vez ou outra há – ele pareceu fazer algum tipo de cálculo com os dedos – 30 anos. – Ele sorriu diante da expressão espantada em meu rosto. – Sim, observo você desde que você era desta altura. – Ele abaixou a mão até o nível do joelho. – Vi você crescer e... – Ele fez uma pausa. – Faz muito tempo que você não vem aqui, David.

– Quem é você?

– Meu nome é Jeremiah Renway – respondeu ele.

O nome não me era familiar.

– Sou foragido da lei.

– Então por que você está se mostrando agora?

Ele fez um gesto de indiferença.

– Acho que é porque fiquei contente em vê-lo.

– Quem garante que eu não vá denunciá-lo às autoridades?

– Você tem uma dívida comigo.

– Como assim?

– Eu salvei sua vida.

Senti o chão sob mim oscilar.

– O quê?

– Quem foi que tirou você da água? – perguntou.

Fiquei emudecido pelo choque.

– Quem foi que arrastou você até a casa? Quem você acha que chamou a ambulância?

Minha boca se abriu, mas nenhuma palavra saiu dela.

– E – seu sorriso se abriu – quem você acha que desenterrou aqueles corpos para que fossem descobertos?

Levei alguns momentos até recuperar a voz.

– Por quê? – consegui dizer.

– Não sei ao certo. Veja bem, fiz algo ruim há muito tempo. Talvez eu visse isso como uma chance de redenção ou algo semelhante.

– Quer dizer que você viu...?

– Tudo – confessou Renway. – Vi quando eles agarraram sua esposa e atingiram você com o taco de beisebol. Ouvi quando prometeram tirar você do lago se ela contasse onde estava algo. Vi sua esposa entregar uma chave a eles. Então eles riram e a obrigaram a entrar no carro, abandonando você no lago.

Engoli em seco.

– Você os viu serem mortos?

Renway sorriu de novo.

– Já conversamos bastante, guri. Ela está esperando você.

– Não entendo.

– Ela está esperando você – repetiu ele, dando-me as costas. – Perto da árvore. – Sem avisar, ele saltou para dentro da floresta, disparando pelo matagal como um cervo. Fiquei ali e o observei desaparecer mato adentro.

A árvore.

Comecei a correr. Galhos fustigaram meu rosto. Não me importei. Minhas pernas pediram para parar. Não dei ouvidos. Meus pulmões protestaram. Disse para fazerem um esforço. Quando, enfim, dobrei à direita na rocha semifálica e cheguei ao fim da trilha, a árvore ainda estava lá. Eu me aproximei e senti meus olhos lacrimejarem.

Nossas iniciais – E. P. + D. B. – haviam escurecido com o tempo. O mesmo acontecera com as 13 barras que havíamos entalhado. Contemplei-as por um momento e, em seguida, estiquei o braço e toquei, hesitante, os sulcos. Não das iniciais. Não das 13 barras. Meus dedos percorreram as oito barras novas, ainda claras e pegajosas de seiva.

Depois a ouvi dizer:

– Eu sei que você acha isso brega.

Meu coração explodiu. Virei para trás. Era ela.

Não consegui me mover. Não consegui falar. Simplesmente contemplei seu rosto. Aquele rosto lindo. E os olhos. Tive a sensação de estar caindo num abismo. Seu rosto estava mais magro, mas ela ainda tinha aquelas maçãs do rosto tão típicas da Nova Inglaterra, bem pronunciadas, e acho que nunca vi nada tão perfeito em toda a minha vida.

Lembrei-me então dos sonhos cativantes – dos momentos noturnos de fuga em que eu a abraçava e acariciava seu rosto, ao mesmo tempo que me sentia afastado dali, consciente de que, mesmo em meio ao júbilo, aquilo não era de verdade e logo eu seria arremessado de volta ao mundo real. O medo de que aquilo não passasse de mais um sonho me dominou, deixando meus pulmões sem ar.

Elizabeth, parecendo adivinhar o que eu estava pensando, fez um gesto com a cabeça como quem diz: "Sim, isso é real." Ela deu um passo hesitante em minha direção. Eu mal conseguia respirar, mas consegui balançar a cabeça e apontar para as linhas entalhadas, dizendo:

– É tão romântico!

Ela conteve um soluço com a mão e disparou em minha direção. Abri os braços e ela se atirou contra mim.

Segurei-a. Apertei-a com todas as minhas forças. Meus olhos se fecharam. Senti o odor de lilás e canela de seus cabelos. Ela enterrou o rosto no meu peito e soluçou. Nós nos agarramos e voltamos a nos agarrar. Ela ainda... se encaixava. Nossos corpos continuavam se moldando perfeitamente um ao outro. Segurei a parte de trás de sua cabeça. Seu cabelo estava mais curto, mas a textura era a mesma. Eu a sentia tremer e tenho certeza de que ela sentia que o mesmo acontecia comigo.

Nosso primeiro beijo foi intenso e familiar e assustadoramente desesperado, como duas pessoas que tivessem, enfim, atingido a superfície depois de calcular mal a profundidade da água. Os anos de afastamento começaram a se dissipar, o inverno dando lugar à primavera. Milhares de emoções me assaltaram. Eu não as ordenei nem tentei entendê-las. Simplesmente deixei tudo acontecer.

Ela levantou a cabeça e olhou nos meus olhos e eu não consegui me mover.

– Desculpe – disse ela, e achei que meu coração voltaria a se despedaçar.

Apertei-a e jurei que nunca mais a deixaria se afastar novamente.

– Não me deixe outra vez – implorei.

– Nunca mais.

– Promete?

– Prometo – disse ela.

Permanecemos abraçados. Acariciei sua pele maravilhosa. Toquei os músculos de suas costas. Beijei o pescoço de cisne. Olhei até para o céu enquanto matava a saudade. Como?, eu me perguntava. Como aquilo podia não ser mais uma peça cruel? Como ela podia ainda estar viva e ter voltado para mim?

Eu não me importava. Só queria que aquilo fosse verdade. Queria que durasse.

Mas, mesmo em meio ao nosso dramático reencontro, o som do celular, como em uma cena de meus sonhos fugidios, veio quebrar o encanto. Por um momento, pensei em não atender, mas, depois de tudo o que acontecera, essa opção me era inviável. Pessoas queridas estavam envolvidas naquela história. Não podíamos simplesmente abandoná-las. Ainda cingindo Elizabeth com um braço – eu seria um amaldiçoado se a deixasse sumir de novo –, levei o aparelho ao ouvido e disse:

– Alô.

Era Tyrese. Enquanto ele falava, senti tudo desmoronar outra vez.

44

ESTACIONAMOS NO TERRENO ABANDONADO ao lado da escola primária Riker Hill e percorremos a área de mãos dadas. Mesmo no escuro, dava para ver que pouca coisa havia mudado desde o tempo em que Elizabeth e eu passeávamos por ali. O pediatra em mim não pôde deixar de observar as novas medidas de segurança. O conjunto de balanços ganhara correntes mais fortes e cintos de segurança. Sob o conjunto de barras se espalhara palha macia para amortecer uma eventual queda. Mas o campo de beisebol, o campo de futebol, a área asfaltada com o jogo de amarelinha pintado eram os mesmos de nosso tempo de criança.

Caminhamos até a janela da turma de segunda série da professora Sobel, mas tanto tempo se passara que acho que nenhum de nós sentiu mais do que um leve toque de nostalgia. Penetramos no mato, ainda de mãos dadas. Nenhum de nós dois percorrera aquela trilha nos últimos 20 anos, mas ainda sabíamos o caminho. Dez minutos depois, chegamos ao quintal de Elizabeth em Goodhart Road. Olhei para ela. Ela contemplava a casa da infância com olhos umedecidos.

– Sua mãe não soube de nada? – perguntei.

Ela respondeu que não, com um movimento de cabeça. Ela olhou para mim. Assenti e lentamente soltei sua mão.

– Você vai mesmo arriscar? – perguntou ela.

– Não há outra opção – respondi.

◆◆◆

Não dei a ela nenhuma chance de argumentar. Afastei-me e caminhei em direção à casa. Quando cheguei à porta de vidro corrediça, pus as mãos em torno dos olhos e espiei lá dentro. Nenhum sinal de Hoyt. Tentei a porta dos fundos. Estava destrancada. Virei a maçaneta e entrei. Não vi ninguém ali. Estava prestes a sair quando notei uma luz se acender na garagem. Atravessei a cozinha e entrei na lavanderia. Lentamente abri a porta para a garagem.

Hoyt Parker estava no banco dianteiro de seu Buick Skylark. O motor estava ligado. Na mão, segurava um drinque. Quando abri a porta, ele pegou o revólver. Ao me ver, pousou a arma de volta ao seu lado. Desci os dois degraus até o piso de cimento e estendi o braço até a maçaneta da porta do banco do carona. Estava destravada. Abri a porta e sentei-me ao lado dele.

– O que você quer, Beck? – Sua fala estava meio enrolada por causa da bebida.

Acomodei-me calmamente no banco.

– Diga a Griffin Scope para libertar o menino – ordenei.

– Não sei do que você está falando – ele respondeu sem a menor convicção.

– Suborno, propina, cervejinha. Escolha seu próprio termo, Hoyt. Eu já sei a verdade.

– Você não sabe porra nenhuma!

– Aquela noite no lago – eu disse. – Quando você ajudou a convencer Elizabeth a não chamar a polícia.

– Nós já conversamos sobre isso.

– Mas agora estou curioso, Hoyt. Qual era seu verdadeiro medo: que matassem Elizabeth ou que você fosse preso também?

Seus olhos se voltaram preguiçosamente para mim.

– Ela estaria morta se eu não a tivesse convencido a fugir.

– Quanto a isso, não tenho dúvida – respondi. – Mas mesmo assim você teve sorte, Hoyt, de matar dois coelhos com uma cajadada só. Você conseguiu salvar a vida de Elizabeth, e ainda por cima escapou da prisão.

– Por que eu iria parar na prisão?

– Vai negar que estava na folha de pagamentos de Scope?

Ele deu de ombros.

– Você acha que eu sou o único que mamava o dinheiro deles?

– Não – respondi.

– Então por que eu haveria de me preocupar mais do que os outros tiras?

– Por causa do que você fez.

Ele terminou seu drinque, procurou a garrafa, despejou mais um pouco.

– Não sei do que você está falando.

– Você sabe o que Elizabeth estava investigando?

– As atividades ilegais de Brandon Scope – respondeu ele. – Prostituição. Pedofilia. Drogas. O cara estava arrepiando.

– O que mais? – perguntei, tentando parar de tremer.

– Do que você está falando?

– Se ela tivesse ido mais fundo, teria descoberto um crime pior. – Respirei fundo. – Não estou certo, Hoyt?

Seu rosto sucumbiu quando eu disse isso. Ele virou para a frente e olhou pelo para-brisa.

– Um assassinato – eu disse.

Tentei seguir seu olhar, mas tudo o que vi foram ferramentas ordenadamente penduradas nos pinos. As chaves de fenda de cabo amarelo e preto estavam dispostas em perfeita ordem de tamanho, as de ponta chata à esquerda e as Phillips à direita. Três chaves inglesas e um martelo separavam os dois grupos.

Prossegui:

– Elizabeth não foi a primeira pessoa que quis derrubar Brandon Scope. – Parei e esperei até que ele olhasse para mim. Levou algum tempo, mas ele acabou olhando. Vi a verdade em seus olhos. Ele não piscou nem tentou escondê-la. Eu a vi. E ele sabia que eu a tinha visto.

– Você matou meu pai, Hoyt?

Ele tomou um longo gole com um som sibilante e engoliu. Gotas de uísque salpicaram seu rosto. Ele nem se incomodou em secá-las.

– Pior – revelou ele, fechando os olhos. – Eu o traí.

A raiva ferveu no meu peito, mas minha voz se manteve surpreendentemente serena.

– Por quê?

– Você já deveria ter descoberto.

Outra onda de fúria me percorreu.

– Meu pai trabalhou com Brandon Scope – comecei.

– Mais do que isso – ele interpôs. – Seu pai era conselheiro de Griffin Scope. Eles eram muito próximos.

– Assim como acontecia com Brandon e Elizabeth.

– Sim.

– Depois de trabalhar algum tempo com ele, meu pai descobriu que monstro Brandon realmente era. Estou certo?

Hoyt continuou bebendo.

– Ele não sabia o que fazer – prossegui. – Tinha medo de contar a verdade, mas não podia deixar o barco correr. A culpa o consumia. Daí seu silêncio nos meses antes de sua morte. – Parei e pensei no meu pai, assustado, isolado, sem ninguém a quem recorrer. Por que eu não enxergara o problema? Por que não olhara além do meu mundo para ver sua dor? Por que não estendi a mão? Por que não fiz nada para ajudá-lo?

Olhei para Hoyt. Eu tinha um revólver no bolso. Quão simples seria... Bastava pegar a arma e apertar o gatilho. Bum. E adeus, Hoyt. Só que eu sabia por experiência própria que aquilo não resolveria droga nenhuma. Pelo contrário.

– Continue – disse Hoyt.

– A certa altura, papai resolveu desabafar com um amigo. Mas não um amigo qualquer. Um tira, um policial que trabalhava na cidade onde os crimes vinham sendo cometidos. – Meu sangue começou a ferver, ameaçando entrar em erupção novamente. – Você, Hoyt.

Algo em seu rosto mudou.

– Até aqui acertei?

– Na mosca – respondeu ele.

– Você contou para os Scope, não foi?

Ele confirmou, com um gesto de cabeça.

– Achei que eles fossem transferi-lo ou algo semelhante. Mantê-lo longe de Brandon. Nunca pensei que... – Ele fez uma careta, claramente odiando a autojustificação em sua própria voz. – Como você descobriu?

– O nome Melvin Bartola, para início de conversa. Ele foi a testemunha do suposto acidente que matou meu pai, mas claro que ele também trabalhava para Scope. – O sorriso de meu pai brilhou diante de mim. Fechei o punho de raiva. – Depois você mentiu ao contar que salvou minha vida – continuei. – Você voltou ao lago após atirar em Bartola e Wolf. Mas não para me salvar. Você olhou, não viu nenhum movimento e concluiu que eu estava morto.

– Concluir que você estava morto não é o mesmo que desejar sua morte.

– Mera semântica – repliquei.

– Eu não queria que você se machucasse.

– Mas também não ligou muito para mim. Você voltou ao carro e disse a Elizabeth que eu tinha me afogado.

– Eu estava apenas tentando convencê-la a desaparecer. Isso ajudou.

– Você deve ter levado um susto quando soube que eu ainda estava vivo.

– Fiquei mesmo chocado. Aliás, como foi que você sobreviveu?

– Não importa.

Hoyt se reclinou, exausto.

– Suponho que não – respondeu. Sua expressão mudou de novo, e fiquei surpreso quando ele perguntou: – Então, que mais você quer saber?

– Você não nega nada do que eu disse?

– Não.

– E você conhecia Melvin Bartola, certo?

– Sim.

– Bartola advertiu você sobre o ataque a Elizabeth. Não entendo o que aconteceu exatamente. Vai ver foi a consciência dele. Ou ele não queria que ela morresse.

– A consciência de Bartola? – Ele deu uma risada. – Brincadeira! Ele era uma verdadeira escória humana. Ele veio falar comigo porque achou que poderia arrancar dinheiro dos dois lados: de Scope e de mim. Eu disse que dobraria a grana e o ajudaria a deixar o país se ele me ajudasse a forjar a morte dela.

Balancei a cabeça, enfim enxergando a verdade.

– Então Bartola e Wolf contaram ao pessoal de Scope que iam sair de circulação após o assassinato. Eu achava estranho que seu desaparecimento não tivesse levantado suspeitas, mas, graças a você, Scope pensou que Bartola e Wolf tinham saído do país.

– É isso aí.

– Então, o que aconteceu? Você os enganou?

– Homens como Bartola e Wolf... a palavra deles não significa nada. Por mais que eu pagasse, sabia que eles voltariam querendo mais. Eles se cansariam de viver fora do país ou talvez tomassem um porre e contassem tudo numa conversa de botequim. Lidei com esse tipo de gentalha a vida toda. Não podia me arriscar.

– Então você os matou.

– Sim – respondeu ele, sem um pingo de remorso.

Agora eu sabia toda a verdade. Só não sabia como aquela história toda terminaria.

– Eles pegaram um menino como refém – falei. – Prometi que me entregaria se eles o soltassem. Ligue para eles. Ajude na negociação.

– Eles não confiam mais em mim.

– Você trabalhou para Scope por um longo tempo – retruquei. – Veja se tem uma ideia.

Hoyt ficou sentado, pensando. Ele olhou para a parede das ferramentas, e fiquei curioso para saber o que ele estaria vendo. Depois, lentamente levantou o revólver, apontando-o para o meu rosto.

– Acho que tive uma ideia – ele disse.

Eu nem pisquei.

– Abra a porta da garagem, Hoyt.

Ele não se moveu.

Estendi o braço até o quebra-sol diante dele e apertei o controle remoto da garagem. O portão ganhou vida com um zunido. Hoyt observou-o se erguer. Lá fora, Elizabeth estava de pé, imóvel. Depois que o portão se abriu totalmente, ela cravou os olhos nos olhos do pai.

Ele recuou.

– Hoyt? – disse eu.

Sua cabeça virou subitamente em minha direção. Com uma das mãos ele agarrou minha cabeça e pressionou o revólver contra a minha têmpora.

– Diga a ela para sair da frente.

Mantive-me impassível.

– Obedeça ou você morrerá.

– Você não faria isso. Não na frente dela.

Ele se inclinou mais para perto de mim.

– Obedeça, cacete! – Sua voz mais parecia um apelo premente que uma ordem hostil. Olhei para ele e senti algo estranho me percorrer. Hoyt ligou a ignição. Olhei para a frente e gesticulei para que ela saísse do caminho. Ela hesitou, mas acabou andando para o lado. Hoyt esperou até que a saída estivesse livre. Então pisou fundo no acelerador. Passamos por ela voando. Ao nos afastarmos, olhei para trás e pela janela traseira vi Elizabeth cada vez mais distante e fraca, até enfim desaparecer.

De novo.

Relaxei e me perguntei se voltaria a vê-la. Eu fingira confiança antes, mas sabia quais eram as chances. Ela tentou me dissuadir. Expliquei que eu não podia fugir da raia. Desta vez, cabia a mim o papel de protetor. Elizabeth não gostou, mas entendeu.

Nos últimos dias eu descobrira que ela estava viva. Daria minha vida por isso? Sem dúvida. Compreendi este fato ao entrar no carro. Uma sensação estranha e pacífica me dominou ao seguir com o homem que traiu meu pai. A culpa que por tanto tempo me oprimira enfim esmoreceu. Eu sabia agora o que teria de fazer – o que teria de sacrificar – e refleti sobre se existia alguma outra opção ou se tudo já tinha sido predeterminado até o fim.

Virei-me para Hoyt e afirmei:

– Elizabeth não matou Brandon Scope.

– Eu sei – ele interrompeu, e então disse algo que me abalou. – Fui eu que matei.

Congelei.

– Brandon espancou Elizabeth – ele prosseguiu rapidamente. – Ele ia matá-la. Então, dei um tiro nele quando estava chegando na casa de vocês. Depois, joguei a culpa em Gonzalez, como já disse. Elizabeth soube do meu crime. Ela não deixaria um inocente pagar por ele. Por isso, inventou aquele álibi. A turma de Scope ficou sabendo e desconfiou. Quando começaram a suspeitar que Elizabeth poderia ter sido a assassina... – ele parou, manteve os olhos na estrada, evocou algo bem do fundo – meu Deus, eu deixei.

Entreguei-lhe o celular:

– Ligue – ordenei.

Ele ligou. Pediu para falar com um homem chamado Larry Gandle. Eu já havia encontrado Gandle várias vezes ao longo dos anos. O pai dele tinha feito o curso secundário junto com o meu.

– Estou com Beck – informou Hoyt. – Encontraremos vocês no haras, mas antes têm que soltar o menino.

Larry Gandle disse algo que não consegui entender.

– Assim que soubermos que o menino está seguro, iremos para lá – ouvi Hoyt dizer. – E diga a Griffin que tenho o que ele quer. Podemos resolver isso sem ferrar comigo ou minha família.

Gandle falou de novo, e depois o ouvi desligar. Hoyt me devolveu o telefone.

– Eu faço parte de sua família, Hoyt?

Ele mirou a arma na minha cabeça de novo.

– Pegue sua Glock devagar, Beck. Com dois dedos.

Obedeci. Ele apertou o botão da janela automática.

– Jogue-a pela janela.

Hesitei. Ele pressionou o cano do revólver novamente contra a minha têmpora. Atirei a pistola para fora do carro. Nem deu para ouvi-la atingir o chão.

Viajamos em silêncio depois, esperando que o telefone voltasse a tocar. Quando tocou, fui eu que atendi. Tyrese disse em voz calma:

– Ele está bem.

Desliguei, aliviado.

– Aonde você está me levando, Hoyt?

– Você sabe.

– Griffin Scope matará nós dois.

– Não – ele disse, ainda apontando a arma para mim. – Os dois, não.

45

SAÍMOS DA RODOVIA E ENTRAMOS numa estrada de terra. O número de postes de luz foi diminuindo até restar apenas a iluminação dos faróis do carro. Hoyt esticou o braço e pegou um envelope marrom no banco de trás.

– Eu trouxe isto comigo. Está tudo aqui.

– Tudo o quê?

– O que seu pai tinha sobre Brandon. O que Elizabeth tinha sobre Brandon.

Fiquei intrigado por um segundo. Aquilo estivera com ele o tempo todo. Depois, uma dúvida me assaltou: o carro, por que Hoyt tinha ido para o carro?

– Onde estão as cópias? – perguntei.

Ele sorriu como se ficasse feliz pela minha pergunta.

– Não há cópias. Está tudo aqui.

– Continuo não entendendo.

– Você vai entender, David. Desculpe, mas você é meu bode expiatório agora. É o único jeito.

– Scope não vai cair nessa – falei.

– Claro que vai. Trabalhei com ele muito tempo. Sei o que ele quer ouvir. Essa novela termina esta noite.

– Com a minha morte? – perguntei.

Ele não respondeu.

– Como você vai explicar isso a Elizabeth?

– Ela pode acabar me odiando – disse ele. – Mas pelo menos estará viva.

Um pouco adiante, vi o portão dos fundos da propriedade. Última cartada, pensei. Um segurança uniformizado acenou para que passássemos. Hoyt manteve o revólver apontado para mim. Começamos a subir o caminho de entrada, até que de repente Hoyt pisou no freio.

Ele se virou em minha direção.

– Você está escondendo um microfone, Beck?

– Claro que não.

– Merda, deixe eu ver! – Ele apalpou meu peito. Eu me esquivei. Ele levantou o revólver mais alto, aproximou-se de mim e me revistou de alto a baixo. Satisfeito, voltou à posição normal.

– Sorte sua – disse ele com um olhar de desdém.

O carro voltou a andar. Mesmo no escuro, dava para perceber a exuberância do terreno. Silhuetas de árvores recortavam-se contra a lua, balançando mesmo sem vento aparente. À distância, vi uma profusão de luzes. Hoyt seguiu pelo caminho em direção a elas. Uma placa cinza desbotada informou que havíamos chegado ao Haras Freedom Trails. Estacionamos na primeira vaga à esquerda. Olhei para fora da janela. Não entendo muito de cavalariças, mas aquele haras era impressionante. O prédio em forma de hangar daria para abrigar uma dúzia de quadras de tênis. As cocheiras tinham a forma de V e se estendiam a perder de vista. Havia um chafariz no meio do terreno. Havia pistas de obstáculos.

Havia também homens nos aguardando.

Com o revólver ainda apontado para mim, Hoyt ordenou:

– Saia.

Saí. O barulho da batida da porta ecoou no silêncio. Hoyt veio até o meu lado do carro e encostou a arma no centro das minhas costas. Um cheiro tipicamente rural dava uma sensação de déjà-vu. Mas quando vi os quatro homens à minha frente, dois dos quais reconheci, a imagem bucólica desapareceu.

Os outros dois – que eu nunca vira mais gordos – estavam armados com algum tipo de rifle semiautomático. Eles apontaram as armas para nós. Eu mal tremi. Acho que já estava me acostumando com armas apontadas para mim. Um dos homens erguia-se na extrema direita, perto da entrada das cocheiras. O outro estava apoiado num carro à esquerda.

Os dois homens que eu reconhecera estavam juntos sob uma lâmpada. Um deles era Larry Gandle. O outro, Griffin Scope. Hoyt me empurrou para a frente com o revólver. Enquanto andávamos na direção deles, vi a porta do prédio grande se abrir.

Eric Wu saiu de lá.

Meu coração bateu forte. Pude ouvir minha respiração nos meus ouvidos. Minhas pernas formigaram. Eu podia estar imune à intimidação das armas, mas meu corpo se lembrava bem dos dedos de Wu. Involuntariamente, retardei o passo. Wu mal olhou para mim. Ele caminhou direto até Griffin Scope e lhe entregou alguma coisa.

Hoyt me fez parar quando ainda estávamos a uns 10 metros de distância.

– Boas notícias – ele anunciou.

Todos os olhares voltaram-se para Griffin Scope. Eu conhecia o homem, é claro. Afinal, eu era filho de um velho amigo seu e irmão de uma funcionária de confiança. Como quase todo mundo, eu tinha admiração por aquele homem robusto com brilho nos olhos. O tipo do sujeito por quem você gostaria de ser notado – com seus tapinhas nas costas e convites para pagar cervejas, tinha a rara habilidade de se equilibrar entre os papéis de amigo e empregador. Essa é uma mistura que raramente funciona: ou o chefe perde o respeito ao se tornar amigo, ou o amigo desperta ressentimento quando tem de bancar o chefe. Mas, para um dínamo como Griffin Scope, aquilo não representava um problema. Tratava-se de um líder nato.

Griffin Scope pareceu intrigado:

– Boas notícias, Hoyt?

Hoyt tentou fingir um sorriso.

– Ótimas, eu acho.

– Maravilha – disse Scope. Ele olhou para Wu. Wu balançou a cabeça, mas permaneceu no lugar. Scope prosseguiu: – Então diga qual é a boa notícia, Hoyt. Estou morrendo de curiosidade.

Hoyt pigarreou.

– Antes de mais nada, você precisa saber que eu nunca quis prejudicá-lo. Na verdade, fiz de tudo para não deixar que algo incriminador pudesse vazar. Mas eu também precisava salvar minha filha. Dá para entender, não dá?

Por um momento, o rosto de Scope se tornou sombrio.

– Se entendo o desejo de proteger um filho? – ele perguntou, com sua voz grossa e calma. – Sim, Hoyt, acho que entendo.

Um cavalo relinchou à distância. O resto era silêncio. Hoyt umedeceu os lábios e exibiu o envelope marrom.

– O que é isso, Hoyt?

– Tudo – ele respondeu. – Fotos, declarações, fitas. Tudo o que minha filha e Stephen Beck tinham sobre seu filho.

– Existem cópias?

– Só uma – respondeu Hoyt.

– Onde?

– Num lugar seguro. Com um advogado. Se eu não telefonar para ele dentro de uma hora e disser um código, ele vai divulgar tudo. Não quero ameaçá-lo, Scope. Eu jamais revelaria o que sei. Tenho tanto a perder quanto qualquer outro.

– Sim – disse Scope. – Sei disso.

– Mas agora você poderia nos deixar em paz. Você está com o material. Mandarei o resto. Não há necessidade de prejudicar a mim ou a minha família.

Griffin Scope olhou para Larry Gandle, depois para Eric Wu. Os dois homens desconhecidos que montavam guarda pareciam tensos.

– E meu filho, Hoyt? Ele foi morto sem piedade. Você acha que eu vou engolir isso?

– Você está certo – disse Hoyt. – Mas não foi Elizabeth que matou seu filho.

Scope contraiu os olhos como se estivesse profundamente interessado, mas acho que vi algo mais ali, algo semelhante à estupefação.

– Por favor, diga – pediu. – Então quem foi?

Ouvi Hoyt engolir em seco. Ele se virou e olhou para mim.

– David Beck.

Eu não me surpreendi. Tampouco me zanguei.

– Ele matou seu filho – continuou Hoyt rapidamente. – Ele descobriu o que estava acontecendo e quis se vingar.

Scope fez toda uma encenação, ofegando e levando a mão ao peito. Finalmente, olhou para mim. Wu e Gandle também se viraram na minha direção. Scope me olhou nos olhos e disse:

– O que tem a dizer em sua defesa, Dr. Beck?

Pensei a respeito.

– Adianta alguma coisa eu dizer que ele está mentindo?

Scope não respondeu diretamente. Ele se virou para Wu e disse:

– Por favor, traga aquele envelope.

Wu tinha o andar de uma pantera. Ele avançou na nossa direção, sorrindo para mim, e senti alguns dos meus músculos se contraírem instintivamente. Ele parou diante de Hoyt e estendeu a mão. Hoyt lhe entregou o envelope. Wu pegou o envelope com uma das mãos. Com a outra – nunca vi ninguém agir com tamanha rapidez – arrancou o revólver de Hoyt como se arranca um brinquedo de uma criança e jogou-o para trás.

Hoyt tentou protestar:

– Que p...?

Wu lhe deu um soco forte no estômago. Hoyt caiu de joelhos. Todos o observamos ficar de quatro, com ânsia de vômito. Wu deu uma volta em torno dele, esperou alguns segundos e deu um pontapé bem no tórax de Hoyt. Ouvi algo estalar. Hoyt rolou de costas, piscando, braços e pernas estendidos.

Griffin Scope se aproximou, sorrindo para o meu sogro. Depois, ele ergueu algo no ar. Eu apertei os olhos. Um objeto pequeno e preto.

Hoyt ergueu o olhar, cuspindo sangue.

– Não estou entendendo – conseguiu dizer.

Pude distinguir o que Scope segurava na mão: um minúsculo gravador cassete. Scope apertou o Play. Ouvi primeiro minha própria voz, depois a de Hoyt.

"Elizabeth não matou Brandon Scope."

"Eu sei. Fui eu que matei."

Scope desligou o gravador. Silêncio total. Scope lançou um olhar dardejante para o meu sogro. Foi então que percebi várias coisas. Percebi que, se Hoyt Parker sabia que suas conversas em casa vinham sendo ouvidas, ele também saberia que provavelmente o mesmo aconteceria em seu carro. Por isso ele deixara a casa ao ver nosso veículo se aproximar. Por isso nos esperara no carro. Por isso tinha me interrompido quando eu disse que Elizabeth não matara Brandon Scope. Por isso confessara o crime num lugar onde sabia que eles estariam ouvindo. Percebi que, ao me revistar, ele na verdade tinha sentido o microfone que Carlson escondera no meu peito. Mas ele queria que os agentes federais também ouvissem tudo, e sabia que Scope não se daria ao trabalho de me revistar. Percebi que Hoyt Parker estava arrependido. Embora tivesse feito coisas terríveis, até mesmo trair meu pai, seus últimos gestos não passaram de um estratagema, de uma derradeira tentativa de redenção. No final, seria ele, e não eu, quem se sacrificaria para salvar todos nós. Percebi também que, para seu plano funcionar, faltava uma coisa. Por isso, saí da frente. Enquanto ouvia os helicópteros do FBI começarem a descer e a voz de Carlson no megafone gritando para todos ficarem parados onde estavam, observei a mão de Hoyt Parker alcançar um coldre no tornozelo, pegar uma pistola e atirar três vezes em Griffin Scope. Em seguida, Hoyt virou a arma para si.

Gritei "Não", mas o último tiro abafou minha voz.

46

ENTERRAMOS HOYT QUATRO DIAS DEPOIS. Milhares de policiais uniformizados vieram prestar sua última homenagem. Os detalhes do ocorrido na propriedade de Scope ainda não tinham sido divulgados, e talvez nunca chegassem a ser. A própria mãe de Elizabeth não insistira em obter respostas, talvez pelo fato de estar vibrando de alegria com a "ressurreição" da filha. Daí ela não sentir vontade de fazer muitas perguntas ou de procurar incoerências. Era natural.

Por ora, Hoyt Parker morrera como herói. E talvez isso fosse verdade. Não sou o melhor juiz.

Hoyt escrevera uma longa confissão, basicamente reafirmando o que me revelara no carro. Carlson a mostrou para mim.

– Isto encerra o caso? – perguntei.

– Ainda temos que abrir um processo contra Gandle, Wu e alguns dos outros – respondeu ele. – Mas, com Griffin Scope morto, todos estão dispostos a colaborar agora.

O monstro lendário, pensei. Não adianta cortar-lhe a cabeça. É preciso apunhalá-lo no coração.

– Você fez bem em me procurar quando raptaram aquele menino – disse Carlson.

– Que outra escolha eu tinha?

– É isso aí. – Carlson me deu a mão. – Cuide-se, Dr. Beck.

– Você também.

Você deve estar querendo saber se Tyrese se mudou para a Flórida e como andam TJ e Latisha. E mais: se Shauna e Linda continuam juntas e se Mark está feliz. Mas não posso dizer, porque não sei.

Essa história termina aqui, quatro dias após a morte de Hoyt Parker e Griffin Scope. Já é tarde. Bem tarde. Estou deitado na cama com Elizabeth, observando o movimento de sua respiração enquanto ela dorme. Eu a observo o tempo todo. Quase não fecho os olhos. Meus sonhos perversamente se inverteram. Agora é neles que a perco, é neles que ela está morta novamente e eu estou sozinho. Por isso, estou sempre segurando-a. Não desgrudo dela. Preciso desesperadamente dela. E ela de mim. Mas nós vamos superar isso.

Como se sentisse meus olhos nela, Elizabeth rola na cama. Sorrio para ela. Ela sorri de volta e sinto meu coração nas nuvens. Lembro-me daquele dia no lago. Lembro-me de mim na balsa. E lembro-me de minha decisão de contar a verdade.

– Precisamos conversar – digo.

– Não há necessidade.

– Esse negócio de guardar segredos não funciona conosco, Elizabeth. Foi o que causou essa confusão toda. Se tivéssemos contado tudo um para o outro... – interrompo a frase.

Ela concorda com um movimento de cabeça. E percebo que ela sabe. Que ela sempre soube.

– Seu pai – eu digo – sempre achou que foi você quem matou Brandon Scope.

– Foi o que eu disse a ele.

– Mas, no final... – faço uma pausa, para logo depois prosseguir – quando eu disse no carro que não foi você que o matou, será que ele acreditou?

– Não sei – diz Elizabeth. – Gostaria de crer que sim.

– Então ele se sacrificou por nós.

– Ou tentou impedir que você se sacrificasse – diz ela. – Ou talvez tenha morrido ainda achando que fui eu que matei Brandon Scope. Nunca saberemos, nem precisamos saber.

Olhamos um para o outro.

– Você sabia – digo com grande esforço. – Desde o início, você...

Ela me silencia colocando o dedo em meus lábios.

– Tudo bem.

– Você pôs todas aquelas coisas no cofre – digo – por mim.

– Eu quis proteger você.

– Agi em legítima defesa – digo, lembrando-me novamente da sensação da arma em minha mão, o coice terrível quando apertei o gatilho.

– Eu sei – responde ela, colocando os braços em volta do meu pescoço e me puxando para junto dela. – Eu sei.

Veja bem, quando Brandon Scope invadiu nossa casa, oito anos antes, eu é que estava lá. Eu é que estava deitado sozinho na cama quando ele se aproximou com a faca. Lutamos. Tentei pegar o revólver do meu pai. Ele tentou me esfaquear. Dei um tiro e o matei. Depois, apavorado, fugi. Tentei ordenar os pensamentos, descobrir uma saída. Quando recobrei o controle, quando voltei para casa, o corpo havia sumido. A arma do crime também. Eu quis contar a ela. Eu ia fazer isso no lago. Mas só agora estou contando.

Como eu já disse, talvez, se eu tivesse contado a verdade desde o início...

Ela me puxa para mais perto.

– Estou aqui – sussurra Elizabeth.

Aqui. Comigo. Custa-me acreditar que seja verdade. Mas vou acabar acreditando. Nós nos abraçamos e adormecemos. Amanhã de manhã acordaremos juntinhos. Depois de amanhã também. Seu rosto será o primeiro que verei todos os dias. Sua voz será a primeira que ouvirei. E isso, sei bem, é tudo de que preciso.

Agradecimentos

Gostaria de agradecer à equipe:

- à preparadora de originais Beth de Guzman, bem como a Susan Corcoran, Sharon Lulek, Nita Taublib, Irwyn Applebaum e aos demais profissionais da Bantam Dell;
- a Lisa Erbach Vance e Aaron Priest, meus agentes;
- a Anne Armstrong-Coben, Gene Riehl, Jeffrey Bedford, Gwendolen Gross, Jon Wood, Linda Fairstein, Maggie Griffin e Nils Lofgren, por suas ideias e seu estímulo;
- e a Joel Gotler, que me instigou, estimulou e inspirou.

Conheça outros títulos do autor

Confie em mim

A vida no subúrbio de Livingston parece perfeita. Mas a verdade é que, como em qualquer lugar do mundo, cada uma daquelas famílias tem a sua tragédia particular. Mike e Tia Baye, preocupados com seu filho Adam, resolvem invadir a privacidade do garoto e espioná-lo. Betsy Hill sente-se culpada por não ter feito nada que pudesse evitar seu suicídio de seu filho Spencer. Guy Novak cria sozinho Yasmin, mas, embora seja um pai extremamente dedicado, não consegue impedir que um infeliz comentário de um professor torne a infância da menina um inferno. Lucas Loriman precisa de um transplante de rim, mas sua mãe Susan guarda um segredo devastador que pode arruinar a família.

Enquanto acompanha as dores, preocupações e angústias de cada um desses personagens, você vai mergulhar numa aventura emocionante e cheia de mistérios, em que todas essas histórias, aparentemente independentes, se conectam num final surpreendente e arrebatador. Em *Confie em mim*, Harlan Coben nos faz pensar sobre como pais desesperados são capazes de ultrapassar todos os limites na tentativa de proteger seus filhos.

Desaparecido para sempre

No leito de morte, a mãe de Will Klein lhe faz uma revelação: seu irmão mais velho, Ken, desaparecido há 11 anos e acusado do assassinato, estaria vivo. Ainda aturdido por essa descoberta e tentando entender o que realmente aconteceu com seu irmão, Will se depara com outro mistério: Sheila, seu grande amor, some de repente, e o FBI suspeita do envolvimento dela no assassinato de dois homens. Enquanto isso, Philip McGuane e John Asselta, dois criminosos que foram amigos de infância de Ken, passam inexplicavelmente a rondar a vida de Will. Para tornar tudo ainda mais estranho e perturbador, ele passa também a ser perseguido por um psicopata implacável que ressurge enigmaticamente do seu passado.

Denso, avassalador e surpreendente, este thriller traz revelações e descobertas que se sucedem num turbilhão de emoções e não cessam até a última página.

Cilada

Haley McWaid tem 17 anos. É aluna exemplar, disciplinada, ama esportes e sonha entrar para uma boa faculdade. Por isso, quando certa noite ela não volta para casa e três meses transcorrem sem que se tenha nenhuma notícia dela, todos na cidade começam a imaginar o pior.

O assistente social Dan Mercer recebe um estranho telefonema de uma adolescente e vai a seu encontro. Ao chegar ao local, ele é surpreendido pela equipe de um programa de televisão, que o exibe em rede nacional como pedófilo. Inocentado por falta de provas, Dan é morto logo em seguida.

Nas investigações da morte de Dan e do desaparecimento de Haley, verdades inimagináveis são reveladas e a fragilidade de vidas aparentemente normais é posta à prova. Todos têm algo a esconder e os segredos se interligam e se completam em um elaborado mosaico de mistérios. *Cilada* fala de culpa, luto e perdão em uma trama repleta de reviravoltas surpreendentes. Nada é o que parece e tudo pode ser desfeito até a última página.

Conheça outros títulos da Editora Arqueiro

A traição

Christopher Reich

Por duas vezes o amor do Dr. Jonathan Ransom por sua esposa, Emma, uma espiã internacional que mantinha em segredo sua real identidade, o arrastou para situações de extremo risco. Para se afastar destes problemas, ele segue para o Afeganistão com intuito de expiar os pecados fazendo aquilo no que é melhor: ajudar as pessoas.

Porém, enquanto trabalha numa cirurgia restauradora, ele é abordado por Sultan Haq, um perigoso terrorista, que exige que o médico vá curar seu pai, Abdul. Quando as coisas não saem conforme o esperado, Jonathan se vê outra vez lutando para salvar a própria vida.

Com *A traição*, Christopher Reich dá sequência à trama de *A farsa* e *A vingança*. Nesse novo livro, ele surpreende ainda mais o leitor e não deixa dúvidas sobre por que é considerado um dos maiores nomes do thriller de espionagem do século XXI.

Heresia
S.J. PARRIS

Em meio ao clima de conflitos religiosos da Inglaterra de 1583, o monge italiano Giordano Bruno chega a Londres, tentando escapar da Inquisição, que o acusou de heresia. O filósofo, cientista e estudioso de magia logo é recrutado pelo chefe do serviço de espionagem real e enviado a Oxford para descobrir o que puder sobre um complô para derrubar a rainha. Porém uma série de assassinatos desviam o filósofo de sua missão. Alguém parece estar determinado a executar uma sofisticada vingança em nome da religião. Mas, afinal, de qual religião?

Baseado em fatos reais da vida de Giordano Bruno, *Heresia* exigiu uma pesquisa minuciosa da autora, que investigou a fundo a trajetória do monge e o contexto político e religioso da época em que ele viveu. O resultado é um suspense histórico repleto de reviravoltas surpreendentes.

Água para elefantes
SARA GRUEN

Durante 70 anos Jacob guardou um segredo: nunca falou a ninguém sobre o período de sua juventude em que trabalhou no circo. Até agora.

Aos 23 anos, Jacob teve sua vida transformada após a morte de seus pais. Órfão, sem dinheiro e sem ter para onde ir, ele deixa a faculdade e, desesperado, acaba pulando em um trem em movimento, o Esquadrão Voador do circo Irmãos Benzini. Admitido para cuidar dos animais, Jacob sofrerá nas mãos do Tio Al, o empresário tirano do circo, e de August, chefe do setor dos animais. É também sob as lonas que ele se apaixona duas vezes: primeiro por Marlena, a bela estrela do número dos cavalos e esposa de August; e depois por Rosie, a elefanta aparentemente estúpida que deveria ser a salvação do circo.

Água para elefantes é tão envolvente que seus personagens continuam vivos muito depois de termos virado a última página. Sara Gruen nos transporta a um mundo misterioso e encantador, construído com tamanha riqueza de detalhes que é quase possível respirar sua atmosfera.

Conheça os Clássicos da Editora Arqueiro

Queda de gigantes, de Ken Follett

Não conte a ninguém, *Desaparecido para sempre*, *Confie em mim* e *Cilada*, de Harlan Coben

A cabana, de William P. Young

A farsa, de Christopher Reich

Água para elefantes, de Sara Gruen

O Símbolo Perdido, *O Código Da Vinci*, *Anjos e Demônios*, *Ponto de Impacto* e *Fortaleza Digital*, de Dan Brown

Julieta, de Anne Fortier

O guardião de memórias, de Kim Edwards

O guia do mochileiro das galáxias, *O restaurante no fim do universo*, *A vida, o universo e tudo mais*, *Até mais, e obrigado pelos peixes!* e *Praticamente inofensiva*, de Douglas Adams

O nome do vento, de Patrick Rothfuss

A passagem, de Justin Cronin

A revolta de Atlas, de Ayn Rand

A conspiração franciscana, de John Sack

INFORMAÇÕES SOBRE OS PRÓXIMOS LANÇAMENTOS

Para saber mais sobre os títulos e autores
da EDITORA ARQUEIRO,
visite o site www.editoraarqueiro.com.br
ou siga @editoraarqueiro no Twitter.
Além de informações sobre os próximos lançamentos,
você terá acesso a conteúdos exclusivos e poderá participar
de promoções e sorteios.

Se quiser receber informações por e-mail,
basta cadastrar-se diretamente no nosso site.

Para enviar seus comentários sobre este livro,
escreva para atendimento@editoraarqueiro.com.br
ou mande uma mensagem para @editoraarqueiro no Twitter.

EDITORA ARQUEIRO
Rua Funchal, 538 – conjuntos 52 e 54 – Vila Olímpia
04551-060 – São Paulo – SP
Tel.: (11) 3868-4492 – Fax: (11) 3862-5818
E-mail: atendimento@editoraarqueiro.com.br